AS BOAS MULHERES DA CHINA

XINRAN

As boas mulheres da China

Vozes ocultas

Tradução do inglês
Manoel Paulo Ferreira

9ª reimpressão

COMPANHIA DAS LETRAS

Título original
The Good Women of China

Esta edição se baseou na tradução inglesa The Good Women of China, *feita por Esther Tyldesley, publicada pela editora Chatto & Windus, Londres*

Capa
Chatto & Windus

Preparação
Rafael Mantovani

Revisão
Beatriz de Freitas Moreira
Carmen S. da Costa

Dados Internacionais de Catalogação na Publicação (CIP)
(Câmara Brasileira do Livro, SP, Brasil)

Xinran, 1958-
As boas mulheres da China : vozes ocultas / Xinran ; [tradução do chinês para o inglês Esther Tyldesley] ; tradução do inglês Manoel Paulo Ferreira. — São Paulo : Companhia das Letras, 2003.

Título em inglês: The good womem of China: hidden voice.
ISBN 85-359-0326-7

1. Mulheres – China – Condições sociais 2. Mulheres – China – Relatos breves I. Título.

03-0174 CDD-305.40951

Índice para catálogo sistemático:
1. China : Mulheres : Sociologia 305.40951

[2004]

EDITORA SCHWARCZ LTDA.
Rua Bandeira Paulista 702, cj. 32
04532-002 — São Paulo — SP
Telefone (11) 3707-3500
Fax (11) 3707-3501
www.companhiadasletras.com.br

Para todas as chinesas
e para meu filho Panpan

Nota da autora

As histórias contadas aqui são verídicas, mas os nomes foram alterados, a fim de proteger as pessoas envolvidas.

Em chinês, "Xiao", na frente de um sobrenome, significa "jovem". Quando precede o primeiro nome, cria um diminutivo e indica maior proximidade em relação à pessoa com quem se está falando.

Sumário

Prólogo

Às nove horas de 3 de novembro de 1999, eu estava a caminho de casa, depois de dar uma aula no curso noturno da *School of Oriental and African Studies* (SOAS) da Universidade de Londres. Ao sair da estação de metrô de Stamford Brook para a escura noite de outono, ouvi um som rápido atrás de mim. Não tive tempo de reagir e alguém me bateu com força na cabeça e me jogou no chão. Instintivamente, segurei firme a bolsa, onde estava a única cópia de um manuscrito que eu acabara de escrever. Mas o meu agressor não se deixou demover.

"Dá a bolsa", gritava sem parar.

Resisti com uma força que não sabia que tinha. No escuro, não conseguia enxergar um rosto. Só estava ciente de que lutava com um par de mãos fortes, mas invisíveis. Tentei me proteger e, ao mesmo tempo, dar-lhe um pontapé no ponto onde achei que ficasse a virilha. Ele chutou de volta e senti uma dor aguda explodindo nas costas e nas pernas, e o gosto salgado de sangue na boca.

Passantes começaram a acorrer aos gritos. Em pouco tempo o homem foi cercado por um grupo enfurecido. Quando me pus de pé, cambaleando, vi que ele tinha mais de um metro e noventa de altura.

Mais tarde a polícia quis saber por que eu tinha arriscado a vida por uma bolsa.

Tremendo e dolorida, expliquei: "É que o meu livro estava dentro dela".

"Um livro?", admirou-se o policial. "Um livro é mais importante do que a sua vida?"

Claro que a vida é mais importante do que um livro. Mas, em muitos sentidos, o meu livro era a minha vida. Era o meu depoimento sobre a vida de mulheres chinesas, o resultado de um trabalho de muitos anos como jornalista. Eu sabia que tinha sido imprudente: se tivesse perdido o manuscrito, poderia ter tentado reescrevê-lo. Mas não tinha certeza se seria capaz de enfrentar novamente as emoções extremas provocadas pela redação do livro. Fora doloroso reviver as histórias das mulheres que eu tinha conhecido, e ainda mais difícil pôr as minhas lembranças em ordem e encontrar uma linguagem adequada para expressá-las. Ao lutar pela bolsa, eu estava defendendo meus sentimentos e os das mulheres chinesas. O livro era o resultado de muitas coisas que, caso se perdessem, jamais poderiam ser reencontradas. Quando alguém mergulha nas próprias recordações, abre uma porta para o passado; a estrada lá dentro tem muitas ramificações e a cada vez o trajeto é diferente.

1. Meu percurso rumo às histórias das mulheres chinesas

Numa manhã da primavera de 1989, logo cedo, eu ia na minha bicicleta Pombo Voador pelas ruas de Nanquim, divagando sobre o meu filho, Panpan. Os brotos verdes nas árvores, as nuvens de respiração gelada envolvendo outros ciclistas, os lenços de seda das mulheres agitando-se ao vento primaveril, tudo se mesclava com pensamentos sobre o meu filho. Eu o estava criando sozinha, sem o auxílio de um homem, e não era fácil cuidar dele e trabalhar fora. Mas em toda viagem que eu fizesse, longa ou curta, mesmo no curto trajeto até o trabalho, ele me acompanhava em espírito e me dava coragem.

"Ei, apresentadora famosa, olhe aonde vai", gritou um colega quando entrei meio vacilando no prédio da estação de rádio e televisão onde trabalhava.

Havia dois policiais armados nos portões. Mostrei-lhes o meu passe. Lá dentro eu teria que passar por mais dois guardas armados, diante da entrada dos escritórios e estúdios. A segurança na estação era extremamente rigorosa e os empregados tomavam cuidado com os guardas. Corria a história de que um soldado novo tinha pegado no sono durante uma noite de plantão e acordou tão agitado que matou o camarada que o despertou.

A minha sala ficava no décimo sexto dos vinte e um andares daquele prédio moderno e severo. Eu preferia subir a escada a arriscar-me a usar o elevador, que não merecia confiança e quebrava freqüentemente. Quando cheguei à minha mesa, percebi que tinha deixado a chave da bicicleta no cadeado. Com pena de mim, um colega se ofereceu para telefonar para o porteiro. Isso não era muito fácil porque, na época, nenhum funcionário de baixo escalão tinha telefone e o meu colega teria que ir à sala do chefe da seção para fazer o telefonema. No final alguém me trouxe a chave, junto com a minha correspondência. Em meio à grande pilha de cartas, uma me chamou a atenção imediatamente: o envelope tinha sido feito com a capa de um livro e havia uma pena de galinha grudada nele. Segundo uma tradição chinesa, uma pena de galinha é sinal de pedido de socorro urgente.

A carta vinha de um garoto e tinha sido mandada de uma aldeia a cerca de duzentos e cinqüenta quilômetros de Nanquim.

Respeitada Xinran,

Ouço todos os seus programas. Todo mundo na nossa aldeia gosta deles. Mas não estou escrevendo para lhe dizer como o seu programa é bom; estou escrevendo para lhe contar um segredo.

Não é bem um segredo, porque todo mundo na aldeia sabe. Há um homem velho e aleijado aqui, de sessenta anos, que comprou uma esposa recentemente. Ela parece muito nova. Acho que foi raptada. Acontece muito disso por aqui, mas muitas das garotas conseguem fugir mais tarde. O velho está com medo de que a mulher fuja, por isso amarrou-a com uma grossa corrente de ferro. A cintura dela está em carne viva por causa do peso da corrente — o sangue escoa pela roupa. Acho que ela vai morrer. Salve-a, por favor.

Não mencione esta carta no rádio de modo algum. Se os moradores da aldeia descobrirem, expulsam a minha família daqui.

Que o seu programa fique cada vez melhor.

Seu ouvinte leal,
Zhang Xiaoshuan

Era a carta mais aflitiva que eu recebia desde que começara a apresentar o meu programa noturno de rádio, *Palavras na brisa noturna*, quatro meses antes. Nele eu discutia vários aspectos do cotidiano e usava minhas próprias experiências para obter a confiança dos ouvintes e sugerir meios de lidar com as dificuldades da vida. "Meu nome é Xinran", dissera eu no início da primeira transmissão. "'Xinran' significa 'com prazer'. '*Xin xin ran zhang kai le yan*', escreveu Zhu Ziqing num poema sobre a primavera: 'Com prazer, a natureza abriu os olhos para coisas novas'." O programa era uma "coisa nova" para todo mundo, inclusive para mim. Eu estava só começando como apresentadora e tentava fazer algo que nunca se fizera no rádio.

Desde 1949 a mídia era o porta-voz do Partido. A rádio estatal, os jornais estatais e, depois, a televisão estatal forneciam as únicas informações a que os chineses tinham acesso, e diziam todos a mesma coisa. A comunicação com alguém no exterior parecia tão remota quanto um conto de fadas. Quando Deng Xiao Ping iniciou o lento processo de abertura da China, em 1983, tornou-se possível para os jornalistas, caso fossem corajosos, tentar fazer mudanças sutis na maneira como apresentavam as notícias. Também se tornou possível, embora talvez mais perigoso, discutir questões pessoais na mídia. Em *Palavras na brisa noturna*, eu tentava abrir uma janelinha, um buraco minúsculo, para que as pessoas pudessem desabafar e respirar, depois da atmosfera carregada de pólvora dos quarenta anos precedentes. O autor e filósofo chinês Lu Xun disse certa vez que "a primeira pessoa que experimentou um caranguejo deve ter provado uma aranha também, mas percebeu que não era boa para comer". Esperando a reação dos ouvintes ao programa, eu me perguntava se iam considerá-lo um caranguejo ou uma aranha. O número de cartas entusiasmadas que se empilhavam na minha mesa me convenceu de que era um caranguejo.

A carta que recebi do garoto Zhang Xiaoshuan foi a primeira a apelar para a minha ajuda prática e me deixou muito confusa. Informei o chefe da minha seção e perguntei o que devia fazer. Ele sugeriu, com indiferença, que eu entrasse em contato com o Departamento de Segurança Pública. Telefonei e contei a história de Zhang Xiaoshuan.

O policial do outro lado da linha me disse que me acalmasse. "Esse tipo de coisa acontece muito. Se todo mundo reagisse como a senhora, morreríamos de tanto trabalhar. E de toda forma é um caso perdido. Temos pilhas de relatórios aqui e os nossos recursos humanos e financeiros são limitados. Se fosse a senhora, eu pensaria bem antes de me envolver. Aldeães como esses não têm medo de ninguém nem de nada. Mesmo que fôssemos até lá, eles poriam fogo nos nossos carros e espancariam os nossos oficiais. Eles fazem o impossível para garantir que suas famílias se perpetuem, pois deixar de produzir um herdeiro seria uma ofensa contra os ancestrais."

"Então o senhor está me dizendo que não vai assumir responsabilidade por essa garota?"

"Eu não disse isso, mas..."

"Mas o quê?"

"Mas não há motivo de pressa, podemos ir passo a passo."

"Não se pode deixar alguém morrer passo a passo!"

O policial deu uma risadinha. "É por isso que dizem que os policiais apagam incêndios e os jornalistas ateiam fogo. Qual é mesmo o seu nome?"

"Xin... ran", respondi, rilhando os dentes.

"Sim, sim, Xinran, um bom nome. Está bem, Xinran, venha até aqui. Eu vou ajudá-la", disse, como se me fizesse um favor e não como se cumprisse o próprio dever.

Fui direto à sua sala. Era um típico oficial de polícia chinês: robusto e alerta, com uma expressão astuta.

“No interior”, disse ele, “o céu está no alto e o imperador está muito longe.” Na sua opinião, a lei não tinha poder algum lá. Os camponeses temiam apenas as autoridades locais, que controlavam seus suprimentos de pesticidas, fertilizantes, sementes e ferramentas agrícolas.

O policial tinha razão. No final, foi o chefe do depósito de suprimentos agrícolas da aldeia que conseguiu salvar a garota. Ameaçou suspender o suprimento de fertilizantes dos aldeães, caso ela não fosse solta. Três policiais me levaram até o povoado num carro da polícia. Quando chegamos, o chefe da aldeia teve que abrir caminho para nós por entre os moradores, que nos xingavam e sacudiam o punho na nossa direção. A garota tinha só doze anos. Nós a tiramos do velho, que chorava e praguejava amargamente. Não ousei perguntar pelo garoto que me havia escrito. Eu queria agradecer, mas a polícia me disse que, se descobrissem o que ele tinha feito, os aldeães poderiam assassiná-lo e à sua família.

Presenciando em primeira mão o poder dos camponeses, comecei a entender como, com o auxílio deles, Mao derrotou Chang Kai-chek e suas armas britânicas e americanas.

A menina foi mandada de volta para a família em Xining — uma viagem de trem de vinte e duas horas, a partir de Nanquim —, acompanhada por um policial e alguém da estação de rádio. Apurou-se que os pais tinham contraído uma dívida de quase dez mil iuanes tentando encontrá-la.

Não recebi nenhum elogio por salvar a menina, só críticas por “deslocar soldados, causar agitação entre as pessoas” e desperdiçar o tempo e o dinheiro da emissora. Fiquei abalada com essas queixas. Havia uma garota em perigo e, ainda assim, ir em socorro dela foi visto como “exaurir as pessoas e drenar o Tesouro”. Quanto valia, exatamente, a vida de uma mulher na China?

Essa pergunta começou a me perseguir. A maioria das pessoas que me escreviam na rádio eram mulheres. Geralmente eram cartas anônimas ou assinadas com um nome fictício. Muito do que diziam me causava um choque profundo. Eu achava que compreendia as chinesas. Lendo as cartas, percebi como estava enganada. Elas viviam uma vida e enfrentavam problemas com que eu nem sequer sonhava.

Muitas das perguntas que me faziam tinham a ver com sexualidade. Uma queria saber por que o seu coração se acelerava quando ela esbarrava por acaso num homem no ônibus. Outra perguntou por que começava a suar quando um homem lhe tocava a mão. Durante muito tempo toda conversa sobre assuntos sexuais fora proibida e todo contato físico entre um homem e uma mulher que não fossem casados tinha levado à condenação pública — sendo "combatido" — ou mesmo à prisão. Mesmo entre marido e mulher, "conversas íntimas na cama" podiam ser interpretadas como prova de comportamento delinqüente e, em brigas de família, era comum as pessoas ameaçarem denunciar os parceiros à polícia por haverem incorrido nisso. O resultado foi que duas gerações de chineses cresceram com os instintos naturais em confusão. Eu mesma era tão ignorante que, aos vinte e dois anos de idade, tinha me recusado a ficar de mãos dadas com um professor numa festa ao ar livre em torno de uma fogueira, por medo de engravidar. A minha compreensão da concepção vinha de uma linha num livro: "Eles se deram as mãos ao luar... Na primavera, tiveram um robusto filhinho". Peguei-me querendo saber muito mais sobre a vida íntima das chinesas e decidi começar a pesquisar os seus diferentes antecedentes culturais.

O Velho Chen foi a primeira pessoa com quem falei sobre meu projeto. Tinha sido jornalista durante muito tempo e era altamente respeitado. Dizia-se que até o prefeito de Nanquim se aconselhava com ele. Eu o consultava com freqüência sobre meu trabalho, por uma questão de respeito pela sua idade, mas também para me valer da sua considerável experiência. Desta vez, porém, a reação dele me admirou. Balançou a cabeça, tão calva que não dava para dizer onde terminava o couro cabeludo e começava o rosto, e exclamou: "Ingênua!".

Fiquei surpresa. Os chineses consideram a calvície como um sinal de sabedoria. Eu estaria enganada? Por que era ingenuidade querer entender as chinesas?

Falei a um amigo que trabalhava na universidade sobre a advertência do Velho Chen.

"Xinran", disse ele, "você já esteve numa fábrica de pão-de-ló?"

"Não", respondi, desconcertada.

"Pois eu já. É por isso que nunca como pão-de-ló." E sugeriu que eu visitasse uma para entender o que ele estava dizendo.

Como sou impaciente por natureza, às cinco horas da manhã seguinte fui até uma panificadora, pequena mas de boa reputação. Não tinha anunciado a visita, mas não esperava topar com nenhuma dificuldade. Na China os jornalistas são chamados de "reis sem coroa". Têm direito de livre acesso a quase todas as organizações do país.

O gerente da panificadora não sabia por que eu tinha ido lá, mas ficou impressionado com a minha devoção ao trabalho: disse que nunca tinha visto um jornalista levantar tão cedo em busca de dados. Ainda não estava totalmente claro; sob a luz tênue das lâmpadas da fábrica, sete ou oito mulheres quebravam ovos num grande tonel. Bocejavam e pigarreavam com um terrível som áspero. O som intermitente de cusparadas me deixou apreensiva. Uma mulher estava com o rosto todo lambuzado de gema de ovo, mais provavelmente por ter limpado o nariz do que por causa de algum estranho tratamento de beleza. Vi dois operários adicionarem aromatizante e corante a uma fina pasta de farinha que tinha sido preparada na véspera. Depois puseram os ovos na mistura, que foi despejada em fôrmas numa esteira transportadora. Quando as fôrmas saíram do forno, umas doze mulheres embalaram os bolos em caixas. Tinham migalhas nos cantos da boca.

Ao sair, lembrei-me de uma coisa que um colega jornalista tinha dito uma vez: as coisas mais sujas do mundo não são banheiros nem esgotos, mas fábricas de alimentos e cozinhas de restaurantes. Decidi que nunca mais comeria pão-de-ló, mas não consegui entender a relação entre o que eu vira e a questão de entender as mulheres.

Telefonei para o meu amigo, que pareceu desapontado com a minha falta de percepção.

"Você viu o que se faz para que aqueles bolos bonitos e macios se tornem o que são. Se só os tivesse visto na loja, jamais teria sabido. Mas, ainda que você tivesse sucesso em relatar como a panificadora é mal administrada e como viola as normas de saúde, acha que isso faria as pessoas pararem de comer pão-de-ló? É o mesmo com as mulheres. Mesmo que conseguisse acesso às recordações e aos lares delas, você seria capaz de julgar ou mudar as leis pelas quais elas vivem a vida? Além disso, quantas estariam dispostas a abrir mão do amor-próprio e falar com você? Acho que o seu colega é realmente sábio."

2. A menina que tinha uma mosca como animal de estimação

O Velho Chen e o meu amigo da universidade certamente tinham razão acerca de uma coisa. Seria muito difícil encontrar mulheres dispostas a falar livremente comigo. Para as chinesas, o corpo nu é objeto de vergonha, não de beleza. Elas o mantêm coberto. Pedir-lhes que me deixassem entrevistá-las seria como pedir que tirassem a roupa. Percebi que precisaria tentar meios mais sutis para descobrir sobre a vida delas.

As cartas que recebia dos meus ouvintes, cheias de anseios e esperança, foram o meu ponto de partida. Perguntei ao meu diretor se podia acrescentar, no final do programa, um espaço especial para mulheres, onde eu iria discutir e talvez ler em voz alta as cartas recebidas. Ele não se opôs à idéia: também queria entender o que as chinesas pensavam, para lidar melhor com o relacionamento tenso que tinha com a esposa. Mas a autorização não dependia dele; eu teria que enviar um requerimento ao escritório central. Eu estava mais do que familiarizada com o procedimento: fileiras de altos funcionários na estação, que eram meros meninos de recados, com condecorações mas sem nenhum poder executivo. A última palavra era dos escalões superiores.

Seis semanas depois o meu requerimento foi devolvido, adornado com quatro carimbos vermelhos de aprovação oficial. O tempo que eu pretendia criar para as ouvintes tinha sido reduzido para dez minutos. Mesmo assim, senti como se estivesse caindo maná do céu.

O impacto dos meus dez minutos para cartas de mulheres foi muito além das minhas expectativas: o número de cartas aumentou, a ponto de eu me ver recebendo mais de cem por dia. Seis estudantes universitários tiveram que vir me ajudar no trabalho. Os assuntos das cartas também se diversificaram mais. As histórias que as ouvintes me contavam tinham ocorrido no país inteiro, em vários momentos dos últimos setenta anos, mais ou menos, e vinham de mulheres com antecedentes sociais, culturais e profissionais bem diferentes. Revelavam mundos ocultos das vistas da maioria da população, inclusive de mim mesma. Eu me emocionava profundamente com as cartas. Muitas incluíam toques pessoais, como flores, folhas ou casca de árvore prensadas, e lembrancinhas de crochê.

Uma tarde, ao voltar para o escritório, encontrei sobre a minha mesa um pacote e um bilhete do porteiro. Uma mulher de uns quarenta anos tinha deixado o embrulho com ele e pedira que me entregasse. Não deu nome nem endereço. Vários colegas me aconselharam a passar o pacote pela inspeção do departamento de segurança antes de abrir, mas resisti. Achava que não se podia prever o destino e um forte impulso me impelia a abrir o pacote imediatamente. Encontrei uma velha caixa de sapatos, com o belo desenho de uma mosca com aparência humana na tampa. As cores estavam quase completamente desbotadas. Ao lado da boca da mosca, havia uma frase: "Sem a primavera, as flores não podem desabrochar; sem a dona, isto não pode ser aberto". Havia um pequeno cadeado na tampa.

Hesitei. Devia abrir? Aí notei uma mensagem minúscula, obviamente escrita havia pouco tempo: "Xinran, abra, por favor".

A caixa estava cheia de pedaços de papel descorados e amarelados. Recobertos de texto, não eram uniformes no tamanho, no formato nem na cor: eram sobretudo tiras de papel, do tipo usado para registros de hospital. Pareciam um diário. Também havia uma carta grossa, registrada, endereçada a Yan Yulong, na Equipe de Produção X, província de Shandong. Vinha de alguém chamado Hongxue, que dava como endereço um hospital na província de Henan. A data no carimbo do correio era 24 de agosto de 1975. Estava aberta e, no alto, lia-se: "Xinran, respeitosamente lhe peço que leia cada palavra. Uma ouvinte fiel".

Como não tinha tempo de examinar os pedaços de papel antes de entrar no ar, decidi ler a carta primeiro:

Querida Yulong,

Você vai bem? Desculpe por não ter escrito antes. Não há motivo para isso, é só que tenho muito a dizer e não sei por onde começar. Por favor me desculpe.

Já é tarde demais para lhe implorar que perdoe o meu erro terrível e irreversível, mas eu ainda quero lhe dizer: querida Yulong, eu sinto muito!

Você me fez duas perguntas na sua carta: "por que você não quer ver o seu pai" e "o que a fez pensar em desenhar uma mosca e por que foi que a fez tão bonita".

Querida Yulong, essas duas perguntas são muito, muito dolorosas para mim, mas vou tentar responder.

Qual é a menina que não ama seu pai? Um pai é uma grande árvore abrigando a família, as vigas que sustentam uma casa, o guar-

dião de sua mulher e de seus filhos. Mas não amo meu pai — eu o odeio.

Na véspera de Ano-Novo do ano em que fiz onze anos, levantei bem cedo e, inexplicavelmente, estava sangrando. Fiquei tão assustada que me pus a chorar. A minha mãe, que veio ter comigo quando me ouviu, disse: "Hongxue, você cresceu". Ninguém, nem mesmo ela, tinha me falado sobre coisas de mulheres antes. Na escola, ninguém ousava fazer essas perguntas ultrajantes. Naquele dia, mamãe me deu uns conselhos básicos sobre como lidar com o meu sangramento, mas não explicou mais nada. Fiquei entusiasmada: tinha me tornado mulher! Saí correndo pelo quintal, pulando e dançando durante três horas. Até esqueci do almoço.

Um dia, em fevereiro, estava nevando muito e mamãe tinha saído para visitar uma vizinha. Meu pai tinha vindo da base militar, para uma das suas raras visitas. Ele me disse: "Sua mãe diz que você cresceu. Vamos, tire a roupa para o papai ver se é verdade".

Eu não sabia o que ele queria ver, e estava muito frio — eu não queria tirar a roupa.

"Rápido! O papai ajuda!", disse ele, tirando-me a roupa com destreza. Ele, que normalmente tinha os movimentos lentos, estava totalmente diferente. Começou a passar as mãos pelo meu corpo inteiro, perguntando o tempo todo: "Esses mamilozinhos já incharam? É daqui que o sangue vem? Esses lábios querem beijar o papai? É gostoso quando o papai passa a mão aqui, assim?".

Eu me sentia morta de vergonha. Pelo que me lembrava, nunca tinha estado nua na frente de ninguém, exceto nos banhos públicos separados. Meu pai notou que eu estava tremendo. Disse-me que não tivesse medo e me preveniu para não contar nada à mamãe. "Sua mãe jamais gostou de você", disse. "Se ela descobrir que eu amo você tanto assim, vai querer saber ainda menos de você."

Essa foi a minha primeira "experiência de mulher". Depois, tive uma náusea muito forte.

A partir de então, bastava que minha mãe não estivesse na sala — ainda que estivesse só na cozinha, cozinhando, ou no banheiro — para que meu pai me prensasse atrás da porta e me alisasse inteira. Fui ficando com um medo cada vez maior desse "amor".

Mais tarde ele foi transferido para outra base militar. Minha mãe não podia ir junto por causa do emprego dela. E disse que tinha se esgotado criando a mim e ao meu irmão e que queria que meu pai cumprisse suas responsabilidades por um tempo. Assim, levou-nos para morar com ele.

Eu tinha caído na toca do lobo.

A partir do dia em que minha mãe foi embora, toda tarde meu pai se enfiava na minha cama enquanto eu descansava. Ocupávamos um aposento num dormitório coletivo e ele usava a desculpa de que meu irmãozinho não gostava de cochilar à tarde para trancar a porta e deixá-lo do lado de fora.

Nos primeiros dias, só passava as mãos pelo meu corpo. Depois começou a forçar a língua dentro da minha boca. Aí começou a me cutucar com a coisa dura na parte inferior do seu corpo. Vinha para a minha cama, já sem ligar se era dia ou noite. Usava as mãos para me abrir as pernas e me molestar. Até enfiava os dedos dentro de mim.

Naquela altura tinha parado de fingir que era "amor paterno". Ameaçava-me, dizendo que, se eu contasse para alguém, seria criticada em público e teria que desfilar pelas ruas com palha na cabeça, porque eu já era o que chamavam de "um sapato usado".

Meu corpo, que ganhava formas rapidamente, o deixava cada vez mais excitado, enquanto eu me sentia mais e mais aterrorizada. Pus um cadeado na porta do quarto, mas ele não se importava de acordar todos os vizinhos e batia até que eu abrisse. Às vezes enganava as outras pessoas no dormitório e elas o ajudavam a forçar a minha porta, ou então dizia que precisava entrar pela janela para pegar alguma coisa porque eu tinha o sono muito pesado. Outras vezes era meu irmão quem o ajudava, sem entender o que fazia. Assim, trancasse eu a porta ou não, ele entrava no meu quarto, em plena vista de todos.

Quando ouvia as batidas, eu com freqüência ficava paralisada de medo e me enroscava tremendo embaixo do acolchoado. Os vizinhos me diziam: "Você estava dormindo como uma morta. O coitado do seu pai teve que entrar pela janela para pegar as coisas dele!".

Eu não ousava dormir no meu quarto, não ousava ficar sozinha de maneira alguma. Meu pai percebeu que eu estava sempre encontrando pretextos para sair e criou a regra de que eu tinha que estar de volta na hora do almoço, todo dia. Mas era comum eu adormecer antes mesmo de terminar de comer: ele estava pondo remédio para dormir na minha comida. Eu não tinha como me proteger.

Muitas vezes pensei em me matar, mas não tive coragem de abandonar o meu irmãozinho, que não teria ninguém a quem se voltar. Comecei a ficar cada vez mais magra, até que adoeci gravemente.

Na primeira vez em que fui internada no hospital militar, a enfermeira de plantão disse ao médico, dr. Zhong, que eu tinha o sono muito perturbado. Acordava assustada ao mais leve ruído. O dr. Zhong, que não conhecia os fatos, disse que era por causa da minha febre alta.

Mas, mesmo enquanto eu estava assim doente, meu pai vinha ao hospital e se aproveitava de mim, que estava com um tubo na veia e sem poder me mexer. Uma vez, quando o vi entrando no meu quarto, comecei a gritar descontroladamente, mas meu pai simplesmente disse à enfermeira — que viera correndo — que eu tinha muito mau gênio. Naquela primeira vez só passei duas semanas no hospital. Quando voltei para casa, encontrei meu irmão com um machucado na cabeça e manchas de sangue no casaco. Contou que o papai estivera de péssimo humor enquanto estive no hospital e o surrava ao menor pretexto. Naquele dia o animal doentio que era o meu pai apertou-se enlouquecido contra o meu corpo, ainda desesperadamente frágil e fraco, sussurrando que tinha morrido de saudade de mim!

Não pude conter o choro. Aquele era o meu pai? Tinha tido filhos só para satisfazer seus desejos animalescos? Dera-me a vida para quê?

Minha experiência no hospital tinha me mostrado um jeito de continuar vivendo. Injeções, comprimidos e exames de sangue eram preferíveis a viver com meu pai. Assim, comecei a me ferir repetidamente. No inverno, encharcava-me de água fria e saía para o gelo e a neve. No outono, comia comida estragada. Uma vez, em desespero, estendi o braço embaixo de um pedaço de ferro que estava caindo, para cortar a mão esquerda na altura do pulso. (Não fosse por um pedaço de madeira macia embaixo, eu certamente teria perdido a mão.) Nessa ocasião, ganhei sessenta noites inteiras de segurança. Entre ferimentos que eu mesma me causava e os remédios, fui ficando aflitivamente magra.

Mais de dois anos mais tarde, minha mãe conseguiu uma transferência no emprego e veio morar conosco. A sua chegada não afetou o desejo obsceno que meu pai sentia por mim. Disse que o corpo dela estava velho e murcho e que eu era a concubina dele. Minha mãe não parecia notar a situação, até que um dia, no final de fevereiro, quando meu pai estava me batendo porque eu não tinha lhe levado alguma coisa que ele queria, gritei com ele pela primeira vez na vida, dividida entre a mágoa e a raiva: "O que você é? Bate em todo mundo quando tem vontade, molesta qualquer um quando quer!".

Minha mãe, que assistia à cena, perguntou o que eu queria dizer com aquilo. Assim que abri a boca, meu pai, encarando-me furioso, disse: "Não diga absurdos!".

Eu não agüentava mais e contei a verdade à minha mãe. Vi que ela ficou terrivelmente perturbada. Mas, poucas horas depois, a minha "sensata" mãe me disse: "Pela segurança da família toda, você vai ter que suportar isso. Caso contrário, o que é que nós todos vamos fazer?".

Minhas esperanças foram completamente destruídas. Minha própria mãe me dizia que tolerasse os abusos de meu pai, marido dela. Onde estava a justiça disso?

Naquela noite minha temperatura chegou a quarenta graus. Fui novamente trazida para o hospital, onde continuo até agora. Desta vez não tive que fazer nada para provocar a doença. Simplesmente desmaiei, porque tinha tido um colapso cardíaco. Não tenho intenção alguma de voltar para aquele suposto lar.

Querida Yulong, é por isso que não quero ver meu pai. Que espécie de pai é ele? Não digo nada por causa do meu irmãozinho e da minha mãe (ainda que ela não goste de mim). Sem mim, eles ainda são uma família como antes.

Por que foi que desenhei uma mosca e por que foi que a fiz tão bonita?

Porque anseio por uma mãe e um pai de verdade; uma família de verdade, onde eu possa ser uma criança e chorar nos braços dos meus pais; onde eu possa dormir em segurança na minha cama, em casa; onde mãos carinhosas me afaguem a cabeça para me consolar depois de um pesadelo. Desde a infância mais tenra, nunca tive esse amor. Esperei e ansiei por ele, mas nunca o tive, e agora jamais o terei, pois só se tem uma mãe e um pai.

Uma mosquinha me mostrou um dia o toque de mãos carinhosas.

Querida Yulong, não sei o que vou fazer depois disto. Talvez eu a procure para ajudá-la de alguma forma. Posso fazer muitas coisas e não tenho medo de dificuldades, desde que possa dormir em paz. Você se importa se eu for? Escreva e me diga, por favor.

Eu gostaria mesmo de saber como você vai. Continua praticando o seu russo? Você tem remédios? O inverno está chegando de novo, você precisa se cuidar bem.

Espero que me dê uma oportunidade de remediar o mal que causei e fazer alguma coisa por você. Não tenho família, mas espero poder ser uma irmã mais nova para você.

Desejo-lhe felicidade e boa saúde!

Sinto saudade de você.

Hongxue, 23 de agosto de 1975.

Esta carta me abalou profundamente, e encontrei dificuldade em me controlar durante a transmissão daquela noite. Muitos ouvintes escreveram depois, perguntando se eu estava doente.

Terminado o programa, telefonei para uma amiga pedindo que fosse à minha casa para ver se estava tudo em ordem com meu filho e a babá. Depois, sentei no meu escritório vazio e pus em ordem os pedaços de papel. Foi assim que li o diário de Hongxue.

27 de fevereiro — Neve forte

Como estou feliz hoje! Novamente consegui o que queria: estou de volta ao hospital. Desta vez não foi muito difícil, mas estou sofrendo muito!

Não quero mais pensar. "Quem sou eu? O que sou eu?" Essas perguntas são inúteis, como tudo em mim: meu cérebro, minha juventude, minha inteligência e meus dedos ágeis. Agora só quero dormir muito e profundamente.

Espero que os médicos e as enfermeiras sejam um pouco negligentes e não inspecionem as enfermarias com muita atenção nas rondas desta noite.

O quarto do hospital é bem quentinho e confortável para escrever.

2 de março — Ensolarado

A neve derreteu depressa. Ontem de manhã ainda estava tudo branco; hoje, quando corri lá para fora, a pouca neve que restava estava toda amarelada, como os dedos da Velha Mãe Wang, a paciente que fuma como uma chaminé.

Adoro quando neva muito. Fica tudo branco e limpo; o vento faz desenhos na superfície da neve, os pássaros saltitantes deixam marcas delicadas, e também as pessoas, involuntariamente, deixam pegadas bonitas. Ontem saí de mansinho várias vezes. O dr.

Liu e a enfermeira-chefe brigaram comigo: "Você deve estar maluca, saindo com uma febre dessas! Está tentando se matar?". Não me importo com o que eles dizem. Podem ter a língua afiada, mas eu sei que no fundo são bondosos.

É uma pena que eu não tenha uma máquina fotográfica. Ficaria bonita uma foto da paisagem coberta de neve.

17 de abril — Ensolarado (vento mais tarde?)

Há uma paciente aqui chamada Yulong. Vem para o hospital várias vezes por ano por causa de reumatismo crônico. A enfermeira Gao está sempre com pena dela e lhe dando atenção, perguntando como é que uma garota tão bonita e esperta pode ter uma doença incômoda dessas.

Yulong me trata como uma irmãzinha querida. Quando está aqui, ela me faz companhia no pátio, sempre que consigo sair do quarto (os pacientes não têm permissão para visitar outras enfermarias. Os funcionários têm medo de que um contamine o outro ou de que o tratamento seja afetado). Jogamos vôlei, *badminton* ou xadrez, e conversamos. Ela não deixa que eu me sinta sozinha. Quando tem alguma coisa gostosa de comer ou para brincar, divide comigo.

Outra razão de eu gostar de Yulong é que ela é muito bonita. Há tempo ouvi alguém dizer que amigos começam a ficar parecidos um com o outro depois de algum tempo. Seria ótimo se eu pudesse ter a metade da beleza de Yulong. Não sou só eu que gosto de Yulong, todo mundo gosta. Se ela precisa fazer alguma coisa, todo mundo se dispõe a ajudar. Ela também ganha favores especiais, que os outros não ganham. Por exemplo, os lençóis dela são trocados duas vezes por semana, em vez de uma; ela pode receber visitas no quarto; e nunca tem que esperar pela atenção de um enfermeiro. Os enfermeiros homens sempre encontram motivo para ficar por perto do quarto dela. Tenho certeza de que Yulong também recebe comida melhor.

Tenho muita inveja dela. Como diz a Velha Mãe Wang, o rosto dela é sua boa sorte. Mas a Velha Mãe Wang não gosta de Yulong. Diz que ela é como a fada raposa das lendas, que atrai os homens para a morte.

[...]

Levantei escondido para escrever, mas a dra. Yu me descobriu na sua ronda noturna. Perguntou se eu estava com fome e me convidou para fazer um lanche. Disse que estômago cheio me ajudaria a dormir.

Na sala dos funcionários de plantão, a enfermeira Gao acendeu o fogareiro e começou a preparar macarrão com cebola frita. De repente faltou luz. A única claridade vinha do fogareiro. A dra. Yu saiu às pressas para ir dar uma olhada nos pacientes com uma lanterna. A enfermeira Gao continuou cozinhando. Parecia acostumada a fazer coisas no escuro, e logo o ar se encheu com o cheiro de cebola frita. A bondosa enfermeira Gao sabe que eu adoro cebola crocante e separou duas colheradas, especialmente para mim. A luz logo voltou, a dra. Yu também, e nós três nos sentamos para comer. Enquanto saboreava minha segunda colherada, contei à dra. Yu que a enfermeira Gao estava me cobrindo de mimos e que tinha separado as cebolas com todo o cuidado para mim.

De repente a dra. Yu empurrou a minha colher para longe e perguntou, aflita: "Você engoliu?".

Fiz que sim, intrigada. "Esta é a minha segunda colherada."

A enfermeira Gao também ficou espantada. "Qual é o problema? Por que é que você está assustando a gente?"

A dra. Yu apontou, nervosa, para as cebolas espalhadas pelo chão. Entre elas havia um montão de moscas mortas. Tinham sido atraídas para fora do seu esconderijo pelo calor e pela luz do fogareiro. Enfraquecidas pelo inverno, caíram na panela. No escuro, ninguém tinha percebido.

A dra. Yu e a enfermeira Gao foram logo buscar um remédio. Tomaram dois comprimidos cada uma e eu, quatro, que engoli com uma solução de glicose. O macarrão, que cheirava tão bem, foi jogado no vaso sanitário. Elas tentaram me garantir que eu não ficaria doente.

A minha cabeça está cheia com as moscas que engoli. Será que eu quebrei os ossos delas e esmaguei os corpos com meus dentes? Ou será que as engoli inteiras?

Puxa! Mas escrevi uma historinha engraçada!

21 de abril — Chuva leve

Resolvi que vou ter um filhote de mosca como animal de estimação.

No domingo passado não tive nenhum tratamento intravenoso, então dormi bem, até ser despertada por uma sensação suave na pele, um arrepio. Como só estava parcialmente acordada e com muita preguiça de me mexer, fiquei imaginando de onde viria a sensação. Fosse a causa qual fosse, continuava lá, subindo e descendo apressada pela minha perna, mas não me perturbava nem me assustava de maneira alguma. Era como se um par de mãos minúsculas me acariciasse suavemente. Eu me senti muito grata àquele par de mãozinhas e quis saber de quem eram. Abri os olhos e vi:

Era uma mosca! Que horror! Moscas são cheias de germes e sujeira de esgoto!

Mas eu não sabia que as patas de uma mosca podem ter um toque tão suave e leve, ainda que sejam sujas.

Esperei vários dias por aquelas "mãozinhas", mas elas não voltaram.

Hoje de manhã, enquanto me tiravam uma radiografia depois de me darem uma boa dose de bário, de repente lembrei da visita que fiz ao laboratório no hospital e dos animaizinhos que os médicos criam para fazer experimentos. Eu poderia criar uma mosca limpa! Sim, decidi encontrar um filhote de mosca e mantê-lo no meu mosquiteiro.

25 de abril — Nublado

É muito difícil encontrar um filhote de mosca. O mundo está cheio de moscas grandes, zumbindo por toda parte, pousando nas coisas mais imundas e fedorentas, mas não me atrevo a tocá-las. Tenho muita vontade de pedir conselho ao dr. Zhong. Ele é especialista em biologia e com certeza deve saber onde encontrar um filhote de mosca. Mas se eu perguntar, ele vai achar que sou louca.

8 de maio — Ensolarado

Estou muito cansada, muitíssimo cansada.

Dois dias atrás eu finalmente apanhei um filhote de mosca. É muito pequeno. Estava lutando contra uma teia de aranha numa pequena macieira no bosque atrás da cantina. Cobri a mosca e a teia com um saco que fiz com uma máscara de gaze e levei para o meu quarto. Quando passei pela sala de tratamento, o enfermeiro Zhang me perguntou o que era que eu tinha pegado. Respondi a primeira coisa que me veio à cabeça, que era uma borboleta, depois corri para o meu quarto e me enfiei dentro do mosquiteiro. Abri o saco de gaze bem devagarinho e, para minha surpresa, as fibras da gaze tinham soltado a teia de aranha e a mosquinha podia se mover livremente. Achei que ela devia estar muito cansada e com fome, depois de passar sabe-se lá quanto tempo presa, então corri até a sala dos funcionários, roubei um pedacinho de gaze e derramei nele um pouco de solução de glicose. Depois corri até a cozinha e peguei um pedaço de carne da panela das sobras. Quando voltei para o mosquiteiro, a mosquinha não parecia ter saído do lugar.

Batia debilmente as asas minúsculas, parecia faminta e cansada. Pus a carne em cima da gaze com glicose e empurrei-a com cuidado para a mosquinha. Bem nesse momento ouvi o som do carrinho de remédios. Estava na hora dos remédios da tarde. Eu tinha que achar alguma coisa com que cobrir a mosca, não podia deixar que a descobrissem. Gosto de colecionar pequenos recipientes, por isso foi muito fácil achar uma caixa com uma tampa de plástico transparente onde pôr a mosca e o "ninho" de gaze. Tinha acabado de fazer isso quando o enfermeiro Zhang entrou com o carrinho.

Ele disse: "E a sua borboleta? Deixe ver se é bonita ou não".

"Eu... eu achei que no final das contas não era muito bonita e soltei", menti, gaguejando.

"Não tem importância. Um dia desses eu pego uma bonita para você", disse ele, para me consolar.

Agradeci, torcendo para que ele se apressasse e fosse embora logo. Estava preocupada com o meu filhote de mosca.

É muito mais difícil criar um filhote de mosca do que um gatinho. Todo mundo gosta de gatinhos, por isso quando se tem um gatinho muita gente ajuda. Mas ninguém gosta de moscas. Fico preocupada que alguém possa matá-la, ou que ela fuja. Nos últimos dias não me atrevi a sair para fazer um pouco de exercício, porque tenho medo de que ela sofra um acidente. À noite também não durmo direito, de preocupação que os médicos e enfermeiros a espantem. Fico prestando atenção aos passos deles e estendo o braço para fora do mosquiteiro antes que entrem, para que possam tomar o meu pulso e a temperatura sem levantar o mosquiteiro. Tem sido assim todo dia, há vários dias. Estou realmente muito cansada.

Mas é muito melhor do que dormir lá em casa. Além disso, o meu filhote de mosca parece muito melhor agora. Está crescendo bem devagar, mal parece estar crescendo. Mas não tem importância, porque não gosto mesmo daquelas moscas grandes de cabeça verde. O filhote está sempre pousando em mim. Às vezes faz cócegas, e adoro a sensação suave na minha pele. Também gosto quando brinca nas minhas bochechas, mas não deixo que me beije.

11 de maio — Ensolarado

Nos últimos dias não precisei de tratamento na veia. O dr. Zhong diz que vou continuar aqui por mais alguns dias, em observação e para fazer um tratamento novo. Não me importa o que eles façam, contanto que eu possa ficar aqui e não tenha que voltar para casa.

O meu filhote de mosca está maravilhoso.

Fiz uma casa para ele, onde pode ficar em segurança e também andar de um lado para o outro. É uma coberta de gaze, do tipo que usam na cantina para cobrir a comida. O cozinheiro-chefe me deu porque eu disse que ficava presa aos tubos de remédios todos os dias, não podia fazer as refeições nos horários regulares e queria alguma coisa para impedir que caíssem moscas e outros bichos na minha comida. O cozinheiro-chefe é uma boa pessoa. Concordou na mesma hora, e até costurou um saquinho de gaze especialmente para eu guardar tigelas e utensílios limpos. Assim, a mosquinha tem a sua casa especial, mas o mais importante é que está em segurança lá dentro. Ninguém desconfiaria de que existe uma mosca dentro do protetor contra moscas. Além disso, não tenho que correr até a cantina para buscar comida: ela pode comer do meu arroz e dos meus legumes comigo.

Posso dormir em paz de novo.

Está fazendo um sol lindo hoje. Pus a mosca na casa dela, aos pés da minha cama, e fiquei vendo enquanto ela comia açúcar, com a lupa da Velha Mãe Wang que pedi emprestada.

Sob a lente a mosca parece um velhinho — é toda peluda! Fiquei tão admirada que larguei a lupa na mesma hora. Não quero vê-la assim feia. A olho nu é muito bonitinha: tem o corpo minúsculo, não dá para dizer direito se é cinza, marrom ou preta (talvez seja malhada); as asas brilham ao sol como dois pequenos diamantes; as pernas são tão finas que me fazem pensar nas pernas de uma bailarina; os olhos são como bolinhas de vidro. Não consegui encontrar as pupilas. Ela dá a impressão de que nunca está olhando para nada.

O meu filhote de mosca parece bem engraçado em cima da gaze açucarada: mexe as patas da frente o tempo todo, para a frente e para trás, esfregando uma na outra, como as pessoas fazem quando lavam as mãos.

9 de junho — Nublado, claro mais tarde

Tenho me sentido muito fraca nos últimos dias, mas na hora dos exames diários não tenho febre nem pressão muito baixa. Hoje eu mal conseguia enxergar a peteca enquanto jogava *badminton* com Yulong e houve um momento em que quase caí, tentando revidar o saque dela. Estou com a visão embaçada, tudo parece ter uma sombra trêmula. Por sorte o dr. Zhong estava de plantão hoje. Quando falei com ele sobre a situação, disse que vou ter que voltar para o prédio central do hospital para fazer outro exame de sangue.

Não vou escrever mais nada. Estou enxergando tudo dobrado.

Nem consigo ver direito o meu filhote de mosca, ele é pequeno demais. E hoje parece que são dois.

O enfermeiro Zhang diz que vai me dar uma coisa bonita hoje, mas estou indo dormir e ele ainda não veio. Devia estar só falando por falar. Não vou escrever mais hoje, estou com muito sono. Boa noite, querido diário.

11 de junho — ?

Só agora parei de chorar. Ninguém sabia por que eu estava chorando. Os médicos, os enfermeiros e os outros pacientes pensaram que eu estivesse com medo de morrer. A verdade é que não tenho medo de morrer. A Velha Mãe Wang diz que "a vida e a morte estão separadas por um fio". Acho que ela deve ter razão. A morte deve ser como o sono; gosto de dormir e de estar longe deste mundo. Além disso, se eu morresse, não teria que temer que me mandem para casa. Tenho só dezessete anos, mas acho que é uma boa idade para morrer. Serei jovem para sempre e jamais ficarei velha como a Velha Mãe Wang, que tem o rosto todo marcado de rugas.

Eu estava chorando porque o meu filhote de mosca morreu.

Anteontem à noite, escrevi só algumas linhas no meu diário e tive que parar, porque me senti muito tonta. Levantei para ir ao banheiro e, na volta, bem quando estava prestes a me deitar de novo, vi um par de olhos demoníacos na cabeceira da cama, cravados em mim. Fiquei com tanto medo que gritei e desmaiei.

O dr. Liu disse que delirei pela metade de um dia, gritando o tempo todo sobre moscas, demônios e olhos. A Velha Mãe Wang disse a todos os outros pacientes que eu estava possuída por um mau espírito, mas a enfermeira-chefe mandou-a parar de dizer bobagem.

O dr. Zhong entendeu a razão do meu colapso e deu um carão terrível no enfermeiro Zhang. É que o enfermeiro Zhang passou várias horas caçando uma borboleta grande e recoberta de desenhos para me dar de presente. Prendeu a borboleta viva na cabeceira da minha cama com um alfinete, para me fazer uma surpresa agradável, sem poder imaginar que eu ficaria tão assustada.

Enquanto eu delirava, não pude cuidar da minha mosquinha e alguém pôs em cima da minha mesa-de-cabeceira umas coisas que a esmagaram dentro do saco de gaze. Foi bem difícil encontrá-la mas, quando achei, o corpo minúsculo já estava ressecado.

Pobre mosquinha. Morreu sem nem mesmo ter crescido.

Coloquei-a com todo o cuidado numa caixa de fósforos que eu vinha guardando fazia muito tempo. Forrei a caixa com um pedaço de algodão branco que puxei do recheio do meu acolchoado. Quis que ela dormisse com um pouco mais de conforto.

Amanhã vou enterrá-la no bosque em cima da colina atrás do hospital. Não vai muita gente lá, é muito tranqüilo.

12 de junho — Nublado

Hoje de manhã o céu estava escuro e melancólico. Também estava tudo cinzento nas enfermarias: tudo ao meu redor refletia os meus sentimentos. Estive o tempo todo à beira das lágrimas, pensando na mosquinha que nunca mais vai brincar comigo de novo.

O dr. Zhong diz que o meu nível de glóbulos brancos está baixo demais e que é por isso que me sinto fraca. A partir de hoje tenho que tomar três frascos de um remédio novo, na veia; cada frasco, de meio litro, leva duas horas; os três frascos vão levar quase seis horas. Vai ser muito difícil ficar deitada aqui sozinha, contando as gotas de remédio. Vou sentir saudade do meu filhote de mosca.

Ao meio-dia, o sol saiu, meio hesitante, mas a todo instante se escondia atrás das nuvens. Não sei se estava brincando de esconde-esconde, se também estava muito doente ou se estava só com muita preguiça de brilhar para nós. Talvez também estivesse triste pelo filhote de mosca e chorando em segredo.

O remédio só terminou depois do jantar, mas eu não estava com muito apetite. Queria enterrar a mosquinha enquanto ainda estivesse claro.

Envolvi a caixa de fósforos no meu lenço favorito e, dando uma volta para evitar a sala dos funcionários, fui às escondidas até o pequeno bosque no alto da colina. Escolhi um lugar perto de uma pedra que dava para ver aqui de baixo e resolvi enterrar a mosca ali. Queria usar a pedra como uma lápide que eu pudesse enxergar com facilidade da porta dos fundos do hospital. A terra estava muito dura — escavar com as mãos não deu certo. Tentei com um graveto, mas continuou difícil, aí resolvi procurar um galho mais grosso. Deixei a caixa de fósforos em cima da pedra e subi um pouco mais a colina, à procura do galho.

De repente ouvi alguém respirando forte e gemendo de modo estranho. Logo depois vi uma mulher e um homem rolando num trecho do bosque recoberto de grama. Não conseguia enxergar com clareza, mas eles pareciam estar lutando. A respiração soava como a de uma pessoa morrendo.

Comecei a tremer de medo. Não sabia o que fazer. Tinha visto cenas como aquela em filmes, mas nunca na vida real. Eu sabia que estava muito fraca e que não tinha forças nem para socorrer a mulher, muito menos para segurar o homem. Achei melhor ir buscar ajuda. Agarrei a minha caixa de fósforos — não podia deixar o meu filhote de mosca ali sozinho — e voltei correndo para o hospital.

A primeira pessoa que vi quando cheguei ao pé da colina foi a enfermeira-chefe, que estava à porta do hospital, procurando por mim. Eu estava tão cansada e ofegando tanto que não consegui falar, mas apontei aflita para a colina. O dr. Zhong, que tinha terminado o turno dele e estava saindo do hospital, veio perguntar o que tinha acontecido.

Eu não soube o que dizer para fazê-los entender. "Acho que alguém vai morrer!"

O dr. Zhong correu até o alto da colina e a enfermeira-chefe me deu oxigênio. Eu estava tão exausta que adormeci enquanto o inalava.

Quando acordei, fui à sala dos funcionários. Queria saber se a mulher no bosque tinha sido salva e como ela estava.

Curiosamente, a enfermeira Gao, que estava de plantão, não me contou nada. Só me deu um tapinha na cabeça e disse: "Ah, você...".

"Eu o quê?" Fiquei muito embaraçada. Ainda não sei o que aconteceu.

13 de junho — Ensolarado

Encontrei um lugar seguro para o filhote de mosca. Hoje à tarde uma das enfermeiras me deu uma caixa de bombons de licor. Adoro bombons de licor: gosto de fazer dois furos neles com uma agulha e sugar o licor (não dá para sugar com um furo só). Hoje, enquanto fazia isso, de repente tive uma idéia. Podia pôr o filhote de mosca num bombom vazio e guardar na geladeira da sala dos funcionários (a enfermeira-chefe disse que eu podia guardar comida lá). Então, pus a mosquinha num bombom de licor, que ela certamente teria gostado de comer. Assim, também posso visitá-la com freqüência.

Sou esperta, não sou? Sou, sim! Pelo menos acho que sou.

23 de junho — Calor e vento

Yulong vai receber alta amanhã. Não quero que ela vá embora. Claro que, para ela, é bom sair do hospital.

O que é que vou dar a Yulong como presente de despedida?

24 de junho — Quente e úmido

Yulong foi embora. Não pude acompanhá-la até a porta porque estava tomando remédio. Um pouco antes de ir, ela teve permissão para vir ao meu quarto dizer adeus. Afagou suavemente a minha mão, que estava coberta de furos de agulha, e conversou comigo afetuosamente. Aconselhou-me a não lavar as mãos em água fria, mas mergulhá-las em água quente, para que os vasos sanguíneos cicatrizem mais depressa.

Também me deu um par de luvas que tricotara especialmente para mim. Pretendia me dar as luvas mais tarde, no começo do inverno. Deu uma boa olhada no meu quarto, cheio de equipamento médico, e me elogiou por mantê-lo tão limpo e arrumado.

Perguntei se ela sabia o que tinha acontecido com a mulher na colina. Ela não sabia do que eu estava falando, então contei o que tinha visto. Ela ficou muito quieta e seus olhos se encheram de lágrimas.

Dei a Yulong o desenho que eu tinha feito de uma mosquinha bonita, que emoldurei com borracha velha, pedaços de celofane e papelão. Yulong disse que nunca tinha visto um desenho de uma mosca tão bonito, e também elogiou a originalidade da moldura.

Desejei-lhe tudo de bom, mas secretamente esperei que ela voltasse logo para o hospital, para me fazer companhia.

16 de julho — Chuva

Eu jamais teria imaginado que seria responsável por arruinar a vida de Yulong.

Hoje recebi uma carta dela, mandada da sua aldeia:

Querida Hongxue,

Você vai bem? Continua tomando remédios na veia? Sua família não pode cuidar de você, portanto você precisa aprender a cuidar de si mesma. Por sorte, todos os médicos e enfermeiros do hospital gostam de você, assim como os outros pacientes. Todos nós esperamos que você possa retornar em breve para o lugar onde deve estar, entre seus parentes e amigos.

Fui expulsa da academia militar e mandada de volta para a minha aldeia sob escolta. Todos os aldeães dizem que eu destruí as esperanças deles.

Nunca lhe contei que sou órfã. Meus pais morreram, um logo após o outro — um de doença e o outro, provavelmente, de fome — pouco depois de eu ter nascido. Os habitantes da aldeia tiveram pena de mim e se revezaram para me criar. Eu comia a comida de cem casas e usava a roupa de cem famílias. A aldeia era paupérrima. Os aldeães fizeram seus próprios filhos passar privações para me mandar para a escola. Fui a primeira menina da aldeia a freqüentar a escola. Quatro anos atrás a academia militar veio à região recrutar estudantes entre os camponeses e os trabalhadores. O secretário do nosso setor do Partido viajou comigo a noite toda até o quartel para implorar aos líderes do exército que me aceitassem. Disse que era o desejo mais profundo de todos na aldeia. Os líderes contaram a minha história aos camaradas deles e acabei recebendo uma permissão especial para participar do treinamento prático e, depois, ingressar na academia.

Estudei russo e comunicações militares. Quase todos os meus colegas de classe vinham do interior. Como o principal requisito para a admissão eram antecedentes políticos corretos, havia diferenças enormes nos níveis de educação. Eu era a melhor da classe, porque tinha freqüentado o colegial durante um ano. Além disso, parecia ter jeito para idiomas, pois as minhas notas em russo eram sempre muito boas. Todos os instrutores do departamento diziam que eu tinha potencial para ser diplomata e que eu não teria problema algum em trabalhar no mínimo como intérprete. Eu me esforçava muito, e nunca parei de estudar por causa do reumatismo que tinha desde que era criança. Queria retribuir a generosidade dos aldeães que me haviam criado.

Hongxue, o ano passado eu já não conseguia evitar a realidade de que tinha crescido, e estava penosamente ciente de que era uma mulher adulta. Você ainda não compreende isso, mas vai compreender em poucos anos.

Irmãzinha, era eu a mulher que você quis "salvar" na colina atrás do hospital.

Eu não estava sendo agredida, estava com o meu namorado...

O dr. Zhong e os outros nos mandaram para o Departamento de Disciplina Militar. Meu namorado foi preso e interrogado, e eu fui mandada de volta para o hospital, sob prisão domiciliar, porque pre-

cisava de tratamento. Naquela noite meu namorado, que tinha um senso de honra muito forte, cometeu suicídio. No dia seguinte, funcionários do Departamento de Disciplina Militar, do Departamento de Segurança Pública — e de outros departamentos também, talvez — foram ao hospital para investigar. Disseram que eu tinha fornecido ao meu namorado os "meios de cometer o crime de matar-se para o Partido e para o povo, para sempre" (disseram que suicídio é crime). Recusei-me a dizer que tinha sido violentada e, em vez disso, jurei amor eterno ao meu namorado.

O preço pago pelo meu amor é estar de volta como camponesa a esta aldeia tão pobre. Os aldeães agora me evitam. Não sei se há um lugar aqui para mim.

Meu namorado era um bom homem, eu o amava muito.

Não estou escrevendo esta carta porque a responsabilize de alguma forma. Sei que você ainda é muito jovem e que tentou salvar alguém por pura generosidade. Prometa que não vai se sentir infeliz por causa disto. Caso contrário, o preço que estou pagando se tornará ainda mais alto.

Finalmente, irmãzinha, está disposta a responder a estas perguntas:

Por que não quer ver o seu pai?

O que a fez pensar em desenhar uma mosca e por que a fez tão bonita?

Espero que em breve você esteja feliz e bem de saúde.

Sinto saudade de você.

Yulong.

À luz de vela, à noite, 30 de junho de 1975.

Agora eu entendo por que tanta gente tem me ignorado recentemente. É que sabem do fim trágico de Yulong e que eu sou a culpada, a criminosa que causou tamanha infelicidade a ela.

Yulong, eu lhe fiz algo de imperdoável.

Quem poderá me perdoar?

30 de julho — Calor opressivo antes de uma tempestade

Faz dias que praticamente não saio. Não quero ver ninguém. Tenho cada palavra da carta de Yulong gravada no cérebro. As perguntas dela não vão embora:

Por que não quer ver o seu pai?

O que a fez pensar em desenhar uma mosca e por que a fez tão bonita?

Para responder a Yulong, terei que lembrar e voltar ao inferno. Mas Yulong foi banida para o inferno por minha causa. Portanto, tenho que fazer a viagem. Não posso recusar isso a ela.

A mosquinha continua dormindo dentro do bombom de licor; mais nada pode perturbá-la agora.

Olhando para ela, hoje, senti muita inveja.

8 de agosto — Quente

Faz quinze dias que está quente e úmido o tempo todo. Não sei o que está se armando lá no céu para fazer as pessoas suarem desse jeito aqui embaixo.

Preciso de coragem, coragem para lembrar. Preciso de forças, e de força de vontade.

Repasso com dificuldade as minhas recordações e a dor gruda como lama; o ódio, que tinha desaparecido gradualmente neste mundo branco de doenças, volta correndo de repente.

Quero escrever a Yulong, mas não sei por onde começar. Não sei como responder com clareza às perguntas dela. Só sei que será uma carta muito longa.

Nos últimos três dias não tive coragem de olhar a mosquinha. Ela fala comigo nos meus sonhos... ah, está calor demais!

18 de agosto — Fresco

O céu finalmente manifestou seus sentimentos. Está um céu de outono alto e o ar está limpo e fresco. Todo mundo parece ter soltado um suspiro de alívio e expulsado a melancolia de tantos dias. Os pacientes, que estavam sufocando no hospital, com medo do calor, agora encontram pretextos para sair.

Não tenho vontade de ir a lugar nenhum. Tenho que escrever a Yulong. Mas hoje de manhã levei o filhote de mosca para uma caminhada de meia hora numa caixa de fósforos. Tive medo de que o chocolate derretesse e ferisse a mosquinha, e fui logo guardá-la na geladeira.

Ontem o dr. Zhong me fez uma advertência durante as suas rondas. Disse que, embora os resultados do meu exame de sangue tenham mostrado que não tenho nenhuma doença grave, o meu sangue é anormal por causa das sucessivas febres altas e dos efeitos colaterais dos remédios. Se eu não fizer repouso como devo, é muito provável que tenha septicemia. A enfermeira Gao me assustou, dizendo que se morre de septicemia. Também disse que depois de passar dez horas presa a um tubo, eu não devia sentar à mesa para escrever, sem descansar nem fazer exercício. O enfermeiro Zhang pensou que eu estivesse escrevendo outra dissertação para a revista do Exército de Libertação Popular ou a da Juventude da China e me perguntou, muito interessado, sobre o que eu estava escrevendo. Consegui que várias das minhas dissertações fossem publicadas e o enfermeiro Zhang deve ser o meu leitor mais entusiasmado.

24 de agosto — Ensolarado

Hoje mandei uma carta registrada para Yulong. Estava muito grossa e o selo custou todo o dinheiro que recebi por uma das minhas dissertações.

Eu costumava sonhar que encontraria um jeito de lavar a minha dor, mas será que posso lavar a minha vida? Posso lavar o meu passado e o meu futuro?

Freqüentemente examino meu rosto com atenção no espelho. Parece liso de juventude, mas eu sei que tem as cicatrizes da experiência: é despido de vaidade e muitas vezes mostra dois vincos fundos na testa, sinais do terror que sinto dia e noite. Meus olhos não têm nada do brilho ou da beleza dos olhos de uma garota. No fundo deles há um coração que se debate. Dos meus lábios machucados foi raspada toda a esperança de sensação; minhas orelhas, fracas por causa da constante vigilância, nem agüentam um par de óculos; meu cabelo, que deveria brilhar de saúde, não tem vida, por causa da preocupação.

É esse o rosto de uma garota de dezessete anos?

O que são as mulheres, exatamente? Os homens devem ser classificados na mesma espécie que as mulheres? Por que é que eles são tão diferentes?

Livros e filmes podem dizer que é melhor ser mulher, mas não consigo acreditar. Nunca achei que isso fosse verdade e jamais vou achar.

[...]

Por que é que essa mosca grande que entrou zumbindo aqui esta tarde está sempre pousando no desenho que acabei de fazer? Será que ela conhece o filhote que está no desenho? Eu a enxoto, mas ela não tem medo. Quem tem medo sou eu. E se for a mãe do filhote?

Isto é grave. Preciso...

25 de agosto — Ensolarado

Ontem eu não tinha acabado de escrever quando chegou a hora de apagarem as luzes.

Aquela mosca grande ainda está no meu quarto hoje. É muito esperta. Toda vez que alguém entra, ela se esconde, não sei onde. Assim que saem do quarto, ela vem pousar no meu desenho ou fica zumbindo ao meu redor. Não sei o que está fazendo. Tenho a sensação de que não quer me deixar.

De tarde o dr. Zhong disse que, se o meu estado se estabilizar, o tratamento terá se mostrado eficaz e vou receber alta, para recuperar as forças em casa, ainda que tomando remédios. A enfermeira-chefe disse que a partir do outono vai haver uma grande falta de leitos e que as pessoas que têm doenças prolongadas terão que deixar o hospital.

Voltar para casa? Seria terrível!

Tenho que pensar num jeito de continuar aqui.

26 de agosto — Nublado

Quase não dormi a noite inteira. Pensei em várias saídas, mas todas parecem impossíveis. O que é que eu posso fazer?

O mais rápido seria me contaminar com alguma doença, mas o acesso às enfermarias de doenças contagiosas é restrito.

Hoje estava com a cabeça tão cheia de planos para continuar aqui, que pulei um degrau na escada da cantina. Dei um passo em falso e caí. Fiquei com uma grande mancha roxa na coxa e um corte no braço. Na mudança de turnos, a dra. Yu disse à enfermeira que passasse mais um pouco de pomada no meu braço. Disse que eu tenho uma constituição fraca e posso facilmente desenvolver uma septicemia, e insistiu que a enfermeira ficasse atenta a moscas na hora de trocar o curativo, porque as moscas são grandes portadoras de doenças.

À noite o enfermeiro de plantão disse que havia moscas no meu quarto e que ele ia borrifar inseticida.

Eu não queria que a mosca grande morresse, e disse ao enfermeiro que sou alérgica a inseticidas. Ele disse que então vai matar as moscas amanhã, com um mata-moscas. Não sei onde a mosca grande está escondida. Pretendo deixar a janela aberta quando for dormir para que ela possa escapar. Não sei se isso a salvará.

27 de agosto — Chuviscando

Não consegui salvar a mosca. Às 6h40 da manhã a dra. Yu veio examinar o quarto e a esmagou em cima do meu desenho. Dizendo que queria conservar o desenho, não deixei que a dra. Yu se livrasse da mosca grande e coloquei-a na geladeira, junto com a mosquinha. Não sei por quê, mas sempre achei que as duas tinham um relacionamento especial.

Acho que o ferimento no meu braço está levemente infeccionado. Virou um grande caroço vermelho e está muito desconfortável escrever. Mas eu disse à enfermeira que trocou o curativo que estava tudo bem e que não precisava passar mais pomada. Para minha surpresa, ela acreditou! As mangas compridas do pijama do hospital cobrem os meus braços completamente.

Espero que dê certo.

"Moscas são grandes portadoras de doenças." As palavras da dra. Yu me deram uma idéia, que decidi experimentar. Não me importo com as conseqüências. Até a morte é melhor do que voltar para casa.

Vou esmagar a mosca grande em cima do corte no meu braço.

30 de agosto — Ensolarado

Sucesso! Faz dois dias que a minha temperatura não pára de subir. Eu me sinto muito doente, mas feliz. O dr. Zhong está muito surpreso com o agravamento do meu estado; vai fazer outra série de exames de sangue.

Nos últimos dias não visitei o meu querido filhote de mosca. Tenho a sensação de estar com cãibra no corpo todo.

Mosquinha, desculpe.

7 de setembro

Ontem à noite me levaram para o prédio central do hospital.

Estou cansada e com sono. Sinto saudade da mosquinha, sinto mesmo.

E não sei se Yulong respondeu à minha carta...

Terminei de ler este diário quando o sol lançava seus primeiros raios a leste e o ruído das pessoas chegando para trabalhar começava a se insinuar das salas vizinhas. Hongxue morrera de septicemia. Na caixa de papéis havia um certificado de óbito, datado de 11 de setembro de 1975.

Onde estava Yulong? Terá sabido da morte de Hongxue? Quem era a mulher aparentando uns quarenta anos que deixou a caixa para mim? As dissertações que Hongxue publicou teriam sido tão bonitas quanto os textos na caixa? Ao ser informado sobre o suicídio da filha, o pai de Hongxue sentiu remorso? Será que a mãe, que tratou a filha como um objeto a ser sacrificado, algum dia descobriu em si mesma um pouco de natureza materna?

Eu não sabia as respostas a essas perguntas. Não sabia quantas meninas molestadas sexualmente estavam chorando entre os milhares de almas que dormiam na cidade naquela manhã.

3. A universitária

Eu não conseguia parar de pensar em Hongxue. Ela parecia fitar-me com uma expressão de desamparo, expectante, como se me implorasse que fizesse alguma coisa. Um incidente poucos dias depois intensificou a minha determinação de encontrar um meio de tornar o meu programa de rádio mais proveitoso para as mulheres.

Eram umas dez da manhã e eu tinha acabado de chegar de bicicleta à estação, quando uma colega, que tinha terminado o primeiro turno e estava de saída, parou na minha frente. Contou que um casal idoso tinha vindo à estação, dizendo o tempo todo que tinha contas a acertar comigo.

"Por quê?", perguntei, atônita.

"Não sei. Parece que eles estão dizendo que você é uma assassina."

"Assassina? O que é que eles querem dizer?"

"Não sei, mas acho melhor você não chegar perto deles. Quando alguns desses ouvintes começam a falar, não há como raciocinar com eles." Bocejou. "Desculpe, não consigo controlar.

Tenho que ir para casa e dormir. É uma tortura vir às quatro e meia da manhã para apresentar os primeiros noticiários. Até logo."

Acenei um adeus, desconcertada.

Fiquei ansiosa por descobrir o que estava acontecendo, mas tinha que esperar que o Departamento de Assuntos Externos lidasse com o assunto.

Às nove da noite, o escritório finalmente me passou uma carta que o casal idoso lhe entregara. O colega que a trouxe me disse que era o bilhete de suicida da única filha do casal, uma garota de dezenove anos. Com medo de ficar perturbada demais para entrar no ar depois de lê-la, pus a carta no bolso do blusão.

Passava de uma e meia da manhã quando saí do estúdio. E foi só em casa, quando caí na cama, que me atrevi a abrir a carta. Tinha marcas de lágrimas.

Prezada Xinran,

Por que você não respondeu à minha carta? Não entendeu que eu tinha que decidir entre a vida e a morte?

Eu o amo, mas nunca fiz nada de errado. Ele nunca tocou o meu corpo, mas uma vizinha o viu me beijar na testa e disse para todo mundo que eu era uma mulher má. Meus pais estão muito envergonhados.

Amo muito os meus pais. Desde que era pequena tenho a esperança de que eles se orgulhem de mim, de que se sintam felizes por ter uma filha bonita e inteligente e não inferiores porque não tiveram um filho.

Agora eu os fiz perder a esperança e a dignidade. Mas não entendo o que fiz de errado. Será que o amor é imoral ou é um crime contra a decência pública?

Eu lhe escrevi para perguntar o que fazer. Achei que você me ajudaria a explicar as coisas aos meus pais. Mas até você me deu as costas.

Ninguém se importa. Não há motivo para continuar vivendo.

Adeus, Xinran. Eu amo e odeio você.

Uma ouvinte leal em vida,
Xiao Yu

Três semanas depois a primeira carta de Xiao Yu implorando por ajuda finalmente chegou. Senti-me esmagada pelo peso da tragédia. Odiava pensar no número de garotas que talvez tivessem que pagar com a vida pela sua curiosidade de jovens. Como é que se podia considerar o amor como imoralidade e crime contra a decência pública?

Quis fazer essa pergunta às minhas ouvintes, e sondei meu diretor se poderia receber telefonemas sobre o assunto, no ar.

Ele ficou alarmado. "Como é que você orientaria e controlaria a conversa?"

"Diretor, não estamos na época de reforma e abertura? Por que não tentamos?" Procurei justificativa no vocabulário de abertura e inovação que estava na moda.

"Reforma não é revolução, abertura não é liberdade. Somos porta-vozes do Partido, não podemos transmitir o que nos der na telha." Enquanto falava, fez um gesto, como se cortasse a própria garganta. Vendo que eu não ia desistir, finalmente sugeriu que eu pré-gravasse um programa. Isso significava que o roteiro e as entrevistas gravadas seriam cuidadosamente examinados no estúdio e que a versão editada e final seria enviada ao departamento de monitoração antes de ser transmitida. Como todos os programas pré-gravados tinham que passar por muitos estágios de edição e exame, eram considerados absolutamente seguros. Com as transmissões ao vivo havia bem menos controles. Tudo dependia da técnica e da capacidade do apresentador de desviar a conversa de áreas problemáticas. Era comum os diretores ouvirem esses programas com o coração disparado, pois os erros podiam custar-lhes o emprego, ou mesmo a liberdade.

Fiquei desapontada por não poder receber telefonemas no ar. Precisaria de duas, se não três vezes mais tempo para pré-gravar um programa daquela maneira, mas pelo menos poderia fazer um programa relativamente livre da interferência do Partido. Pus-me a trabalhar, gravando uma série de entrevistas por telefone.

Contrariando as minhas expectativas, quando o programa foi transmitido, o público reagiu com indiferença. Houve até uma carta hostil criticando — anônima, é claro.

Antes os programas de rádio não passavam de uma série de slogans e jargão burocrático. Tinha-se finalmente conseguido um tom ligeiramente diferente, com algo de um toque humano. Por que essa regressão agora? O assunto merece exame, mas a apresentadora está se esquivando à sua responsabilidade, com uma atitude fria e distante. Ninguém quer ouvir alguém pregando sabedoria de longe. Já que se trata de um assunto para debate, por que é que as pessoas não têm permissão de falar livremente? Por que é que a apresentadora não tem a coragem de receber telefonemas da audiência?

O efeito de distância que esse ouvinte descontente mencionou foi resultado do prolongado processo de edição. Os monitores, acostumados havia muito tempo a trabalhar de determinada maneira, tinham cortado todos os trechos em que eu tentara introduzir um tom mais pessoal nos meus comentários. Eram como os cozinheiros de um grande hotel: só fazem um tipo de prato e adaptam todas as vozes ao "sabor" com que estão habituados.

O Velho Chen viu que fiquei magoada e ressentida.

"Xinran, não há sentido em você ficar zangada. Esqueça. Quando você entra pelos portões desta estação de rádio, a sua coragem é confiscada. Você se torna ou uma pessoa importante ou uma covarde. Não importa o que os outros digam ou o que você mesma pense. Nada disso tem importância. Você só pode ser uma dessas duas coisas. É melhor encarar o fato."

"Bem, e o senhor é o quê, então?"

"As duas coisas. Para mim mesmo, sou muito importante. Para os outros, sou um covarde. Mas, sob a superfície, as categorias são sempre mais complexas. Você estava discutindo a relação entre amor, tradição e moralidade. Como podemos estabelecer uma distinção entre essas três coisas? Cada cultura, cada sensibilidade as entende de modo diferente. A mulher que foi criada de maneira muito tradicional cora quando vê o peito de um homem. Mas nas boates há jovens que se exibem seminuas."

"Isso não é um exagero?"

"Exagero? O mundo real das mulheres está cheio de contrastes ainda maiores. Se quer aprofundar a sua compreensão das mulheres, você devia encontrar um jeito de sair desta rádio e observar a vida. Passar o dia sentada num escritório e num estúdio não vai servir para nada."

O Velho Chen me inspirou. Ele tinha razão. Eu precisava ver mais a vida de mulheres comuns e deixar que as minhas opiniões amadurecessem. Mas, numa época em que mesmo para os jornalistas as viagens eram restritas, não seria fácil. Comecei a criar oportunidades sempre que podia, coletando informações sobre mulheres em viagens a trabalho, visitas a amigos e parentes, e quando saía de férias. Fui passando essas informações nos meus programas e prestando atenção nas reações que provocavam nos meus ouvintes.

Um dia eu estava correndo da universidade, onde era professora convidada, para a rádio. Na hora do almoço o câmpus era um formigueiro de atividade, e tive que abrir caminho com a bicicleta por entre multidões de estudantes. De repente ouvi várias jovens tendo uma conversa que parecia se referir a mim.

"Ela diz que as chinesas são muito tradicionais. Eu não concordo. As chinesas têm uma história, mas também têm um futuro. Quantas mulheres são tradicionais agora? E depois, o que é tradicional? Casacos acolchoados amarrados do lado? Cabelo preso num coque? Sapatos bordados? Cobrir o rosto na frente de um homem?"

"Acho que a tradição de que ela fala deve ser um conceito, preceitos transmitidos pelos ancestrais, ou coisa assim. Não ouvi o programa de ontem, por isso não tenho certeza."

"Nunca ouço programas para mulheres, só ouço programas de música."

"Eu ouvi. Gosto de dormir ouvindo o programa. Ela toca músicas bonitas e tem uma voz calmante. Mas não gosto da maneira como fica insistindo sobre a delicadeza das mulheres. Será que ela está querendo dizer que os homens são selvagens?"

"Acho que sim, um pouco. Ela deve ser o tipo de mulher que se comporta como uma princesa mimada nos braços do marido."

"Quem sabe? Ela poderia muito bem ser o tipo de mulher que faz o homem se ajoelhar aos seus pés para poder desabafar a raiva em cima dele."

Fiquei pasmada. Eu não sabia que garotas falavam desse jeito. Como estava com pressa, não parei para pedir as opiniões delas, como teria feito em outras circunstâncias, mas decidi dedicar algum tempo a conversar com estudantes universitárias. Visto que trabalhava na universidade de vez em quando, como professora convidada, seria fácil organizar entrevistas sem nenhuma amolação burocrática. É sempre entre os estudantes que as revoluções começam; aquelas jovens estavam criando a onda da mudança na consciência chinesa moderna.

Alguém me falou de uma garota que se sobressaía na "turma por dentro" da universidade. Era conhecida pela iniciativa, pelas idéias e opiniões modernas. Seu nome soava bem: Jin Shuai, "general dourado". Convidei-a a me encontrar numa casa de chá.

Jin Shuai mais parecia uma executiva de relações públicas do que uma estudante. Embora seus traços não tivessem nada de excepcional, ela chamava a atenção. Usava um tailleur azul-marinho, bem cortado, que lhe realçava as formas, uma blusa elegante e botas de couro, de cano sedutoramente longo. O cabelo comprido estava solto.

Tomávamos chá Poço do Dragão em pequenas xícaras vermelhas.

"Então, Xinran, você é tão lida quanto as pessoas dizem?"

Jin Shuai tinha imediatamente invertido os papéis, fazendo a primeira pergunta.

Muito disposta a impressioná-la, relacionei alguns dos livros de história e economia que tinha lido.

Ela não se impressionou. "O que é que esses livros velhos e empoeirados podem ensinar sobre as necessidades e os desejos humanos? Eles só falam de teorias vazias. Se quiser ler livros realmente úteis, tente *Gestão comercial moderna, O estudo das relações pessoais,* ou *A vida de um empresário.* Pelo menos ajudam a ganhar dinheiro. Coitada de você. Com todos esses contatos importantes, para não mencionar os seus milhares de ouvintes, ainda tem que trabalhar dia e noite para ganhar um salário insignificante. Você desperdiçou tanto tempo lendo todos esses livros que perdeu a sua oportunidade."

Pus-me na defensiva. "Não, todo mundo faz suas escolhas na vida..."

"Ei, não me leve a mal. O seu trabalho não é responder a perguntas de ouvintes? Deixe que eu faça mais algumas. Qual é a filosofia das mulheres? O que é a felicidade para uma mulher? E o que faz uma boa mulher?" Jin Shuai esvaziou a xícara de uma vez só.

Decidi entregar as rédeas a ela, na esperança de que revelasse seus verdadeiros pensamentos. "Quero saber o que você acha", disse eu.

"Eu? Mas eu estudo ciências exatas, não tenho idéia alguma sobre ciência social." Tinha ficado estranhamente modesta, mas desconfiei de que poderia usar minhas técnicas de entrevista para fazê-la continuar.

"Mas as suas opiniões não se limitam às ciências exatas."

"Sim, bem, eu tenho algumas opiniões, é verdade."

"Não só algumas. Você é conhecida pelas suas opiniões."

"Obrigada." Pela primeira vez ela falou no tom respeitoso que eu imaginara que todos os universitários empregassem.

Aproveitei a oportunidade para fazer uma pergunta. "Você é inteligente, jovem e atraente. Considera-se uma boa mulher?"

"Eu?" Pareceu indecisa por um momento, depois respondeu, com firmeza: "Não".

Minha curiosidade foi espicaçada. "Por quê?"

"Garçonete, mais dois chás Poço do Dragão, por favor." A confiança com que fez o pedido demonstrava uma desenvoltura nascida da riqueza. "Não tenho a delicadeza e os escrúpulos necessários. As boas chinesas são condicionadas a se comportar de maneira meiga e dócil, e levam esse comportamento para a cama. O resultado é que os maridos dizem que elas não têm sex appeal e as mulheres se submetem à opressão, convencidas de que a culpa é delas. Têm que arcar com a dor da menstruação e do parto, e trabalhar como homens para sustentar a família quando o marido não ganha o suficiente. Os homens penduram fotos de mulheres bonitas acima da cama para se excitarem, enquanto as esposas se culpam pelo corpo desgastado que têm. E em todo caso, aos olhos dos homens não existe isso de boa mulher."

Questionei a afirmação. Jin Shuai não precisou de encorajamento.

"Quando os hormônios de um homem estão à solta, ele jura amor eterno. Isso gerou resmas e resmas de poemas ao longo das eras: o amor profundo como o oceano ou seja lá o que for. Mas o homem que ama desse jeito só existe em histórias. O homem real alega que ainda não conheceu a mulher digna dessa emoção. E é um especialista em utilizar as fraquezas da mulher para dominá-la. Algumas palavras de amor ou elogio mantêm algumas mulheres felizes por muito tempo, mas é tudo uma ilusão. Veja esses casais velhos em que um depende do outro há décadas. Seria de pensar que o homem está satisfeito, não seria? Mas, se tiver a oportunidade, ele vai trocar a esposa velha por uma jovem. A razão que dará, necessariamente, é que a esposa não é boa. Aos olhos do homem que tem uma amante, há ainda menos boas mulheres. Esse homem simplesmente vê as mulheres como brinquedos. Ele despreza a amante, caso contrário teria casado com ela há muito tempo."

Jin Shuai fez uma pausa e assumiu um ar solene. "Você sabe que tipo de mulher os homens querem?"

"Não sou especialista", respondi, com sinceridade.

Jin Shuai falou, com tom de autoridade: "O homem quer uma mulher que seja esposa virtuosa, boa mãe e que possa fazer todo o trabalho doméstico como uma empregada. Fora de casa, ela deve ser atraente e culta, e ser um crédito para ele. Na cama, deve ser uma ninfomaníaca. Além disso, o chinês também precisa que sua mulher administre as finanças e ganhe muito dinheiro, para que ele possa freqüentar os ricos e poderosos. O chinês moderno lamenta a abolição da poligamia. O velho Gu Hongming, no final da dinastia Qing, disse que 'para o homem, é conveniente ter quatro mulheres, assim como é conveniente que o bule de chá sirva quatro xícaras'. E o chinês moderno quer outra xícara para encher de dinheiro também. Então me diga: quantas chinesas podem preencher esses requisitos? Todas as mulheres são más, segundo esses padrões."

Dois homens à mesa ao nosso lado se viravam para olhar para Jin Shuai de vez em quando. Ela prosseguia, sem tomar conhecimento deles.

“Você conhece o ditado ‘A esposa do outro é sempre melhor, mas os seus próprios filhos são melhores ainda’?”

“Conheço”, respondi, aliviada de finalmente poder dizer que sabia alguma coisa.

“Certa vez”, disse ela, pensativa, “li um livro sobre o amor que dizia o seguinte: ‘Um leão faminto comerá um coelho se não encontrar coisa melhor, mas depois de haver esmagado o coelho, vai abandoná-lo para caçar uma zebra...’. O trágico é que tantas mulheres aceitam o julgamento dos homens que dizem que elas são ‘más’.”

Achando que Jin Shuai me incluía entre essas mulheres, corei ligeiramente. Ela não notou.

“Xinran, sabe que são as mulheres realmente más as que têm sorte? Eu acredito no ditado ‘O dinheiro faz os homens maus; a maldade faz dinheiro para as mulheres’. Não pense que somos todas estudantes pobres aqui. Muitas de nós vivem em grande estilo, sem receber um centavo dos pais. Algumas garotas, quando chegaram à universidade, não tinham dinheiro nem para comer carne na cantina, mas agora usam caxemira e jóias. Vão de táxi para todo lugar e se hospedam em hotéis. E não me entenda mal: essas garotas não estão, necessariamente, vendendo o corpo.”

Jin Shuai viu que eu estava chocada e continuou, sorrindo.

“Hoje os homens ricos estão mais exigentes em seus requisitos para companhia feminina. Querem desfilar com uma ‘secretária particular’ ou com uma ‘acompanhante’ que tenha cultura. Com a escassez de talentos que existe na China atualmente, onde é que se podem encontrar tantas ‘secretárias particulares’, a não ser nas universidades? Uma mulher sem diploma vai conseguir atrair apenas algum pequeno negociante. Quanto melhor o seu nível de educação, maior a chance de você fisgar um grande empresário. Uma ‘secretária particular’ trabalha só para um homem, uma ‘acompanhante’ trabalha para muitos. Há três níveis de companhia. O primeiro envolve acompanhar os homens a restaurantes, boates e bares de karaokê. O segundo nível leva a coisa um pouco além: eventos como teatro, cinema e assim por diante. Chamamos esse nível de 'vender arte, não a si mesma'. Claro que deixar esses homens passarem a mão em você por cima da roupa faz parte do trato. O terceiro nível envolve estar à disposição dia e noite, também para sexo. A 'secretária particular' desse tipo não dorme no dormitório da universidade, a não ser na improvável eventualidade de o chefe ir para casa. Mesmo assim, o homem geralmente deixa a 'secretária' continuar no hotel dele, para ficar mais fácil encontrá-la quando ele volta. Todas as refeições, roupas, habitação e viagens da 'secretária particular' são providenciadas. Ninguém se atreve a contrariá-la, porque ela está muito perto do chefe. Ela está abaixo de um homem, mas acima de mil! Se for esperta, ela logo ganha poder, e se for realmente inteligente, nunca terá que se preocupar com dinheiro."

Serviu-se de mais chá.

"Não se diz que 'os tempos fazem o homem'? A 'secretária particular' na China é criação da política de reforma e abertura de Deng Xiao Ping. Logo que a China se abriu, todo mundo começou a correr atrás do dinheiro, todo mundo queria ser patrão. Muitos sonham com a riqueza, mas poucos a conseguem. Você notou que, nos cartões de visita, todo mundo é 'gerente-geral' ou 'diretor'? E, independentemente das dimensões do negócio, a companhia inevitavelmente tem um nome grandioso.

"E como é que todos esses homens podem abrir uma empresa sem uma secretária? Eles não perderiam prestígio? Mas uma secretária durante oito horas por dia somente não basta, alguém tem que estar lá para organizar tudo o tempo todo. Acrescente-se a isso a lei da atração sexual e há oportunidades de sobra para as garotas bonitas. São inúmeras as garotas vestidas na moda que correm de um lado para o outro entre abafados departamentos do governo e aceleram o passo do desenvolvimento econômico da China.

"Os estrangeiros que brigam para investir na nossa economia também precisam de 'secretárias particulares'. Eles não entendem nada sobre a China e seus costumes. Não fosse pela ajuda das secretárias, os corruptos funcionários chineses teriam feito picadinho deles há muito tempo. E, para ser secretária de um estrangeiro, você também tem que falar uma língua estrangeira.

"A maioria das 'secretárias particulares' são bem realistas quanto às suas perspectivas. Elas sabem que o patrão jamais abandonará a família. Só uma tola tomaria por amor as palavras meigas dele. Mas existem mulheres tolas, e não preciso lhe dizer quais são as conseqüências."

Eu ouvia boquiaberta o relato de Jin Shuai sobre o mundo das 'acompanhantes' e das 'secretárias particulares'. A minha impressão era que não éramos do mesmo século, que dirá do mesmo país. "Isso acontece mesmo?", balbuciei.

Jin Shuai ficou surpresa com a minha ignorância.

"É claro! Vou lhe contar uma história verídica. Tenho uma boa amiga, Ying'er, uma garota adorável, atenciosa, alta e esguia, de rosto e voz muito meigos. Ying'er era uma aluna talentosa na faculdade de artes. Cantava e tocava todo tipo de instrumento, de modo que levava música e sorrisos a todo lugar aonde ia. Homens e mulheres gostavam da companhia dela. Dois anos atrás, quando estava no segundo ano da faculdade, Ying'er conheceu num salão de baile um taiwanês chamado Wu, diretor de uma empresa. Ele era bonito e elegante. A companhia imobiliária que ele tinha em Xangai estava se saindo bem e ele queria abrir uma filial em Nanquim. Mas, quando chegou aqui, achou difícil lidar com todos os regulamentos comerciais. Gastou milhares de dólares, mas seis meses depois não estava nem perto de abrir a filial.

"Ying'er teve pena de Wu. Valendo-se dos seus recursos, do jeito agradável e dos bons contatos, resolveu toda a burocracia no departamento comercial, no fisco, na prefeitura e no banco. Em pouco tempo a filial estava operando. Wu ficou nas nuvens de gratidão. Alugou uma suíte num hotel quatro estrelas para Ying'er e passou a cobrir todas as despesas dela. Ying'er era uma mulher do mundo, mas deixou-se conquistar pela atitude cavalheiresca de Wu. Ele não se comportava como os ricaços que acham que o dinheiro compra tudo. Ying'er resolveu parar de acompanhar outros homens e passou a dedicar-se apenas a ajudar Wu com o negócio em Nanquim.

"Um dia, por volta das três da manhã, ela me telefonou, parecendo felicíssima: 'Desta vez é pra valer', disse ela. 'Mas não entre em pânico, eu não disse a ele o que sinto. Eu sei que ele tem uma esposa. Ele me disse que ela é uma boa mulher. Mostrou as fotos do casamento: eles combinam. Não quero destruir a família, basta que ele seja bom para mim. Ele é tão carinhoso. Quando estou deprimida ou perco a calma, ele não fica zangado. Quando perguntei por que é tão paciente, ele disse: 'Como é que um homem pode se considerar um homem se ficar zangado com uma mulher que está sentindo dor?'. Você já ouviu coisa mais carinhosa? Está bem, não vou incomodá-la mais tempo, só queria lhe contar. Boa noite, minha querida'.

"Levei muito tempo para pegar no sono, pensando se esse amor ideal entre homem e mulher podia existir de fato. Esperava que Ying'er provasse que sim, para me dar um pouco de esperança.

"Passaram-se alguns meses sem que eu visse Ying'er, que estava vivendo a felicidade do seu amor. Quando nos encontramos de novo, fiquei chocada com a magreza e o abatimento dela. Contou que a mulher de Wu tinha escrito a ele, ordenando que escolhesse entre divorciar-se ou abandonar Ying'er. Ingenuamente, Ying'er achou que Wu a escolheria, pois parecia incapaz de viver sem ela. Além disso, ele tinha uma fortuna tão grande, que dividi-la não afetaria muito o negócio. Mas, confrontado pela esposa, que veio de Taiwan, Wu anunciou que não podia deixar a mulher nem dividir a fortuna, e disse a Ying'er que saísse de sua vida. Ele e a mulher deram dez mil dólares a Ying'er, a título de gratidão pela ajuda aos negócios deles em Nanquim.

"Ying'er ficou arrasada, e pediu uns momentos a sós com Wu para fazer três perguntas. Perguntou se a decisão era final. Wu disse que sim. Perguntou se ele falara a sério antes, quando fazia suas declarações de afeto. Ele respondeu que sim. Por último Ying'er perguntou como é que os sentimentos dele podiam ter mudado. Ele respondeu rispidamente que o mundo se encontra em estado de mudança constante, e anunciou que ela havia esgotado a cota de três perguntas.

"Ying'er voltou à vida de 'acompanhante', firmemente convencida de que não existe amor autêntico. Neste ano, menos de dois meses depois de se formar na universidade, casou com um americano. Na primeira carta que me escreveu dos Estados Unidos, ela disse: 'Jamais pense num homem como uma árvore em cuja sombra você pode descansar. A mulher é apenas fertilizante, apodrecendo para tornar a árvore forte... Não existe amor real. Os casais que parecem amorosos ficam juntos por interesse pessoal, seja dinheiro, poder ou influência'.

"Que pena que Ying'er entendeu isso tarde demais."

Jin Shuai fez silêncio, emocionada com o destino da amiga.

"Você pretende se casar?", perguntei, curiosa.

"Não pensei muito nisso. Não consigo compreender o amor. Temos um professor que abusa do poder que tem para dar as notas dos exames. Chama as alunas bonitas para 'uma conversa particular'. Acabam indo para um quarto de hotel. É um falso segredo, todo mundo sabe, menos a esposa. Ela conta, toda contente, que o marido a cobre de mimos, compra tudo o que ela quer e faz todo o trabalho doméstico, dizendo que não tolera vê-la trabalhando na casa. Dá para acreditar que o professor devasso e o marido dedicado sejam o mesmo homem?

"Dizem que as mulheres dão valor às emoções e os homens dão valor à carne. Se essa generalização for verdade, para que casar? A mulher que fica com o marido infiel é tola."

Eu disse que as mulheres costumam ser escravas das próprias emoções, e contei a Jin Shuai sobre uma professora universitária que conheci. Vários anos antes, o marido dela, também acadêmico, tinha visto muita gente ganhar muito dinheiro abrindo negócio próprio. Ele estava ardendo por deixar o emprego e fazer o mesmo. A mulher o lembrou de que ele não tinha qualificações comerciais ou administrativas para competir e que estudara para ensinar, pesquisar e escrever. O marido acusou-a de subestimá-lo e se dispôs a provar que ela estava errada. O negócio foi um fracasso espetacular: ele esgotou as economias da família e ficou sem nada. A mulher se tornou o único provedor da família.

O marido desempregado recusava-se a ajudar em casa. Quando ela lhe pedia que colaborasse no trabalho doméstico, ele protestava que era homem e não ia fazer coisas de mulher. A mulher saía cedo para o trabalho e voltava tarde, cambaleando de cansaço. O marido, que nunca se levantava antes da uma da tarde e que passava o dia inteiro vendo televisão, alegava que estava muito mais cansado devido ao estresse do desemprego. Dizia que não dormia bem e que tinha pouco apetite, portanto precisava de comida boa e saudável para ganhar forças.

A esposa usava o pouco tempo livre que tinha para dar aulas particulares e ganhar um dinheiro extra, só para ser criticada pelo marido por estar se esgotando. Ele não pensava um instante sequer em como a família continuava comendo e se vestindo. A professora, que jamais gastava dinheiro em maquiagem ou roupa nova para si mesma, nunca deixava o marido passar sem bons ternos e sapatos de couro. Ele não reconhecia seus esforços e queixava-se de que ela já não se vestia tão bem nem era tão elegante quanto antes, comparando-a desfavoravelmente com mulheres mais jovens e atraentes. Apesar de toda a instrução que tinha, parecia um camponês, ansioso por provar o próprio poder e posição como homem.

Na universidade, os colegas da mulher a censuravam por mimar o marido. Alguns dos alunos também expressavam sua desaprovação. Perguntavam por que ela se sujeitava a tanta coisa por um homem indigno. E ela respondia, desorientada: "Ele me amava tanto, antes".

Jin Shuai se enfureceu com a minha história, mas reconheceu que era uma situação muito comum.

"Acho que mais da metade das famílias chinesas são compostas de mulheres com excesso de trabalho e homens que lamentam suas ambições insatisfeitas, responsabilizando a esposa por isso e tendo acessos de cólera. E ainda por cima, muitos chineses pensam que dizer umas palavras carinhosas à esposa está abaixo da sua dignidade. Eu simplesmente não entendo. O que aconteceu com o amor-próprio de um homem que não é incomodado pela própria consciência por viver às custas de uma mulher fraca?"

"Você fala como uma feminista", provoquei eu.

"Não sou feminista. Simplesmente ainda não encontrei nenhum homem de verdade na China. Quantas mulheres escreveram para o seu programa dizendo que são felizes com seu homem? E quantos homens lhe pediram que lesse uma carta dizendo o quanto eles amam a esposa? Por que é que os chineses acham que dizer as palavras 'eu te amo' à esposa mina o status deles como homens?"

Os dois homens à mesa ao lado apontavam para nós. Perguntei-me o que estariam achando da expressão feroz de Jin Shuai.

"Bem, essa é uma coisa que os homens ocidentais dizem por causa da cultura deles." Fiz uma tentativa de justificar o fato de que eu nunca tinha recebido uma carta assim.

"O que, você acha que é uma diferença cultural? Não. Se um homem não tem a coragem de dizer essas palavras à mulher que ele ama perante o mundo, pode-se chamá-lo de homem? No que me diz respeito, não existem homens na China."

Permaneci calada. Diante de um coração de mulher jovem, mas congelado, o que é que eu podia dizer? Mas Jin Shuai riu.

"As minhas amigas dizem que a China finalmente se alinhou com o resto do mundo em termos de assuntos de conversa. Como já não temos que nos preocupar com falta de comida ou de roupa, discutimos o relacionamento entre homens e mulheres. Mas acho que esse tema é ainda mais complexo na China. Temos que lutar com mais de cinqüenta grupos étnicos, inúmeras mudanças políticas, e recomendações para o comportamento, os modos e o vestuário femininos. Nós até temos mais de dez palavras para 'esposa'."

Por um instante Jin Shuai pareceu uma garota inocente e despreocupada. O entusiasmo ia-lhe melhor do que a carapaça de relações-públicas, e gostei mais dela.

"Xinran, vamos falar sobre todos os ditados famosos associados com mulheres? Por exemplo: 'Uma boa mulher não vai com um segundo homem'. Quantas viúvas na história da China nem cogitaram casar de novo, só para preservar a reputação da família? Quantas mulheres não 'emascularam' sua natureza feminina só por causa das aparências? Ah, eu sei que 'emascular' não é palavra que se use para mulheres, mas é o que é. Ainda existem mulheres assim no interior. Depois há o outro sobre peixes..."

"Que peixes?" Eu nunca tinha ouvido essa figura de linguagem e me dei conta de que devia parecer muito ignorante aos olhos da geração mais nova.

Jin Shuai suspirou ostensivamente e tamborilou na mesa com suas unhas esmaltadas. "Ah, pobre Xinran. Você nem entende direito as categorias de mulheres. Como pode ter esperança de compreender os homens? Eu vou explicar. Quando bebem, os homens vêm com algumas definições de mulheres. As amantes são peixes-espada: saborosas, mas com espinhas afiadas. As 'secretárias particulares' são carpas: é preciso cozinhá-las em fogo lento para terem mais sabor. As esposas dos outros homens são baiacu japonês: pode matar, mas correr risco de morte é fonte de orgulho."

"E as esposas deles mesmos?"

"São bacalhau salgado."

"Bacalhau salgado? Por quê?"

"Porque o sal conserva por muito tempo. Quando não há outra comida, o bacalhau salgado é barato e conveniente, e, junto com arroz, dá uma refeição... Bom, eu tenho que ir 'trabalhar'. Você não deveria ter ouvido a minha tagarelice por tanto tempo. Por que foi que não disse nada?"

Não respondi, pensando na surpreendente comparação de esposas com bacalhau salgado.

"Não esqueça de responder às minhas três perguntas no seu programa: Qual é a filosofia das mulheres? O que é a felicidade para uma mulher? E o que faz uma boa mulher?"

Jin Shuai terminou o chá, pegou a bolsa e foi embora.

Refleti um longo tempo sobre as perguntas de Jin Shuai, mas percebi que não sabia as respostas. Parecia haver um hiato imenso entre a geração dela e a minha. Nos anos que se seguiram, tive a oportunidade de conhecer muitas outras universitárias. O temperamento, as atitudes e o estilo de vida da nova geração de chinesas, que tinha crescido durante o período de reforma e abertura, eram inteiramente diferentes dos de seus pais. Mas, embora tivessem teorias de vida interessantes, havia por trás dos pensamentos delas uma funda camada de vazio.

Podia-se responsabilizá-las por isso? Achei que não. Na sua educação faltara uma coisa que as fizera daquele jeito. Elas nunca tiveram um ambiente normal, de afeto, onde crescer.

Desde a sociedade matriarcal no passado remoto, a posição da mulher na China sempre fora a de nível mais baixo. Ela era classificada como objeto, como parte da propriedade, dividida como a comida, as ferramentas e as armas. Mais tarde foi autorizada a ingressar no mundo do homem, mas só podia existir aos pés dele — dependendo inteiramente da bondade ou da crueldade de um homem. Quando se estuda arquitetura chinesa, vê-se que se passaram muitos anos até que uma pequena minoria de mulheres pudesse mudar dos quartos laterais na casa da família (onde se guardavam as ferramentas e os empregados dormiam) para quartos ao lado dos aposentos principais (onde moravam o dono da casa e seus filhos).

A história da China é muito longa, mas faz muito pouco tempo que as mulheres têm a oportunidade de se tornar elas mesmas e que os homens começaram a conhecê-las.

Nos anos 30, quando as ocidentais já exigiam igualdade sexual, as chinesas apenas começavam a desafiar a sociedade dominada pelo homem, recusando-se a ter os pés enfaixados ou a contrair núpcias arranjadas pela geração mais velha. Mas não conheciam as responsabilidades e os direitos da mulher; não sabiam como ganhar um mundo para si. Procuraram respostas às cegas em seu próprio espaço estreito, e num país onde toda a educação era prescrita pelo Partido. É inquietante o efeito que isso teve sobre a geração mais jovem. A fim de sobreviver num mundo impiedoso, muitas jovens adotaram a carapaça endurecida de Jin Shuai e suprimiram suas emoções.

4. A catadora de lixo

Ao longo do muro da estação de rádio, não longe dos guardas de segurança, havia uma fileira de barracos, feitos de sucata, pedaços de feltro para isolamento térmico de telhado e sacos de plástico. As mulheres que moravam ali sustentavam-se catando e vendendo lixo. Com freqüência eu me perguntava de onde elas tinham vindo, o que as fizera se agruparem e como tinham ido parar ali. Em todo caso, tinham sido sensatas ao escolher um lugar relativamente seguro para seus barracos, a um grito de distância dos guardas armados do outro lado do muro.

Entre as cabanas, destacava-se a menor. Os materiais de que fora construída não eram diferentes, mas a habitação fora projetada com cuidado. As paredes de sucata tinham sido pintadas num tom forte de cor-de-rosa, e o feltro de telhado fora dobrado no formato de uma torrinha de castelo. Havia três janelas pequenas — feitas de sacos plásticos vermelhos, amarelos e azuis — e uma porta, de papelão colorido entretecido com tiras de plástico, que devia proteger bem contra o vento e a chuva. Emocionavam-me o cuidado e a atenção aos detalhes com que aquela cabana frágil fora construída, e julgava especialmente comoventes os sininhos feitos de cacos de vidro, tilintando suavemente acima da porta.

A proprietária desse castelo de sucata era uma mulher magra e frágil, de mais de cinqüenta anos. Não era só o seu barraco que era único; também ela se distinguia pela aparência. A maioria das catadoras de lixo tinha o cabelo despenteado, o rosto sujo e vestia-se de andrajos. Essa, porém, era asseada, e suas roupas gastas eram escrupulosamente limpas e bem remendadas. Não fosse pelo saco que carregava para coletar lixo, jamais se imaginaria que fosse uma catadora. Ela parecia manter distância das demais.

Quando contei aos meus colegas que a tinha observado, eles — não querendo que eu de maneira alguma me sentisse especial — puseram-se a dizer, um depois do outro, que também a tinham notado. Um deles até me disse que as catadoras de lixo ouviam o meu programa com entusiasmo. Não consegui entender se estavam ou não fazendo pouco de mim.

O Grande Li, que fazia reportagens sobre questões sociais e não estava participando da conversa, deu uma batida seca na mesa com a caneta, sinal de que estava prestes a fazer um discurso aos colegas mais jovens.

"Vocês não devem ter pena das catadoras de lixo. Elas não são pobres de jeito nenhum. O espírito delas transcendeu este mundo de um modo que as pessoas comuns não conseguem imaginar. Na vida delas não há lugar para posses materiais, portanto satisfazem com pouco os seus desejos materiais. E se vocês usarem o dinheiro como padrão para julgar as pessoas, vão descobrir que algumas dessas mulheres não estão em pior situação do que certos indivíduos em outras atividades." E contou que tinha visto uma catadora de lixo numa boate cara, coberta de jóias e tomando conhaque francês, a cem iuanes o copo.

"Que absurdo!", revidou Mengxing, que trabalhava no programa de música. Para ela, bastava a diferença de idade para nunca acreditar em nada do que o Grande Li dizia.

Normalmente o Grande Li era o mais cauteloso dos homens, mas tomando uma decisão inesperada propôs uma aposta com Mengxing. Jornalista adora criar tumulto, e todos ficaram animados e se puseram a fazer sugestões sobre o que seria apostado. Decidiram que seria uma bicicleta.

Para pôr a aposta em prática, o Grande Li mentiu para a mulher, dizendo que ia fazer umas reportagens à noite, e Mengxing disse ao namorado que precisava sair para fazer uma pesquisa sobre música contemporânea. Assim, por várias noites consecutivas, os dois foram à boate que, segundo o Grande Li, a tal catadora de lixo freqüentava.

Mengxing perdeu. Bebericando uísque, a catadora contou a Mengxing que ganhava novecentos iuanes por mês vendendo lixo. Segundo o Grande Li, Mengxing passou várias horas em estado de choque, pois ganhava cerca de quatrocentos iuanes por mês e era considerada privilegiada para o seu nível. A partir dali, deixou de ser exigente com o valor artístico dos empregos e a aceitar qualquer coisa, desde que pagasse bem. Todo mundo no escritório comentou que a perda da bicicleta a tinha tornado pragmática.

Embora tivesse notado a mulher asseada que morava no castelo de sucata, eu não tinha prestado muita atenção na maneira como as catadoras de lixo passavam o dia. Honestamente, um lado meu as evitava. No entanto, desde o encontro de Mengxing, toda vez que via pessoas remexendo no lixo eu tentava imaginar se na verdade não seriam "ricaços". Os barracos talvez fossem só o lugar onde as catadoras trabalhavam, talvez elas morassem em apartamentos moderníssimos.

Foi a gravidez da minha colega Xiao Yao que me levou a conhecer a catadora de lixo. Assim que Xiao Yao descobriu que ia ter bebê, começou a procurar uma babá. Eu era capaz de entender por que ela se pôs a procurar com nove meses de antecedência: não era fácil encontrar alguém de confiança para cuidar de uma criança e fazer o trabalho de casa.

A babá do meu filho era uma interiorana de dezenove anos, honesta e diligente, que tinha fugido sozinha para a cidade grande para escapar de um casamento forçado. Era inteligente, mas nunca recebera instrução alguma. Isso lhe criava todo tipo de obstáculo: ela não conseguia distinguir uma cédula bancária de outra nem entender os sinais de trânsito. Em casa, desmanchava-se em lágrimas porque não conseguia tirar a tampa da panela elétrica de cozinhar arroz ou porque confundia ovos em conserva com ovos podres e os jogava no lixo. Uma vez apontou para uma lata de lixo na calçada e me disse, com toda a seriedade, que tinha posto as minhas cartas naquela "caixa postal". Todo dia eu deixava instruções minuciosas sobre o que ela devia e não devia fazer, e telefonava regularmente do escritório para ver se estava tudo em ordem. Felizmente, nunca ocorreu nenhum desastre, e ela e Panpan tinham um relacionamento muito afetuoso. Houve uma ocasião, porém, em que não pude deixar de ficar zangada. Era inverno e, quando cheguei em casa depois do meu programa, encontrei Panpan, que na época tinha dezoito meses, sentado na escada do quinto andar, vestido só com um pijama fino. Estava com tanto frio que só conseguia chorar em gemidos fracos. Peguei-o correndo no colo e fui acordar a babá, censurando-me por não poder dar ao meu filho o tempo e o cuidado que uma mãe deve dar.

Eu nunca discutia com os colegas as dificuldades que encontrava para cuidar do meu bebê, mas ouvia inúmeras histórias de horror contadas pelos outros. Os jornais estavam cheios delas: crianças morriam porque empregadas descuidadas as tinham deixado cair da janela do quarto andar; outras, ignorantes e tolas, resolviam lavar a criança na máquina de lavar, ou fechá-la na geladeira para brincar de esconde-esconde. Havia casos de crianças seqüestradas por dinheiro, ou espancadas.

Poucos casais se sentiam dispostos a pedir aos pais que ajudassem a cuidar das crianças, porque isso envolveria morarem todos na mesma casa. A maioria preferia tornar a própria vida um pouco mais difícil para não ter que enfrentar os olhos críticos da geração mais velha. As sogras chinesas, especialmente as tradicionais e menos instruídas, eram lendárias por aterrorizar as noras, depois de elas próprias haverem sofrido com a sogra na juventude. Por outro lado, era impraticável a mulher desistir do emprego para ser mãe em período integral, pois era quase impossível manter uma família com um salário só. Marido que ficasse em casa cuidando de lar e filhos era coisa inaudita.

Ao ouvir o pedido de Xiao Yao de que a ajudássemos a encontrar uma babá de confiança, afetuosa e barata, o Velho Chen respondeu irreverente: "Há tantas mulheres por aí catando sucata. Por que você não pede a uma delas que trabalhe para você? Você não teria que se preocupar com o risco de ela desaparecer, nem teria que pagar muito".

Dizem que os homens são bons para enxergar o quadro geral e as mulheres, para os detalhes. Assim como todas as generalizações, nunca achei que isso fosse verdade, mas a observação casual do Velho Chen me deixou admirada com o tipo de genialidade quase imbecil que às vezes se encontra nos homens. E não fui só eu que me admirei. Muitas das minhas colegas ficaram entusiasmadíssimas com a idéia: "É mesmo! Por que foi que não pensamos nisso antes?".

Logo se seguiu a confirmação das famosas palavras do presidente Mao: "Uma única faísca pode iniciar um incêndio no prado". Durante vários dias a escolha de uma catadora de lixo como babá tornou-se tema de conversas acaloradas entre minhas colegas. Como tinham filhos de idades diferentes, acharam que talvez encontrassem uma que pudessem dividir entre si. Fizeram planos detalhados para supervisioná-la e avaliá-la, e sobre as regras que iam estipular.

Pouco depois, fui convidada a uma "reunião de mulheres" na saleta de reuniões ao lado do banheiro feminino. Assim que me sentei e perguntei, pouco à vontade, se não tinham convidado a pessoa errada, fui informada de que tinha sido escolhida, por unanimidade, como representante delas todas para escolher uma babá entre as catadoras que moravam ao lado da estação. Em estilo de militantes que não toleram contra-argumentos, apresentaram os critérios que as tinham levado a me escolher. Foi a primeira vez que sinalizavam que me aprovavam. Disseram que eu parecia sincera, tinha um toque humano e bom senso, e que era minuciosa, ponderada e metódica. Embora desconfiasse de que tivessem segundas intenções, fiquei emocionada com a avaliação delas.

Nos dias que se seguiram, comecei a inventar pretextos para ir até as cabanas das catadoras de lixo. Mas os resultados das minhas observações decepcionaram: olhando-as enquanto procuravam lixo recuperável, era difícil imaginá-las como pessoas afáveis e sensatas, muito menos pensar em convidá-las para trabalhar em casa. Limpavam o ranho em qualquer coisa a seu alcance, e as que tinham filhos enfiavam as crianças embaixo do braço para ficar com as mãos livres para remexer no lixo. E, para fazer as necessidades, agachavam-se na calçada, por trás de um pedaço de papel que servia de biombo.

A única que valia a pena considerar era a dona do castelo de sucata. Na atividade cotidiana, parecia ter delicadeza, limpeza e calor humano. Depois de muita hesitação, encontrei coragem suficiente para abordá-la no caminho de casa.

"Olá! Meu nome é Xinran, eu trabalho na rádio. Desculpe, mas posso falar com a senhora?"

"Olá. Eu a conheço. Você é a apresentadora do *Palavras na brisa noturna*. Eu ouço o seu programa toda noite. Em que posso ajudá-la?"

"É que..." Eu, a apresentadora de rádio, capaz de falar sem parar diante do microfone, de repente fiquei tão balbuciante que nem eu mesma conseguia me entender.

Ela logo entendeu o que eu tinha em mente. Respondeu com calma, mas determinação: "Agradeça, por favor, as suas colegas pela boa opinião que fazem a meu respeito, mas para mim seria muito difícil aceitar a oferta generosa delas. Eu gosto de viver uma vida desimpedida". Com uma única frase serena, ela eliminou todos os talentos de persuasão que minhas colegas tinham visto em mim.

Quando relatei o ocorrido, elas não conseguiram acreditar nos próprios ouvidos. "A grande apresentadora de rádio não consegue convencer uma catadora de lixo..."

Não havia o que eu pudesse ter feito. A expressão nos olhos da catadora impediu qualquer discussão. Senti que havia mais do que simples recusa naquela expressão, mas não sabia o que era.

A partir dali, observar o castelo de sucata e sua dona tornou-se parte da minha rotina diária. Uma noite, no segundo mês do outono, finalmente tive outra oportunidade de chegar perto da pequena cabana. Depois de terminar meu programa, passei pelos barracos das catadoras como sempre. Ao cruzar o castelo de sucata, ouvi alguém cantando baixinho a canção folclórica russa *Pradarias*. Fiquei curiosíssima. Depois da Revolução Cultural, a China tivera outra guerra fria com a Rússia, por isso não havia muita gente que conhecesse aquela canção, e menos gente ainda que a conhecesse o suficiente para cantá-la. Minha mãe tinha estudado russo na universidade e me ensinado a canção. Como é que a catadora de lixo a conhecia?

Cheguei mais perto do castelo de sucata. O canto parou de repente e a janela especialmente construída se abriu em silêncio. A catadora de lixo apareceu numa camisola feita em casa e perguntou: "O que foi? Precisa de alguma coisa?".

"Eu... Desculpe, eu só quis ouvi-la cantando, a senhora canta muito bem!"

"É mesmo? Você gosta dessa canção?"

"Sim, gosto, gosto muito. Tanto da letra quanto da música, especialmente tarde da noite. É como um quadro composto à perfeição."

"Você sabe cantar?"

"Um pouco, não muito bem. Não sei transmitir o sabor da canção."

"Vocês do rádio são engraçados. Dão vida às palavras, mas não sabem cantar. Qual é o sabor de uma canção, então? Doce? Ácido? Amargo?"

"Desculpe, mas como é que eu devo chamá-la?"

"Vocês todos nos chamam de catadoras de lixo, não chamam? Acho que é uma boa maneira de nos designar, portanto pode me chamar de Catadora de Lixo. Catadora de Lixo é perfeito para mim."

"Não é um tanto inapropriado?"

"Não se preocupe com isso, Xinran. Simplesmente me chame de Catadora de Lixo A, B ou C. Não tem importância. Então você estava ouvindo enquanto eu cantava para mim mesma. Queria mais alguma coisa?"

"Não, estava só passando, indo para casa depois do meu programa. Quando ouvi a canção russa, achei meio fora do comum. Desculpe, mas posso perguntar como é que a senhora a conhece?"

"O meu marido me ensinou. Ele estudou na Rússia."

A Catadora de Lixo não disse muito mais, nem me convidou a entrar no seu castelo, mas não me importei, pois a canção tinha me dado uma pequena chave para o seu passado.

Depois da nossa conversa naquela noite, a Catadora de Lixo não demonstrava nenhuma cordialidade especial quando me via de novo. Eu tinha a cabeça fervilhando de perguntas. O marido tinha estudado no exterior. Como foi, então, que ela acabou naquela vida? Seu modo de falar e seus gestos eram muito refinados. De que tipo de família viria? Que educação recebera? Tinha filhos? Se tinha, onde estavam?

Não muito depois disso, às vésperas do Ano-Novo, viajei a trabalho a Pequim. Uma amiga que trabalhava na Rádio Pequim sugeriu uma visita ao Centro Lufthansa, um shopping center que vendia marcas estrangeiras famosas. Vi uma caixa de bombons de licor russos. Era cara, mas resolvi comprar assim mesmo. Minha amiga zombou da minha ignorância: os melhores bombons de licor eram os suíços; quem já tinha ouvido falar em bombons de licor russos? Mas eu quis comprá-los para a Catadora de Lixo. Tinha certeza de que uma pessoa que sabia cantar uma canção folclórica russa gostaria deles.

Ao voltar de Pequim, não me contive e fui direto ao castelo de sucata, em vez de ir primeiro à minha casa. Hesitei antes de bater na porta da Catadora de Lixo. Os chineses dizem que "neste mundo não existe amor sem uma razão nem ódio sem uma causa". Como explicar a ela os pensamentos que estavam por trás daquele presente, se não era capaz nem de explicá-los a mim mesma?

A Catadora de Lixo segurou a caixa com as duas mãos, com respeito e uma emoção profunda. Normalmente impassível, ficou visivelmente abalada ao ver os chocolates. Contou que o marido adorava aqueles bombons de licor — bem como eu suspeitara, as pessoas da sua geração achavam que as melhores coisas eram soviéticas — e que fazia mais de trinta anos que ela não os via.

Aos poucos a calma lhe retornou ao rosto, e ela finalmente perguntou por que eu lhe tinha dado um presente assim caro.

"Porque nós duas somos mulheres e quero ouvir a sua história", respondi, com uma franqueza que me surpreendeu.

"Está bem!" A Catadora de Lixo pareceu haver chegado a uma decisão de grande importância. "Mas não aqui, não há paredes aqui. Ninguém, principalmente uma mulher, deixaria que alguém visse as cicatrizes no seu peito."

Andamos até uma pequena colina no jardim botânico, onde só as árvores e eu poderíamos ouvir o relato da Catadora de Lixo.

A história dela foi fragmentada. Não entrou em detalhes sobre causas nem conseqüências, e fiquei com a forte impressão de que ela ainda não estava disposta a revelar todas as suas experiências. Suas palavras limitaram-se a abrir a caixa na qual ela se fechara, mas sem erguer o véu do rosto.

Na juventude, o marido da Catadora de Lixo estudou três anos em Moscou, e entrou para a política pouco depois de voltar à China. Isso coincidiu com os acontecimentos terríveis do Grande Salto Adiante. Sob os cuidados do Partido, que determinava seus interesses, ele casou com a Catadora de Lixo. Bem quando toda a família se alegrava com o nascimento do segundo filho do casal, o marido morreu de repente, de um ataque cardíaco. No final do ano seguinte, o filho mais novo morreu de escarlatina. Com o sofrimento causado pela morte do marido e do filho, a Catadora de Lixo perdeu a coragem de viver. Um dia pegou o filho que lhe restava e seguiu para a margem do rio Yang-tsé, disposta a unir-se ao marido e ao bebê na outra vida.

Parada à beira do rio, preparava-se para se despedir da vida quando o filho perguntou, inocentemente: "Nós vamos ver o papai?".

Ela levou um choque: como é que uma criança de cinco anos podia saber o que ela pretendia fazer? E perguntou ao filho: "O que é que você acha?".

E ele respondeu: "É claro que nós vamos ver o papai! Mas eu não trouxe o meu carrinho de brinquedo para mostrar para ele!".

Ela começou a chorar e não perguntou mais nada ao filho. Deu-se conta de que ele entendia muito bem o que ela estava sentindo. Compreendia que o pai já não estava no mesmo mundo que eles mas, como toda criança pequena, não fazia uma distinção clara entre vida e morte. As lágrimas reacenderam-lhe o sentimento materno e o senso de dever. Chorou com o filho no colo, deixando que a correnteza do rio levasse sua fraqueza e lhe desse forças. Depois, pegou a mensagem de suicida que tinha escrito e foi para casa com o filho.

O filho perguntou: "Nós não vamos ver o papai, então?".

"O papai está muito longe", respondeu ela, "e você é pequeno demais para ir até lá. A mamãe vai ajudá-lo a crescer, para que você possa levar para ele mais coisas, e coisas melhores."

Depois disso a Catadora de Lixo fez tudo o que uma mãe sozinha pode fazer para dar ao filho o melhor de tudo. E disse que ele alcançou grandes sucessos na vida.

Mas por que é que o filho, que agora devia estar casado e estabelecido numa carreira, deixava que a mãe, que tanto labutara por ele, se visse reduzida a catar lixo? "Onde está o seu filho? Por que...", perguntei, hesitante.

A Catadora de Lixo não deu uma resposta direta. Limitou-se a dizer que ninguém é capaz de descrever o coração de uma mãe. E deu a entender com firmeza que eu não devia fazer mais perguntas.

O Ano-Novo passou e o Festival da Primavera estava se aproximando. Para os chineses, é o festival mais importante do ano, e muita gente aproveita a ocasião para reforçar os contatos profissionais. Todo ano, os funcionários dos meios de comunicação se beneficiam muito do festival. Independentemente do cargo que ocupam, ganham pilhas de presentes e dezenas de convites para eventos sociais. Embora na época eu fosse apenas uma humilde apresentadora, sem nenhum poder oficial, era procurada por pessoas abastadas e influentes devido à popularidade do meu programa. Essa atenção não era um reconhecimento das minhas realizações, mas da importância dos meus ouvintes. Todos os funcionários na China conhecem o ensinamento antigo, passado de geração em geração desde a dinastia Tang: "A água sustenta o barco, mas também pode virá-lo". As pessoas comuns, como os meus ouvintes, eram a água, e os funcionários eram o barco.

Entre os belos convites vermelhos e dourados que recebi, havia o de um jovem político ambicioso, recém-nomeado para a câmara municipal. Comentava-se que ele iria longe e que tinha esperança de ser um dos poucos que chegavam a dirigente em nível regional. Eu estava muito curiosa por saber que qualidades especiais aquele homem — só alguns anos mais velho do que eu — tinha para conseguir abrir caminho no labirinto da política chinesa. Resolvi comparecer à recepção oferecida por ele. O convite especificava que seria à ocidental, um bufê self-service, o que seria novidade.

O jantar foi dado na casa do político que, embora não fosse uma mansão, impressionava. Só a sala de estar acomodaria quatro ou cinco apartamentos conjugados para pessoas sozinhas como eu. Como cheguei bem tarde, a sala já estava cheia do som de muitas conversas e de copos batendo. A anfitriã me apresentou a várias pessoas importantes, tomando o cuidado de respeitar a ordem de importância. Um pensamento irreverente me passou pela cabeça: será que, quando iam ao banheiro, aqueles figurões tinham que ir em ordem hierárquica? Se fosse esse o caso, os de nível inferior deviam sofrer terrivelmente.

O bufê ocidental estava suntuoso, e parecia autêntico, se é que eu podia julgar pelas fotos que tinha visto em revistas. Para mostrar que estava dispensando um tratamento especial às mulheres da mídia, a prestimosa anfitriã, numa demonstração de intimidade, convidou as poucas jornalistas de programas noticiosos que estavam na recepção a conhecer o quarto dela e, lá chegando, pegou uma caixa de bombons de licor que havia separado especialmente para nós.

Fiquei estupefata: os bombons eram idênticos aos que eu tinha dado à Catadora de Lixo. A anfitriã abriu a caixa. Do lado de dentro da tampa estava a letra da canção folclórica russa *Pradarias* que eu havia copiado à mão para a Catadora de Lixo, a título de bons votos para o novo ano.

Aquela família poderosa estava tão distante do castelo de sucata da Catadora de Lixo quanto o céu da terra. Como é que os bombons tinham chegado ali? O meu cérebro começou a ferver de perguntas e o meu pulso se acelerou. Não tive vontade alguma de ficar mais tempo no banquete. Dei uma desculpa apressada e fui direto para o castelo de sucata, correndo como uma possessa.

A Catadora de Lixo não estava. Esperei um longo tempo até que ela voltasse, tarde da noite. Assim que me viu, pôs-se a falar, toda animada: "O Ano-Novo e o Festival da Primavera são a melhor época para catar lixo. Encontra-se um montão de comida, ainda na embalagem, em todas as latas, grandes ou pequenas, e muitas coisas úteis jogadas fora. Honestamente, esta época em que vivemos... As pessoas esqueceram o que são tempos difíceis".

Não consegui me conter mais e a interrompi para perguntar, ousadamente: "Por que é que acabo de ver a caixa de bombons que lhe dei na casa de um político bem-sucedido? A caixa foi roubada? O que é que está acontecendo?".

A Catadora de Lixo ouviu a enxurrada de perguntas com uma expressão complexa no rosto. Era visível que tremia, mas controlou-se com um grande esforço e respondeu: "Depois do Festival da Primavera, marcamos uma hora e eu lhe conto".

Em seguida, fechou a porta e me ignorou. Fiquei ali, perplexa. Os sininhos tilintando ao vento gelado acabaram por me despertar do meu transe, e tomei o rumo de casa.

O Festival da Primavera pareceu durar para sempre. Eu estava cheia de remorsos. Vivendo sozinha naquele barraco frágil, batido pelo vento e pela chuva, sem amigos nem parentes, a última coisa de que a Catadora de Lixo precisava era o fardo das minhas perguntas impiedosas. Pensei em ir visitá-la, mas sabia que ela fora taxativa: teria que ser depois do Festival da Primavera.

No primeiro dia de trabalho depois das festas, fui para o escritório bem cedo. Ao passar pelo castelo de sucata, vi que a porta estava fechada a cadeado. A Catadora de Lixo sempre saía bem cedo também. Não era de admirar: quem ia querer dormir até tarde num barraco minúsculo que não protegia contra o calor nem contra o frio? Na entrada da rádio, o porteiro me chamou para dizer que alguém me deixara uma carta na véspera. Muitos ouvintes se davam ao trabalho de entregar as cartas pessoalmente. Pareciam achar mais seguro e mais provável que as cartas assim entregues merecessem a minha atenção. Agradeci ao porteiro, mas não pensei muito na carta e deixei-a na minha bandeja de entrada ao passar.

Durante o dia, dei umas quatro ou cinco saídas rápidas para espiar o castelo de sucata, mas encontrei a porta sempre fechada e não vi a Catadora de Lixo em parte alguma. Comecei a me sentir ligeiramente receosa de que ela não tivesse cumprido a palavra, mas resolvi esperá-la. Queria pedir desculpas e esclarecer o incidente dos bombons. Decidi ficar no escritório até o último turno e ler as minhas cartas.

Pelas 8h20 da noite, saí mais uma vez, mas a porta do castelo de sucata continuava trancada. Fiquei me perguntando por que ela ainda não tinha retornado. A coleta estaria tão boa assim? De volta ao escritório, continuei lendo cartas. A que abri em seguida era escrita numa letra bonita e delicada. Era óbvio que a remetente era uma mulher de instrução superior, alguém que recebera a melhor educação. O que li me deixou atônita.

Cara Xinran,

Obrigada. Obrigada pelo seu programa, que ouço todos os dias. Obrigada pela sua sinceridade — fazia muitos anos que eu não tinha uma amiga. Obrigada pela caixa de bombons de licor russos — lembrou-me de que sou uma mulher que um dia teve um marido.

Dei os bombons ao nosso filho. Achei que ele gostaria, da mesma forma como o pai gostava.

É muito difícil para um filho viver com a mãe, e muito difícil para a esposa dele também. Não quero criar transtornos na vida de meu filho, nem lhe causar a dificuldade de tentar encontrar um equilíbrio entre a esposa e a mãe. Mas acho impossível escapar da minha natureza feminina e dos hábitos de uma vida como mãe. Vivo como vivo para estar perto do meu filho, para vê-lo passar a caminho do trabalho, logo cedo toda manhã. Por favor, não lhe conte isto. Ele pensa que tenho morado no interior todo este tempo.

Xinran, desculpe, mas vou embora. Sou professora de idiomas e devo retornar para o interior e continuar ensinando crianças. Como você disse certa vez num programa, os velhos devem ter um espaço onde possam construir uma velhice bonita para si mesmos.

Perdoe-me por ter sido fria com você. Dei ao meu filho todo o calor que tinha em mim, o pai continua nele.

Desejando-lhe um Festival da Primavera feliz e tranqüilo,

A Catadora de Lixo

Na Cabana do Lixo

Entendi por que a Catadora de Lixo tinha ido embora. Permitira que eu lhe visse o coração e a vergonha não a deixaria me encarar de novo. Senti pena de tê-la expulsado do mundo que ela construíra com tanto cuidado, mas também lamentei que tivesse se esgotado para criar o filho e depois se resignado a ser abandonada. A sua única fé era na sua identidade como mãe.

Guardei o segredo da Catadora de Lixo e nunca contei ao filho que ela passara um longo tempo acompanhando os seus movimentos. Mas nunca mais fui à casa dele, pois a Catadora de Lixo, cuja memória eu prezo muito, nunca atravessou sequer a soleira daquela casa. Embora ele parecesse tão abastado, ela é que era realmente rica.

5. As mães que sofreram um terremoto

Quando minha colega Xiao Yao teve o bebê, fui visitá-la no hospital com várias colegas do escritório. Mengxing estava muito entusiasmada, pois nunca tinha estado numa maternidade. O diretor Zhang, do Departamento de Assuntos Externos, preveniu-a que não fosse: na China, acredita-se que a mulher que nunca deu à luz dá azar aos recém-nascidos. Mengxing ignorou a advertência, considerando-a conversa de comadres, e seguiu para o hospital antes de nós.

Chegamos carregadas de comida para Xiao Yao: açúcar mascavo e ginseng para o sangue, peixe e pés de porco para ajudá-la a amamentar, frango e frutas para que recuperasse as forças. Ao entrar no quarto, vimos Mengxing conversando com Xiao Yao. Comia um dos ovos cozidos tingidos de vermelho para simbolizar a felicidade do nascimento de uma criança.

Os pais e os sogros de Xiao Yao também estavam lá, e o quarto estava cheio de presentes. Xiao Yao parecia feliz e surpreendentemente bem-disposta para as circunstâncias. Imaginei que o fato de ter tido um menino fosse uma causa do seu bem-estar radiante.

É incontável o número de gerações na China que repetem o ditado segundo o qual "existem trinta e seis virtudes, mas não ter herdeiros é um mal que nega todas elas". A mulher que teve um filho coloca-se acima de qualquer censura.

Durante o trabalho de parto, Xiao Yao ficou numa enfermaria com mais sete mulheres. Pediu várias vezes ao marido que a transferisse para um quarto particular, mas ele recusou. Ao receber a notícia de que ela tivera um menino, ele imediatamente providenciou a transferência.

O quarto era apertado, mas tinha muita claridade. Cada uma de nós encontrou um lugar onde se acomodar e minhas colegas começaram a conversar animadamente. Não sou boa nesse tipo de conversa porque não gosto de falar da minha vida, que é uma história de famílias incompletas. Na infância, fui separada dos meus pais; adulta, não tinha uma família de verdade — só meu filho. Ouvindo em silêncio, eu fazia um coelho de origami com um pedaço de papel de presente.

Por sobre a conversa de minhas colegas, ouvi vozes no corredor.

Um homem falava baixo, mas com determinação: "Mude de idéia, por favor. Vai ser perigoso demais".

"Não tenho medo. Quero sentir o parto", respondeu uma mulher.

"Você pode não ter medo, mas eu tenho. Não quero que o meu filho fique sem mãe."

"Se eu não der à luz naturalmente, como poderei me considerar uma mãe?" A mulher parecia impaciente.

"Mas você sabe que, no seu estado, não pode..."

"Os médicos não disseram que era cem por cento impossível", interrompeu-o ela. "Eu só quero fazer isso sozinha..." As vozes sumiram quando eles se afastaram.

No momento em que eu saía, a sogra de Xiao Yao me passou furtivamente um pedaço de tecido vermelho e me pediu que o queimasse "para expulsar as influências malignas trazidas por Mengxing". Não me atrevi a desobedecer. Na rua, joguei o pano no fogareiro de uma barraca de comida na calçada, mas não contei nada a Mengxing, pois ela odiava admitir derrota.

Três meses depois, recebi um convite para um jantar fúnebre de uma família que eu não conhecia. Era comum os ouvintes me convidarem a eventos de família, mas geralmente eram casamentos. É raro convidar estranhos a jantares fúnebres, e fiquei intrigada. Seria num restaurante e não no salão de uma funerária ou de um crematório, e o convite pedia que se levasse um nome de menino. Eu nunca tinha visto nem uma coisa nem a outra.

Resolvi ir e levei o nome "Tianshi" (Chave do Paraíso). O anfitrião recebeu os convidados com um bebê de um mês no colo. A esposa tinha morrido no parto. Ao descobrir quem eu era, perguntou, choroso, por que a mulher se recusara a fazer uma cesariana, sabendo que correria risco de vida num parto normal. A experiência de dar à luz naturalmente era mais importante do que a própria vida?

Fiquei me perguntando se aquele seria o casal cuja conversa eu tinha ouvido no hospital. A decisão daquela desconhecida me deixou chocada mas, num nível mais profundo, entendi o seu desejo de viver essa experiência única. O marido enlutado não entendia. Perguntou-me se eu podia ajudá-lo a compreender as mulheres.

Não sei se o bebê ganhou o nome de Tianshi; no entanto, ao deixar o jantar fúnebre, tive a esperança de que ele viesse a ser uma chave enviada pelo céu para abrir para o pai a porta da mente das mulheres.

No entanto, só compreendi de fato o que significa ser mãe quando, em 1992, visitei a cidade industrial de Tangshan, reconstruída depois de ser completamente arrasada pelo terremoto apavorante de 28 de julho de 1976, que matou 300 mil pessoas.

Como a emissora de Nanquim era importante na China, era freqüente eu ter que viajar para comparecer a conferências regionais sobre o desenvolvimento da programação de rádio e televisão. A única finalidade dessas conferências era repetir como papagaio a política do Partido; não havia nenhum debate autêntico. Para compensar a falta de estímulo intelectual, os organizadores costumavam providenciar passeios para que os participantes conhecessem as cercanias do lugar onde se realizava o encontro. Isso me deu muitas oportunidades de entrevistar mulheres em áreas diferentes da China.

Durante uma dessas conferências em Tianjin, aproveitei a ocasião para conhecer Tangshan, nas proximidades. O terremoto de 1976 em Tangshan ficou famoso como símbolo do colapso total das comunicações na China naquela época. Em 1976 o governo chinês estava lidando com a morte de três personalidades cruciais: Mao Tsé-tung, o primeiro-ministro Chu En-lai e o líder militar Chu-té. A preocupação das autoridades com essa crise, somada à inadequação da tecnologia chinesa, fez com que o terremoto lhes passasse completamente despercebido. Foi só quando um homem de Tangshan viajou até Pequim que a notícia começou a correr. E mesmo então, as pessoas acharam que o homem fosse louco. A agência de notícias de Xinhua, que cobria a área de Tangshan, foi informada sobre o terremoto não pelo escritório central do governo, mas pela imprensa estrangeira, que tinha recebido comunicados dos centros de monitoramento de terremotos mais sofisticados de outros países.

Enquanto estava em Tangshan, ouvi falar de um orfanato inusitado, fundado e administrado por mães que tinham perdido os filhos no terremoto. Soube que elas financiavam o orfanato com o dinheiro da indenização que tinham recebido. Telefonei para marcar uma visita. O orfanato fora construído com a ajuda da guarnição local do exército, e ficava num subúrbio, perto de um sanatório militar. Ao me aproximar da cerca baixa de madeira e dos arbustos que cercavam o prédio, ouvi vozes de crianças. Era um orfanato sem funcionários; havia quem o chamasse de uma família sem homens. Viviam ali algumas mães e dezenas de crianças.

Encontrei as crianças fazendo ginástica no pátio, e as mães fazendo bolinhos na cozinha. Cumprimentaram-me com as mãos cobertas de farinha, dizendo que gostavam muito do meu programa. Sem tirar o avental, levaram-me para percorrer o orfanato.

Cada mãe ocupava um aposento grande — modestamente mobiliado, mas aconchegante — com cinco ou seis crianças. Habitações desse tipo são comuns no norte da China: a metade do cômodo é ocupada por um *kang*, um misto de cama e fogão, construído de tijolos ou de terra. No inverno, acende-se o fogo embaixo do *kang* para aquecê-lo e, à noite, a família inteira dorme em cima dele. O que demarca o espaço de cada pessoa são os acolchoados individuais. De dia os acolchoados são enrolados e postos a um lado, e coloca-se uma mesinha em cima do *kang*, que serve de área de estar e comer para a família. A outra metade do aposento é ocupada por guarda-roupas, um sofá e cadeiras para receber visitas.

Ao contrário das casas normais, os aposentos do orfanato tinham sido decorados numa infinidade de cores, de acordo com o gosto das crianças. Cada quarto tinha o seu estilo de decoração, mas em todos eles viam-se as mesmas três coisas. A primeira era uma moldura com fotos de todas as crianças que tinham morado ali. A segunda era a pintura tosca de um olho transbordando de lágrimas, e duas palavras escritas na pupila: "o futuro". A terceira era um livro onde estava registrada a história de cada criança.

As mulheres tinham muito orgulho das crianças e me regalaram com os relatos das façanhas delas, mas o que me interessava mesmo era ouvir as histórias das próprias mulheres.

Na primeira visita, só consegui entrevistar uma mãe, a sra. Chen. Era dependente do exército e tivera três filhos. Conversamos enquanto eu a ajudava a cozinhar bolinhos para as crianças. Eu a tratava de "tia", pois ela era da geração dos meus pais.

"Tia Chen, posso lhe perguntar o que aconteceu no dia do terremoto? Desculpe, eu sei que as recordações devem ser muito dolorosas..."

"Não tem importância. Não passa um dia sem que eu me lembre daquele dia. Acho que nenhum dos sobreviventes vai conseguir esquecer. Foi tudo tão irreal... Naquela manhã, antes de clarear, fui despertada por um som estranho, uma espécie de ronco surdo e um assobio, como se um trem estivesse arremetendo contra a nossa casa. Pensei que estivesse sonhando — os sonhos são tão estranhos —, mas bem na hora em que eu ia gritar, metade do quarto cedeu e levou junto o meu marido, na cama dele. De repente o quarto das crianças, que ficava do outro lado da casa, apareceu na minha frente, como o cenário num palco. O meu filho mais velho estava de olhos arregalados e boca aberta; a minha filha chorava e gritava, estendendo os braços para mim; e o meu filhinho pequeno continuava dormindo calmamente.

"Tudo aconteceu muito depressa. A cena à minha frente sumiu de repente, como se uma cortina tivesse caído. Eu estava aterrorizada, mas achei que estivesse tendo um pesadelo. Belisquei-me com força, e não acordei. Desesperada, espetei a perna com uma tesoura. Sentindo a dor e vendo o sangue, entendi que não era um sonho. O meu marido e os meus filhos tinham caído num abismo.

"Gritei como uma louca, mas ninguém me ouviu. De todo lado vinha o som de paredes desmoronando e de móveis quebrando. Fiquei ali, com a perna ensangüentada, olhando para o buraco enorme que tinha sido a outra metade da minha casa. O meu marido e as minhas lindas crianças tinham desaparecido diante dos meus olhos. Eu sentia vontade de chorar, mas não tinha lágrimas. Simplesmente não queria continuar vivendo."

Os olhos dela estavam cheios de lágrimas.

"Sinto muito, tia Chen...", balbuciei, emocionada.

Ela balançou a cabeça. "Faz quase vinte anos, mas quase todo dia, ao amanhecer, ouço um trem roncando e apitando, junto com os gritos dos meus filhos. Às vezes tenho tanto medo desses sons que ponho as crianças bem cedo na cama e me deito com um despertador embaixo do travesseiro, para acordar antes das três horas. Quando o despertador toca, sento na cama e fico esperando clarear. Às vezes torno a dormir até as quatro. Mas depois de fazer isso alguns dias, sinto falta daqueles sons de pesadelo, porque as vozes dos meus filhos também estão neles."

"A senhora se sente melhor, com tantas crianças ao seu redor agora?"

"Muito melhor, especialmente à noite. Fico olhando enquanto elas dormem e me sinto reconfortada de um jeito que não sei explicar. Sento ao lado das crianças, seguro as mãos delas contra o meu rosto, beijo-as e agradeço a elas por me manterem viva."

"As crianças vão agradecer à senhora quando crescerem. É um ciclo de amor."

"É verdade. Dos velhos para os jovens e de volta para os velhos. Pronto. Os bolinhos estão prontos. Tenho que chamar as crianças agora. Você também quer comer?"

Agradeci mas recusei, dizendo que voltaria no dia seguinte. Estava com o coração pesado demais para falar com mais alguém. Sentia-me física e emocionalmente esgotada.

Naquela noite ouvi nos meus sonhos um ronco surdo e os gritos das crianças que a tia Chen tinha descrito, e acordei encharcada de suor frio. O sol se infiltrava pelas cortinas e ouvi os sons de crianças a caminho da escola. Senti um alívio enorme.

A reunião daquele dia terminou cedo. Recusei polidamente um convite para jantar com alguns amigos em Tianjin e corri para pegar o trem para Tangshan. No orfanato, falei com a sra. Yang, encarregada das refeições das crianças. Estava supervisionando o jantar quando cheguei.

"Veja como as crianças estão gostando da comida", disse ela.

"Deve ser porque a senhora é boa cozinheira."

"Não necessariamente. Criança gosta de certas coisas, como comida em formatos especiais. Pode ser só pão cozido no vapor, mas se tiver a forma de coelhinho ou cachorrinho, elas comem mais. Também gostam de coisas doces, por isso apreciam pratos agridoces ou porco assado à cantonesa. Gostam de comida que seja fácil de mastigar, como almôndegas ou bolinhos de legumes. Criança sempre acha que o que os amigos estão comendo é mais gostoso, então eu deixo que elas escolham o que querem comer e que troquem com os amigos se quiserem. Estimula o interesse delas pela comida. A minha filha era exatamente assim. Se eu lhe desse uma porção da mesma coisa em vários pratos diferentes, ela ficava toda animada." E balançou a cabeça, afetuosamente.

Hesitando, eu disse: "Eu soube que a sua filha...".

"Eu lhe conto a história da minha filha, se você quiser ouvir, mas não aqui. Não quero que as crianças me vejam chorar. É um consolo enorme vê-las comendo e rindo assim felizes. Elas realmente me fazem..." Parou, com a voz subitamente densa de lágrimas.

"Tia Yang?", disse eu, delicadamente.

"Aqui não. Vamos para o meu quarto."

"Seu quarto?"

"Sim. Sou a única que tem um quarto só para si, porque o meu outro trabalho é cuidar dos registros de saúde e dos pertences das crianças. Não podemos deixar que elas mexam nessas coisas."

O quarto era muito pequeno. Uma parede estava quase completamente coberta por uma única foto, tão ampliada que parecia uma pintura em pixels coloridos. Era a foto de uma menina de olhos vivos e lábios entreabertos, como se estivesse prestes a falar.

Olhando para a foto, a sra. Yang disse: "É a minha filha. A foto foi tirada quando ela se formou no curso primário. É a única foto dela que eu tenho".

"Ela é muito bonita."

"Sim. Mesmo no jardim-de-infância ela estava sempre representando e fazendo discursos."

"Devia ser muito inteligente."

"Acho que era. Nunca foi a primeira da classe, mas nunca me deu motivo de preocupação." A sra. Yang alisava a foto enquanto falava. "Faz quase vinte anos que ela me deixou. Eu sei que ela não queria partir. Estava com catorze anos. Sabia sobre a vida e a morte: não queria morrer."

"Ouvi dizer que ela sobreviveu ao terremoto."

"É, mas teria sido melhor se tivesse sido esmagada e morrido na hora. Esperou catorze dias — catorze dias e duas horas — sabendo que a morte se aproximava. E tinha só catorze anos..." A sra. Yang começou a chorar.

Também incapaz de controlar as lágrimas, eu disse: "Tia Yang, eu sinto muito", e pus a mão no ombro dela.

Soluçou por alguns minutos. "Eu... eu estou bem. Xinran, você não é capaz de imaginar a cena lamentável. Jamais esquecerei a expressão no rosto dela." Tornou a fitar a foto com olhos amorosos. "Estava com a boca ligeiramente aberta, bem desse jeito..."

Aflita com as lágrimas dela, sugeri: "Tia Yang, a senhora trabalhou o dia todo, deve estar cansada. Vamos conversar na próxima vez, está bem?".

A sra. Yang se recompôs. "Não. Eu sei que você é muito ocupada e que veio até aqui só para ouvir as nossas histórias. Não posso deixá-la ir embora sem nada."

"Não tem importância, eu tenho tempo", tranqüilizei-a.

Ela estava decidida. "Não, não. Eu conto agora." Respirou fundo. "O meu marido tinha morrido fazia um ano, e a minha filha e eu morávamos num apartamento no quinto andar, designado pela unidade de trabalho. Tínhamos só um aposento, e dividíamos a cozinha e o banheiro com outras pessoas. O cômodo não era grande, mas não achávamos apertado. Como odeio extremos de calor e de frio, a minha metade do quarto ficava junto da parede interna e a da minha filha, junto da parede externa. Naquela manhã fui acordada por um estrondo, batidas e um tremor violento. A minha filha me chamou e tentou sair da cama para vir até mim. Tentei levantar, mas não conseguia ficar ereta. Estava tudo balançando e a parede se inclinava na minha direção. De repente a parede ao lado da minha filha desapareceu e ficamos expostas, na beirada do quinto andar. Estava calor, de modo que só estávamos de roupa de baixo. A minha filha gritou e passou os braços em torno do peito, mas antes de poder reagir melhor foi atirada da borda por outra parede que caiu.

"Gritei o nome dela, agarrada a uns ganchos de pendurar roupa na parede. Foi só depois que parou de balançar, e que consegui me firmar no piso inclinado, que percebi que era um terremoto. Procurei desesperada um jeito de descer e desci, cambaleando e gritando por minha filha.

"Eu não tinha percebido que não estava vestida. Todos os outros sobreviventes também estavam com muito pouca roupa. Alguns estavam até nus, mas ninguém prestou atenção nessas coisas. Estávamos todos correndo de um lado para o outro na penumbra, chorando e chamando os parentes aos gritos.

"Naquela balbúrdia, gritei até ficar rouca, perguntando a todo mundo sobre a minha filha. Algumas das pessoas que abordei me perguntavam se eu tinha visto os parentes delas. Estava todo mundo de olhos arregalados e aos berros, ninguém entendia nada. À medida que as pessoas foram gradualmente se dando conta do horror total da situação, foi-se fazendo um silêncio angustiado. Teria dado para ouvir um alfinete cair no chão. Eu tinha medo de me mexer, medo de fazer a terra começar a sacudir de novo. Ficamos ali, examinando a cena à nossa frente: prédios desmoronados, canos de água estourados, buracos enormes no chão, cadáveres por todo lado, estendidos no chão, pendurados em vigas de telhado e pendendo para fora de casas. Estava se erguendo uma nuvem de poeira e fumaça. Não havia sol nem luar, ninguém sabia que horas eram. Começamos a nos perguntar se ainda estávamos na terra dos vivos."

Encorajei a sra. Yang a tomar um pouco de água.

"Água? Ah, sim... Não sei quanto tempo levou, mas comecei a sentir sede, porque tinha gritado tanto que estava com a garganta em carne viva. Alguém disse 'água' com voz fraca, fazendo todo mundo se lembrar de que era preciso cuidar da questão imediata da sobrevivência. Um homem de meia-idade avançou do grupo e disse: 'Se quisermos viver, temos que nos ajudar uns aos outros e nos organizar'. Todos concordaram aos sussurros.

"Estava começando a clarear, e tudo à nossa frente se tornou mais distinto e mais terrível. Aí, de repente, alguém gritou: 'Olhem, ali, uma pessoa viva!'. E naquela claridade fraca vimos uma garota suspensa no ar, presa entre as paredes em ruínas de duas construções. Embora o rosto estivesse coberto pelo cabelo e não desse para ver a parte inferior do corpo, que estava presa nos escombros, eu sabia — pela cor e pelo estilo do sutiã e pelo torso se debatendo — que era a minha filha, e me pus a gritar 'Xiao Ping!', tremendo de alegria e aflição. Ela continuava a se contorcer desesperadamente, e percebi que não conseguia me ouvir nem me ver. Abri caminho por entre a multidão, gesticulando na direção dela e dizendo aos soluços que aquela era a minha filha. Os escombros não me deixavam passar. As pessoas começaram a ajudar, tentaram escalar a parede onde a minha filha estava presa, mas a altura era de no mínimo dois andares e ninguém tinha ferramentas. Eu não parava de gritar o nome de Xiao Ping, mas ela não me ouvia.

"Algumas mulheres, e depois uns homens, começaram a gritar junto comigo, para me ajudar. E logo estava todo mundo chamando 'Xiao Ping! Xiao Ping!'.

"Ela finalmente nos ouviu. Levantou a cabeça e usou a mão livre, a esquerda, para afastar o cabelo do rosto. Eu sabia que ela estava me procurando. Parecia confusa, não conseguia me enxergar entre aquela gente nua ou seminua. Um homem ao meu lado começou a empurrar para um lado as pessoas que estavam ao meu redor. De início ninguém entendeu o que ele estava fazendo, mas logo ficou claro que estava tentando abrir um grande espaço à minha volta para que Xiao Ping pudesse me ver. Deu certo. Xiao Ping gritou 'Mamãe!' e me acenou com a mão livre.

"Gritei de volta, mas minha voz estava rouca e fraca. Então, levantei os braços e acenei para ela. Não sei quanto tempo passamos chamando e acenando. Finalmente alguém me fez sentar. Ainda havia um grande espaço vazio ao meu redor, de modo que Xiao Ping podia me ver. Ela também estava cansada, a cabeça pendia e ela arquejava. Pensando naquele momento, fico me perguntando por que ela não gritou para que eu a salvasse. Nunca disse nada como 'Mamãe, me salve', nada disso."

"Quando foi que a senhora começou a contar os catorze dias e duas horas que mencionou?"

"Um homem gritou para Xiao Ping: 'São cinco e meia da manhã. Logo vai chegar alguém para tirar você daí!'. Ele quis reconfortá-la, ajudá-la a agüentar, mas passaram-se segundos, minutos, horas, e ninguém acudiu."

"Foi porque demorou para que as pessoas ficassem sabendo do que tinha acontecido", disse eu, lembrando do tempo que levara para que se desse a notícia.

A sra. Yang assentiu. "Que país era este, em 1976? Uma cidade grande em ruínas, 300 mil mortos, e ninguém sabia. Como a China era atrasada! Acho que se fôssemos mais avançados na época, muita gente talvez não tivesse morrido. Xiao Ping poderia ter sobrevivido."

"Quando foi que a equipe de socorro chegou?"

"Não sei dizer com certeza. Só lembro que primeiro chegou o exército. Os soldados chegaram suados de tanto correr, mas nenhum deles nem parou para tomar fôlego antes de iniciar o salvamento. Levando cordas e pinos, dois deles começaram a escalar a parede em que Xiao Ping estava presa. Parecia que podia desabar a qualquer momento e esmagar todo mundo. Eu mal conseguia respirar enquanto os via se aproximando cada vez mais da minha filha..." Ela fez silêncio por alguns minutos.

"Quando viu que estava chegando socorro, Xiao Ping se pôs a chorar. O primeiro soldado que a alcançou tirou o blusão do uniforme para cobri-la. Ela só estava com um braço livre, de modo que ele teve que passar o blusão em torno dela como se fosse uma túnica tibetana. O outro soldado segurou uma garrafa d'água junto à boca de Xiao Ping para que ela bebesse. Os dois começaram a puxar os tijolos e as pedras em torno dela, e logo soltaram o braço direito, que estava todo machucado e ensangüentado. Por algum motivo, eles de repente pararam de escavar. Gritei para eles, perguntando qual era o problema, mas não dava para me ouvirem. Depois de algum tempo, desceram e vieram falar comigo. Gesticulando com mãos sujas de sangue, disseram que a metade inferior do corpo de Xiao Ping estava presa entre os blocos de concreto armado da parede, os quais eles não conseguiam remover só com as mãos. Perguntei por que estavam com as mãos tão ensangüentadas. Eles puseram as mãos atrás das costas e responderam que não tinham permissão de usar ferramentas para soltar pessoas de escombros, para não correr o risco de machucá-las.

"Quando tudo acabou, descobri que alguns soldados ficaram com as unhas e as pontas dos dedos carcomidas, de tanto escavar, mas amarraram uns panos nas mãos e continuaram. Alguns gritavam loucamente enquanto cavavam, porque ouviam gemidos e pedidos de socorro vindos do meio das ruínas. O que é que eles podiam fazer, só com as mãos? O equipamento pesado de socorro não conseguia chegar à cidade porque as estradas tinham sido destruídas. Quanta gente morreu, à espera de ajuda?" Ela suspirou e enxugou as lágrimas.

"Xiao Ping deve ter sido muito forte."

"Foi, sim. Ela antes gemia ao arranhar-se num galho, e empalidecia ao ver sangue. Mas naqueles últimos catorze dias foi tão forte que até me consolava, dizendo que estava entorpecida e por isso não sentia dor alguma. Quando finalmente conseguiram soltá-la, as pernas dela estavam esmagadas, tinham virado uma pasta. A pessoa que a preparou para o funeral disse que a pélvis estava fraturada. Espero que ela realmente tenha perdido a sensação na parte inferior do corpo nesses catorze dias em que ficou exposta à intempérie. Eu contei cada minuto. Durante todo esse período as pessoas tentaram todo tipo de método para salvá-la, trabalhando sem parar, mas nada funcionou.

"Finalmente os soldados me ajudaram a escalar a parede até junto de Xiao Ping e improvisaram um assento para que eu pudesse sentar e ficar abraçada com ela por longos períodos. Embora fosse verão, o corpinho fraco dela estava gelado.

"Nos primeiros dias ela ainda conseguia conversar comigo e gesticulava ao me contar histórias. A partir do quarto dia foi ficando cada vez mais fraca, até que mal podia levantar a cabeça. Todo dia lhe levavam comida e remédios, e havia uma pessoa para cuidar dela, mas a metade inferior do corpo devia estar sangrando o tempo todo e deve ter gangrenado. Era cada vez maior o número de pessoas que se preocupavam com ela, mas não havia nada que ninguém pudesse fazer. Tangshan inteira estava em ruínas, simplesmente não havia equipamento nem equipes de emergência em número suficiente, e as estradas para a cidade estavam intransitáveis. A minha filhinha..."

"Tia Yang", murmurei. Estávamos ambas chorando.

"Nos últimos dias, acho que Xiao Ping deve ter entendido que já não havia esperança, embora as pessoas encontrassem todo tipo de pretexto para tentar animá-la. Ela ficava largada nos meus braços, incapaz de se mexer. Na manhã do décimo quarto dia, ela fez força para endireitar o torso e me disse: 'Mamãe, acho que os remédios que você tem me dado estão fazendo efeito. Estou me sentindo mais forte, olhe!'.

"As pessoas lá embaixo, que por catorze dias tinham-na observado com atenção, começaram todas a bater palmas e a dar vivas quando a viram endireitar o corpo. Também eu achei que tivesse ocorrido um milagre. E Xiao Ping, quando viu que todo mundo estava tão entusiasmado, pareceu ganhar forças. O rosto, que até então estava mortalmente pálido, ficou muito vermelho e ela se pôs a falar com as pessoas em voz alta e clara, agradecendo e respondendo às perguntas que lhe faziam. Alguém sugeriu que ela cantasse uma canção e os outros se puseram a incentivá-la: 'Cante uma canção, Xiao Ping! Xiao Ping, cante uma canção!'. Até que ela fez que sim com um movimento fraco da cabeça e começou a cantar: 'A estrela vermelha está brilhando com uma luz maravilhosa, a estrela vermelha está brilhando no meu coração...'.

"Naquela época todo mundo conhecia essa música, e muita gente começou a cantar junto com Xiao Ping. O som do canto por entre a desolação foi como o desabrochar da esperança. Pela primeira vez em muitos dias as pessoas estavam sorrindo. Depois de algumas estrofes, a voz de Xiao Ping falhou, e ela tombou lentamente nos meus braços."

A sra. Yang fez silêncio por um longo tempo. Depois, recompôs-se e prosseguiu. "Xiao Ping não tornou a acordar. Achei que estivesse dormindo, mas quando percebi o meu engano era tarde demais. Ela não teve últimas palavras. Sua última experiência neste mundo foi a de pessoas cantando e sorrindo ao seu redor. Quando o médico me disse que ela estava morta, permaneci calma — aqueles catorze dias e duas horas haviam esgotado as minhas lágrimas. Só comecei a chorar quatro dias depois, quando finalmente removeram o corpo de Xiao Ping, que já estava cheirando mal. O corpo estava num estado... Sangue do meu sangue... Como eu sofri!"

Eu solucei com ela. "Sinto muito, tia Yang, sinto muito."

"Coitadinha. Nos seus catorze anos de vida, só viu três filmes — *Guerra em túneis*, *Guerra de minas* e *A batalha do Norte e do Sul* — e oito óperas exemplares. Nunca pôs os olhos num vestido bonito nem num par de sapatos altos..."

"Essa é uma grande tristeza da história da China. Eu também sou dessa época, e praticamente não tive experiência alguma de juventude e beleza."

A sra. Yang suspirou. "Há quem diga que o terremoto foi retaliação divina pelos acontecimentos da Revolução Cultural. Mas de quem os deuses estavam se vingando? Nunca fiz nada para ofendê-los nem nada de imoral. Por que destruíram a minha filha?"

"Ah, tia Yang, não diga isso! A morte de Xiao Ping não foi retaliação. Não pense assim, de maneira alguma. Se, no lugar onde está agora, Xiao Ping soubesse que a senhora sofre tanto, ela ficaria preocupada. A senhora precisa viver da melhor maneira que puder, da maneira mais feliz. É a melhor recompensa pelo sacrifício de Xiao Ping, não concorda?"

"Sim, é verdade... mas eu... ah, não vamos falar disso. Você é ocupada, pode ir cuidar de suas coisas, não preste atenção na minha conversa boba."

"Obrigada, tia Yang." Apertei-lhe a mão. "Acho que a senhora vê muita felicidade e alegria nas crianças aqui. Tenho certeza de que, quando crescerem, as crianças serão uma continuação da alma de Xiao Ping e das coisas maravilhosas que ela deixou ao mundo." Olhei para a foto de Xiao Ping e senti como se ela me implorasse que não deixasse sua mãe sozinha. Foi como se falasse comigo com a voz do meu filho Panpan.

Vários dias depois voltei a Tangshan para entrevistar a diretora do orfanato, a sra. Ding.

A diretora Ding tinha sido oficial da administração do exército durante mais de dez anos. O marido deixara o exército por razões de saúde e a família voltou do sudoeste da China para Tangshan cerca de um ano antes do terremoto. A filha morreu na catástrofe e o filho perdeu as duas pernas. Depois o marido morreu de um ataque cardíaco. Ela criou o filho mutilado com a ajuda do governo. O rapaz aprendeu contabilidade sozinho e, quando várias mães começaram a planejar o orfanato, ofereceu-se para ajudar com as contas. Não muito depois da minha visita, morreu de uma infecção nos ferimentos.

Para evitar provocar lembranças dolorosas na diretora Ding, tentei entrevistar o filho. Mas ele disse que era jovem demais na época e não se lembrava do terremoto. Disse também que a mãe nunca lhe contara a verdadeira causa da morte da irmã. Tinha ouvido só vagamente que ela não havia morrido no terremoto, mas cometido suicídio depois. Tinha muita vontade de perguntar à mãe sobre isso, mas toda vez que tocava no assunto, ela o fazia calar-se.

Assim, não havia o que fazer senão perguntar à diretora Ding se estava disposta a ser entrevistada. Ela concordou, mas sugeriu que eu voltasse no feriado do Dia Nacional para conversarmos. Quando perguntei por quê, ela respondeu: "Não vai levar muito tempo para eu lhe contar a minha história, mas vou ficar muito perturbada durante vários dias. Vou precisar de tempo para me recuperar". Naquele ano o Dia Nacional caía numa sexta-feira, portanto teríamos três dias seguidos de folga. Na China, onde os feriados não eram comuns, isso era um longo período sem trabalhar.

Na véspera do feriado, à noite, quando eu acabara de chegar a Tangshan, a diretora Ding me telefonou, convidando-me a encontrá-la.

Fui ao orfanato e procurei tranqüilizá-la, dizendo que poderíamos interromper a entrevista a qualquer momento, caso ela achasse difícil demais.

"Xinran", disse ela, com um leve sorriso, "obrigada pela gentileza, mas não se esqueça de que sou militar e presenciei combate na Coréia."

Assenti com a cabeça. "Disseram-me que a senhora não perdeu um único membro da família no terremoto."

"É verdade, mas sobreviver foi uma catástrofe para todos nós."

"Seu marido morreu de tristeza com a infelicidade da sua filha, foi isso?"

"Foi, e eu também quase morri. O que me fez agüentar foi pensar no meu filho aleijado. Só consegui continuar vivendo ao me considerar parte necessária dele."

Vacilando, eu disse: "A sua filha cometeu suicídio porque...".

"Somente três pessoas ficaram sabendo do motivo: meu marido, minha filha e eu."

"Ah, sim?"

"Sim. Você deve ter ouvido muitas vezes sobre o tamanho da catástrofe causada pelo terremoto. Não preciso falar nisso de novo. Na verdade, não há palavras para descrever a cena. É só sentindo na pele que você sabe como é a sensação de que o mundo está chegando ao fim. Numa situação dessas, você pensa primeiro na família.

"Os abalos secundários não tinham cessado completamente quando o meu marido e eu conseguimos sair do prédio onde morávamos, que estava prestes a ruir. Descobrimos que o quarto onde nossos filhos dormiam tinha sido destruído, mas as crianças não estavam em parte alguma. Eu sentia minha cabeça contrair-se de medo. Como havia um aeroporto militar perto de nós, logo fomos socorridos. Os soldados retiraram rapidamente o meu filho de sob os escombros, mas as pernas dele estavam esmagadas e tiveram que ser amputadas acima dos joelhos, como você vê hoje. Foi sorte que o acudissem logo, caso contrário, num dia quente como aquele, os ferimentos teriam gangrenado e ele poderia ter morrido. Depois de dois dias sem encontrar a minha filha, eu estava a ponto de enlouquecer. Todo dia eu via pessoas feridas, mutiladas e mortas sendo retiradas e levadas. Quase nunca havia uma pessoa inteira ou que não tivesse ferimentos.

"Quando eu já tinha quase perdido a esperança, alguém me disse que muitos feridos tinham sido levados para as pistas do aeroporto. Eu, enquanto restasse um fiapo de esperança, tinha que ir até lá para olhar.

"Ao chegar ao aeroporto, fiquei sem fala com o choque que levei: as pistas estavam cobertas de corpos que gemiam, colocados em quatro ou cinco fileiras. Foi só então que me dei realmente conta de que o terremoto não havia apenas sacudido o nosso prédio, mas tinha destruído uma cidade inteira com centenas de milhares de habitantes. Apavorada, comecei a tentar identificar a minha filha entre as fileiras de mortos e feridos. Deviam estar todos vivos quando foram levados para lá, mas alguns morreram antes de poderem receber os primeiros socorros. Era difícil identificar alguém: estavam praticamente todos sem roupa; algumas das mulheres tinham o rosto coberto pelo cabelo; muita gente estava recoberta de lama. Depois de meio dia eu tinha percorrido menos de metade de uma pista. Quando escureceu, fui para as barracas que os militares haviam providenciado para nós. Pretendia continuar a busca na manhã seguinte.

"Havia muita gente dormindo na barraca onde eu estava. Não havia distinção entre sexos nem entre ricos e pobres. As pessoas simplesmente se largavam em qualquer espaço vazio que encontrassem, exaustas de correr de um lado para o outro, desesperadas, procurando, procurando, sem comer nem beber nada, vivendo de esperança.

"Eu estava prestes a adormecer, quando ouvi dois homens conversando perto de mim:

" 'O que é que você está fazendo? Ainda não dormiu?'

" 'Estou pensando naquela garota...'

" 'Ainda?'

" 'Não estou pensando *naquilo*. Só estava pensando se ela não poderia morrer, depois de ser jogada naquele lugar.'

" 'Droga, eu não tinha pensado nisso!'

" 'O que nós fizemos já foi muita maldade. E se ela morrer?'

" 'O que é que você quer dizer com isso? Quer ir lá conferir? Se é isso o que você quer, é melhor a gente ir rápido. Assim ainda vai haver um espaço para nós quando voltarmos, caso contrário vamos ter que dormir lá fora, embaixo da chuva.'

"Eu olhei ao redor para ver quem estava falando e fiquei sem ar ao ver um pedaço de fio multicolorido pendendo dos shorts de um dos homens. Parecia a fita que a minha filha usava para prender o cabelo para trás. Não quis acreditar que era da minha filha que eles estavam falando. Mas e se fosse? Corri até eles e perguntei onde tinham achado aquele fio colorido. Eles não me deram uma resposta satisfatória, o que me deixou ainda mais desconfiada. Enfurecida, comecei a perguntar aos gritos onde estava a garota de quem eles tinham falado. Eles ficaram assustados, resmungaram alguma coisa sobre uma vala junto de uma pista mais distante, e depois saíram correndo. Não pude pedir mais detalhes, muito menos alcançá-los. Tudo o que eu queria era saber se aquela garota era a minha filha.

"Disparei na direção que os homens tinham indicado. Quando cheguei à beirada da vala ouvi uns gemidos fracos, mas no escuro não consegui enxergar quem estava gemendo. Bem naquele momento, dois soldados que estavam patrulhando a área se aproximaram. Eles estavam guardando os feridos nas pistas e tinham lanternas elétricas. Pedi que apontassem as lanternas para a vala, e vimos uma garota nua. Naquele instante os meus sentimentos eram uma confusão só: eu queria e não queria que fosse a minha filha. Os dois soldados me ajudaram a levá-la para a pista, e vi que era mesmo ela.

"Comecei a gritar o nome dela, 'Xiao Ying, Xiao Ying!', mas ela me olhava confusa, sem a menor reação.

"Eu insisti: 'Xiao Ying, é a mamãe!'. De repente notei que a parte inferior do corpo dela estava pegajosa e úmida, mas não havia tempo para pensar nisso naquela hora, e rapidamente enfiei-lhe a roupa que os soldados emprestaram. Estranhamente, Xiao Ying baixou a calça de novo.

"Quando perguntei por que tinha feito aquilo, ela só fechou os olhos e cantarolou. Estava tão cansada que logo adormeceu. Fiquei aturdida por um longo tempo, até que também peguei no sono.

"Ao amanhecer, o ruído de um avião me despertou. Quando vi Xiao Ying deitada ao meu lado, fiquei perplexa: ela estava puxando a calça para baixo, com um sorriso idiota no rosto, e tinha as pernas e as virilhas todas ensangüentadas. Foi aí que lembrei das palavras daqueles dois homens. Tinham se aproveitado da catástrofe para violentar Xiao Ying? Eu não ousava acreditar nisso. E a minha filha, uma garota cheia de vida e alegria, tinha perdido a razão.

"O médico disse que Xiao Ying tinha sofrido um choque grande demais e informou a mim e ao meu marido que ela definitivamente tinha sido vítima de um estupro coletivo. Foi tudo o que ouvi antes de desmaiar. Quando recuperei a consciência, meu marido estava segurando a minha mão, com o rosto úmido de lágrimas. Olhamos um para o outro, sem fala, e choramos: nossa filha tinha sido brutalizada e ficado louca, nosso filho tinha perdido as pernas..."

A diretora Ding fez silêncio.

"Posso perguntar se a senhora encaminhou Xiao Ying para tratamento?", perguntei, em voz baixa.

"Nós fizemos isso, mas não sabíamos que ela continuaria sentindo o terror, mesmo que se recuperasse. Dois anos e meio depois, bem quando a memória dela estava voltando ao normal, no dia em que pretendíamos levá-la para casa para começar uma vida nova, ela se enforcou no quarto do hospital.

"Na carta que nos deixou, disse:

" 'Querida mamãe e querido papai,

desculpem, mas não posso continuar vivendo. Vocês não deveriam ter me salvado. Nas minhas recordações que estão voltando, só vejo tudo desmoronando e a crueldade e a violência daqueles homens. Isso é tudo o que me resta neste mundo e não sou capaz de viver todos os dias com essas lembranças. Lembrar dói demais, eu vou partir.

Sua filha, Xiao Ying' "

"Que idade tinha Xiao Ying?", perguntei.

"Dezesseis anos. O irmão tinha onze." A diretora Ding fez uma pausa. "Meu marido arrancava os cabelos de desespero, dizendo que era ele o responsável pelo mal que tinham feito à menina, mas é claro que a culpa não foi dele. Naquela noite ele só veio muito tarde para a cama. Eu estava exausta, e dormi. Quando acordei o corpo dele estava frio, e o rosto estava congelado numa expressão de tristeza. O certificado de óbito diz que ele morreu de um ataque cardíaco, provocado por exaustão extrema."

Eu estava encontrando dificuldade em respirar. "Diretora Ding, é muito difícil imaginar como a senhora pôde suportar isso."

Ela assentiu, resignada.

"E não quis que seu filho soubesse?"

"Ele já tinha sofrido danos ao corpo. Como é que ia agüentar danos à mente e às emoções?"

"Mas a senhora teve coragem e seguiu em frente."

"Segui em frente sim, mas no fundo não tive coragem. Sou uma dessas pessoas que são fortes na frente dos outros, uma fortaleza entre as mulheres, mas quando estou sozinha, choro a noite inteira — pela minha filha, pelo meu marido, pelo meu filho e por mim. Às vezes não consigo respirar, tamanha é a saudade que sinto deles. Há quem diga que o tempo cura tudo. A mim não curou."

No trem de volta para casa, chorei durante todo o trajeto. Chorei de novo quando peguei a caneta para escrever as experiências dessas mães. Acho muito difícil imaginar a coragem delas. Ainda estão vivas. O tempo as trouxe para o presente, mas a cada minuto, a cada segundo que passou, elas lutaram com as cenas que a morte lhes deixou; e a cada dia e a cada noite arcam com o fardo das lembranças dolorosas de terem perdido os filhos. Não é uma dor que a vontade de um ser humano possa eliminar: o menor objeto doméstico — uma agulha com linha, um par de pauzinhos numa tigela — pode remetê-las aos rostos sorridentes e às vozes de almas mortas. Mas elas têm que continuar vivendo, têm que sair de suas recordações e retornar à realidade. É só agora que entendo por que havia a imagem de um olho em cada aposento do orfanato — aquele olho grande, transbordando de lágrimas, aquele olho com "o futuro" escrito na pupila. Elas não enclausuraram a sua generosidade materna nas lembranças dos próprios filhos, não mergulharam em lágrimas e sofrimento, à espera de piedade. Com a grandeza das mães, formaram novas famílias para crianças que perderam os pais. Para mim, aquelas mulheres eram a prova da força inimaginável das chinesas. Como mãe, posso imaginar a perda que devem ter sentido, mas não sei se teria sido capaz de me dedicar tão prodigamente em meio a uma dor como a delas.

Quando apresentei um programa baseado nessas entrevistas, recebi mais de setecentas cartas em cinco dias. Algumas pessoas me pediram que enviasse seus pêsames às mães no orfanato e que lhes agradecesse. Algumas mandaram dinheiro, pedindo que eu comprasse presentes para as crianças. Também contaram das emoções que o programa despertou: uma mulher disse que se sentia grata pelos filhos que tinha; uma menina disse que teve vontade de abraçar a mãe pela primeira vez; um menino que tinha saído de casa fazia vários meses disse que resolveu voltar para os pais e pedir perdão. Todas as mesas do escritório ficaram cobertas de cartas, e uma grande caixa de papelão ao lado da porta encheu-se de presentes para as crianças e as mães. Nela havia coisas dadas pelo Velho Chen, pelo Grande Li, Mengxing, Xiao Yao, o Velho Zhang... e por muitos outros colegas.

6. No que as chinesas acreditam

Não tinha me esquecido das três perguntas de Jin Shuai, a estudante universitária: Qual é a filosofia das mulheres? O que é a felicidade para uma mulher? O que faz uma boa mulher? Enquanto realizava pesquisas para os meus programas, eu tentava respondê-las.

Achei que seria interessante pedir ao Grande Li e ao Velho Chen, meus colegas mais velhos e mais experientes, suas opiniões sobre as filosofias que norteiam a vida das mulheres. Obviamente, numa época em que a fé no Partido sempre vinha em primeiro lugar, eu tinha que ter cuidado com a maneira de formular a pergunta. "É claro que as mulheres acreditam no Partido acima de qualquer outra coisa", comecei, "mas elas acreditam em outras coisas também?"

O Velho Chen se interessou em discutir o assunto. "As chinesas têm fé religiosa", disse, "mas parecem capazes de crer em várias religiões ao mesmo tempo. As que acreditam nos exercícios espirituais e físicos do *qigong* estão sempre mudando o tipo de *qigong* que praticam e o mestre a quem seguem. Também os deuses delas vão e vêm. Não se pode censurá-las por isso: são as dificuldades da vida que as fazem ansiar por uma escapatória. Como disse o presidente Mao, 'a pobreza gera o desejo de mudança'. Agora acreditamos em Mao Tsé-tung e no comunismo, mas antes acreditávamos no paraíso, no imperador celestial, em Buda, em Jesus e Maomé. Apesar da nossa longa história, não temos uma fé primordial. Os imperadores e dirigentes eram considerados divindades, mas mudavam constantemente e as pessoas se acostumaram a idolatrar deuses diferentes. Reza o ditado que 'para cem pessoas existem cem fés', e na verdade se poderia dizer que não existe em absoluto uma fé real. As mulheres são muito mais pragmáticas do que os homens, portanto adotam a atitude de agradar a todos. Não conseguem decidir qual é o deus que tem poder nem qual é o espírito que é útil, assim acreditam em todos, só por garantia."

Eu sabia que isso era verdade, mas me perguntava de que maneira as pessoas conseguiam conciliar as doutrinas conflitantes de religiões diferentes. O Velho Chen pareceu adivinhar meus pensamentos: "Acho que não existe praticamente uma única mulher que entenda o que é religião. A maioria só tenta imitar os outros, com medo de ficar em desvantagem".

O Grande Li concordou com o Velho Chen. Observou que em cada lar podia haver diversos altares, dedicados a deuses diferentes, sobretudo desde que se declarara liberdade religiosa, em 1983. Muita gente só rezava para pedir riqueza e outros benefícios. Ele contou de uns vizinhos seus: o avô era budista, a avó, taoísta, e o casal discutia o tempo todo. A neta era cristã e, longe dos bastões de incenso, instalou um crucifixo e foi constantemente censurada pelos avós, que diziam que com aquela cruz ela os amaldiçoava e condenava a uma morte prematura. A mãe da garota acreditava numa forma de *qigong* e o pai era devoto do deus da riqueza. Também eles brigavam sempre: a mulher dizia que o desejo de dinheiro do marido havia prejudicado a postura espiritual dela, e ele acusava as influências malignas da esposa de atacar a riqueza dele. O pouco dinheiro que a família tinha era gasto em rituais religiosos e imagens sagradas, mas nem por isso se tornavam mais ricos ou mais felizes.

O Grande Li também nos contou de uma administradora que ele conhecia, de quem se comentava que era muito religiosa. Nos discursos em público, saudava o Partido Comunista como a única esperança da China; quando deixava a tribuna, pregava o budismo, dizendo às pessoas que seriam recompensadas na próxima vida de acordo com o que fizessem nesta. Quando o vento mudava de direção, punha-se a falar sobre alguma forma de *qigong* milagroso. Alguém na sua unidade de trabalho disse que ela devia usar um distintivo do Partido no casaco, amarrar uma imagem de Buda na blusa e pintar no sutiã um retrato do grão-mestre Zhang, da seita Zangmigong. Vendo a minha expressão de incredulidade, o Grande Li me garantiu que essa mulher era mencionada com freqüência nos jornais. Todo ano era eleita trabalhadora-modelo e muitas vezes fora nomeada "membro ilustre do Partido".

"A religiosidade secreta dela não deve ser muito bem-vista pelo Partido", comentei eu, com uma ponta de irreverência.

O Velho Chen tamborilou na mesa e disse, severo: "Xinran, tenha cuidado. Conversas desse tipo podem lhe custar a cabeça".

"Nós ainda temos que ter medo?"

"Não seja ingênua! Nos anos 50 o Partido pediu a todos que 'deixassem cem flores desabrochar, cem escolas de pensamento competir'. O que foi que aconteceu? Quem respondeu ao apelo foi preso ou enviado para vilarejos nas montanhas. Alguns só expressaram seus pensamentos nos seus diários, mas também sofreram críticas em público e encarceramento."

O Velho Chen era basicamente um homem generoso. "Você não devia falar demais sobre fé e religião", avisou. "Vai acabar se vendo em apuros."

Ao longo dos anos seguintes, entrevistei inúmeras mulheres sobre suas crenças e confirmei que eram mesmo capazes de acreditar em toda uma variedade de religiões ao mesmo tempo. Em Zhengzhou, conheci uma militante aposentada que conseguia conciliar a devoção ao Partido Comunista com uma fé intensa em Fangxiang Gong (*qigong* do aroma e da fragrância) — um tipo de *qigong* em que a idéia é fazer com que o mestre emita uma fragrância através da qual o devoto inala a bondade dele e aumenta a força do próprio corpo. Antes disso ela acreditava em exercícios para manter a forma e em ervas medicinais. Quando lhe perguntei se acreditava no budismo, pediu-me que falasse baixo e respondeu que sim. Os velhos na sua família sempre disseram que era melhor acreditar em tudo do que não acreditar em nada. Também me contou que, no final do ano, acreditava em Jesus — que era o Papai Noel e vinha à casa da gente para ajudar. Quando me admirei de que Jesus fosse a mesma pessoa que o Papai Noel, ela me disse que eu era nova demais para saber e me pediu que não falasse a ninguém sobre a nossa conversa. "Nós dizemos: 'em casa, acredite nos seus deuses e faça o que quiser; fora de casa, acredite no Partido e tome cuidado com o que fizer'. Mas eu não gostaria que ninguém soubesse do que acabei de dizer. Não quero que as pessoas tornem a me criar dificuldades, agora que estou velha."

"Não se preocupe, não vou contar a ninguém que a senhora é a minha fonte", garanti.

A mulher pareceu duvidar. "Isso é o que você diz. Mas em tempos como estes, em quem se pode confiar?"

Na época a prática do *qigong* ganhava terreno considerável na China. As pessoas acreditavam inteiramente nos mestres que o praticavam e eu desconfiava do poder deles. Em 1995 conheci uma professora da Universidade de Pequim que era adepta fervorosa de um novo tipo de *qigong* chamado Falun Gong — ou melhor, adepta de Li Hongzhi, seu fundador. Li Hongzhi ensinava que o mundo está dividido em três níveis: o nível do guardião dos portões — ele próprio; o nível dos espíritos dotados de virtude excepcional — o Deus cristão, Buda etc.; e o terceiro nível, em que viviam as pessoas comuns. "O mestre Li é o deus que vai salvar a humanidade do monturo que este globo se tornou, antes que ele estoure", disse-me ela. "Ele não usa de magia para salvar as pessoas. Ensina exercícios espirituais para que elas intensifiquem as virtudes da verdade, bondade e tolerância, e lhes dá condições de ascender ao paraíso." Afirmou que também acreditava no Deus cristão e pareceu perturbada quando lhe perguntei como podia fazer isso, já que, segundo Li Hongzhi, para praticar Falun Gong a pessoa não podia ter no coração nenhum outro deus ou espírito.

E o que dizer das mais jovens? Certa vez encontrei duas garotas de uns vinte anos, mais ou menos, diante da igreja protestante na rua Taiping Sul, em Nanquim. Uma estava vestida na moda e usava solto o cabelo comprido e lustroso. A outra não estava muito bem-vestida e tinha o cabelo preso num rabo-de-cavalo. Imaginei que a garota elegante freqüentasse a igreja porque estava na moda e que a amiga tivesse ido por curiosidade, mas me enganei.

Perguntei se iam à igreja com freqüência.

Olhando para a amiga, a bem-vestida respondeu: "Esta é a minha primeira vez. Foi ela que me arrastou até aqui".

Ao que a garota de rabo-de-cavalo disse: "É só a minha segunda vez".

"Você veio sozinha na primeira vez? Ou foi trazida por alguém?", perguntei.

"Vim com a minha avó, que é cristã."

"A sua mãe também não é?", perguntou a amiga.

"Bom, a minha mãe diz que é cristã, mas nunca esteve numa igreja."

"Vocês acreditam no cristianismo?", perguntei a ambas.

A garota bem-vestida respondeu: "Nunca acreditei, só ouvi dizer que é bem interessante".

"O que é que você quer dizer com 'interessante'?"

"Há tanta gente no mundo que acredita em Jesus e no cristianismo que eu acho que deve haver alguma coisa nisso."

"Bom, também há muita gente no mundo que acredita no islamismo e no budismo. O que dizer deles?"

Ela encolheu os ombros. "Não sei."

"Seja como for", disse a de rabo-de-cavalo, "as mulheres têm que acreditar em alguma coisa quando chegam aos quarenta anos."

Fiquei admirada com a afirmação. "Ah, é? Por quê?"

"Veja as pessoas rezando nas igrejas e acendendo bastões de incenso nos templos. São todas mulheres de meia-idade."

"Qual é a razão disso, na sua opinião?"

"Os homens trabalham arduamente para ganhar dinheiro", respondeu a garota bem-vestida, de maneira críptica, "as mulheres trabalham arduamente porque é o destino delas."

"A minha avó diz que não acreditava em Deus quando era jovem", disse a amiga, "mas quando começou a acreditar, deixou de se preocupar com muitas coisas com que se preocupava antes. E a minha mãe diz que, depois que começou a acreditar em Deus, parou de brigar com o meu pai. É verdade, eles tinham brigas terríveis, mas agora, se o meu pai perde a calma, a minha mãe vai rezar diante da cruz e o meu pai fica quieto."

"E depois", continuou a bem-vestida, "as mulheres não podem aspirar a grandes realizações. Rezar para algum deus é sempre melhor do que jogar *mah-jong*."

Fiquei atônita com a irreverência da observação. "Será que é possível colocar *mah-jong* e religião no mesmo nível?"

"A questão não é essa", respondeu a garota de rabo-de-cavalo. "A minha mãe diz que as pessoas que não acreditam em nada vivem a vida um dia por vez. Se tivessem dinheiro, poderiam se divertir, mas não têm o suficiente para viajar ou mesmo para sair para tomar uns drinques. Então ficam em casa e jogam *mah-jong*. Pelo menos podem ganhar algum dinheiro."

"E as mulheres religiosas?", perguntei.

"Quem acredita numa religião é diferente", disse a garota bem-vestida, jogando a cabeça para trás.

A amiga confirmou. "Muito diferente. As mulheres religiosas lêem as escrituras, participam de atividades religiosas e ajudam os outros."

"Quer dizer que vocês, quando chegarem aos quarenta anos, vão ambas acreditar numa religião?"

A bem-vestida encolheu os ombros, sem se comprometer, mas a amiga respondeu com firmeza: "Se eu for rica, não. Mas se ainda for pobre, sim".

"E em que religião você vai acreditar?"

"Vai depender da que estiver na moda na época."

As garotas se afastaram e eu fiquei boquiaberta diante da igreja.

7. A mulher que amava mulheres

Os meus colegas costumavam dizer que, com o passar do tempo, os jornalistas vão ficando mais tímidos. À medida que ganhava experiência de transmissão e tentava expandir os limites do meu programa, comecei a entender o que queriam dizer com isso. A qualquer momento o jornalista podia cometer um erro que lhe pusesse a carreira em risco, quando não a liberdade. Vivia de acordo com um conjunto de normas cuidadosamente definidas cuja violação acarretava conseqüências graves. Na primeira vez em que apresentei um programa de rádio, o meu supervisor parecia tão ansioso que achei que estivesse a ponto de desmaiar. Foi só mais tarde, quando me tornei chefe de departamento, que descobri que, segundo os regulamentos de rádio e televisão na China, se uma transmissão era interrompida por mais de trinta segundos, o nome da pessoa encarregada por aquele turno circulava pelo país inteiro — uma ação disciplinar que podia afetar seriamente as possibilidades de promoção. O menor engano podia significar uma redução do bônus do mês (que era bem superior ao salário); um erro grande costumava levar a rebaixamento de cargo, quando não à demissão.

Duas ou três vezes por semana os jornalistas da emissora tinham que participar de um seminário de estudos políticos. As aulas cobriam as opiniões de Deng Xiao Ping sobre a política de reforma e abertura e a teoria de Chang Tsé-min da política a serviço da economia. Os princípios e o significado político das notícias eram repetidos incessantemente, e nenhuma aula estava completa sem alguma condenação de colegas por transgressões diversas: não anunciar os nomes dos dirigentes na ordem hierárquica correta num programa, fazer um comentário que tenha revelado incompreensão da propaganda do Partido, desrespeitar os mais velhos, não informar o Partido sobre um caso amoroso, comportar-se com "impropriedade". Todas essas faltas, e outras, eram criticadas. Durante essas sessões, minha impressão era de que a China continuava dominada pela Revolução Cultural: a política regendo cada aspecto da vida cotidiana, e certos grupos sendo submetidos a censura e julgamento para que outros sentissem que estavam realizando alguma coisa.

Eu encontrava muita dificuldade em reter toda essa informação política, mas tomava o cuidado de me lembrar com freqüência do preceito mais importante: "O Partido manda em tudo". E chegou o momento em que a minha compreensão desse princípio foi testada.

O sucesso do meu programa causava elogios consideráveis. Chamavam-me de a primeira apresentadora a "erguer o véu" das chinesas, a primeira jornalista de questões femininas a examinar a verdadeira realidade da vida das mulheres. A estação tinha me promovido e eu havia recebido um aumento considerável de patrocínio financeiro. Além disso, eu finalmente conseguia fazer um programa ao vivo e recebia no ar telefonemas dos ouvintes.

Todos os estúdios para transmissões ao vivo consistiam em duas salas: numa ficavam o painel de transmissão do apresentador, as músicas e as anotações; a outra era a sala de controle. As ligações para a minha linha chegavam através da controladora de transmissões, que operava o mecanismo de retardamento. Isso lhe dava cerca de dez segundos para decidir se a ligação era inadequada e desligar sem que o ouvinte percebesse.

Uma noite, estava prestes a encerrar o programa com música suave — o que geralmente fazia por cerca de dez minutos —, quando recebi um último telefonema:

"Xinran, alô, estou ligando de Ma'anshan. Obrigada pelo seu programa, que me dá muita coisa em que pensar e ajuda a mim e a muitas outras mulheres. Hoje eu gostaria de lhe perguntar o que você pensa sobre a homossexualidade. Por que tanta gente discrimina os homossexuais? Por que foi que a China tornou a homossexualidade ilegal? Por que é que as pessoas não entendem que os homossexuais têm os mesmos direitos e escolhas na vida que os demais?..."

Enquanto a ouvinte continuava com a sua torrente de perguntas, comecei a suar frio. Homossexualismo era assunto proibido pelas normas da mídia. Perguntava-me, desesperada, por que a controladora não cortara a ligação imediatamente.

Eu não tinha como deixar de responder: milhares de pessoas esperavam a minha resposta e eu não podia deixar que soubessem que o assunto era proibido. Também não podia dizer que o tempo estava se esgotando: restavam dez minutos de programa. Aumentei o volume da música enquanto, aflita, lembrava de tudo o que tinha lido sobre homossexualismo e tentava encontrar um jeito de lidar com o tema de maneira diplomática. A mulher tinha acabado de fazer uma pergunta perspicaz, que devia ter ficado na mente dos ouvintes:

"O homossexualismo tem a sua própria história, que vem desde a Roma antiga, no Ocidente, e as dinastias Tang e Song, na China, até os dias de hoje. Existem argumentos filosóficos que afirmam que tudo o que existe tem uma razão de ser. Então, por que a homossexualidade é considerada irracional na China?"

Naquele momento vi, pela divisória de vidro, a controladora atendendo a uma ligação interna. Ela empalideceu e na mesma hora cortou a ouvinte no meio da frase, ignorando a rigorosa norma que proibia isso. Alguns segundos depois o diretor de plantão irrompeu na sala de controle e me disse pelo interfone: "Tenha cuidado, Xinran!".

Deixei a música tocar por mais de um minuto antes de voltar ao microfone. "Boa noite, amigos do rádio. Vocês estão ouvindo *Palavras na brisa noturna*. Meu nome é Xinran e estou discutindo ao vivo, com vocês, o mundo das mulheres. Das dez às doze, toda noite, vocês podem ouvir relatos de mulheres e ficar sabendo sobre a vida delas." Fiz o melhor que pude para ganhar tempo enquanto organizava as idéias.

"Há pouco recebemos um telefonema de uma ouvinte que sabe muito sobre a sociedade e a história, e compreende as experiências de um grupo de mulheres com um estilo de vida pouco convencional.

"Pelo que sei, o homossexualismo, conforme a ouvinte disse, não é apenas um produto da sociedade moderna. Há registros da sua ocorrência na história do Ocidente e do Oriente. Dizem que, durante as guerras de conquista na antiga Roma, os dirigentes até encorajavam os soldados a praticar homossexualismo. Mas talvez fosse mais uma questão de considerar o homossexualismo útil do que de aprová-lo. As relações homossexuais ajudavam os soldados a enfrentar a guerra e a saudade da família. E, num toque cruel, o vínculo emocional criado entre os soldados dava a eles um estímulo adicional para vingar os amantes mortos ou feridos.

"Na China o homossexualismo não se limitou às dinastias Tang e Song. Há registros mais antigos, já da dinastia Wei, no Norte. Todos esses registros vêm da corte imperial. Mas o homossexualismo nunca predominou na sociedade — talvez porque a humanidade tenha uma necessidade natural do amor entre homem e mulher, e a necessidade de procriar. Como diziam os sábios da China clássica, 'tudo compete pelo seu lugar, e o destino escolhe'.

"Todos concordamos que todo mundo tem o direito de escolher o seu estilo de vida e o direito às suas necessidades sexuais. Mas a humanidade se encontra num estado de transição constante. Todos os países, regiões e grupos étnicos caminham rumo ao futuro da melhor maneira que podem, à procura do sistema perfeito. Nenhum de nós ainda é capaz de chegar a uma conclusão final sobre os acertos e os erros dessa caminhada, e, até atingirmos a perfeição, necessitamos de orientação. Também necessitamos de tolerância e compreensão.

"Eu não penso que o homossexualismo tenha apenas raízes hereditárias. Também não acredito que o ambiente familiar seja o único responsável. A curiosidade é uma explicação ainda menos digna de crédito como causa do homossexualismo. Acredito que suas fontes são muitas e diversas. Nós todos temos experiências de vida diferentes, e fazemos escolhas semelhantes, mas diferentes. Reconhecer a diferença significa que não devemos esperar que os outros concordem com nossas opiniões sobre o homossexualismo, pois essa expectativa pode levar a preconceitos de outro tipo.

"Aos nossos amigos homossexuais que enfrentaram preconceitos, eu gostaria de pedir desculpas, em nome das pessoas levianas com que vocês se defrontaram. Todos nós precisamos de compreensão neste mundo."

Aumentei o volume da música, desliguei o microfone e respirei fundo. De repente percebi que a sala de controle, do outro lado da divisória de vidro, estava lotada com os funcionários mais graduados da estação. O diretor da rádio e o diretor de programação entraram correndo no estúdio, seguraram minhas mãos e apertaram vigorosamente.

"Obrigado, obrigado, Xinran! Você respondeu muito bem, muitíssimo bem!" As palmas das mãos do diretor da rádio estavam úmidas de suor.

"Você salvou a nossa pele!", gaguejou o diretor de programação, de mãos trêmulas.

"Chega de falar, vamos comer! Podemos botar na conta do escritório", disse o Velho Wu, chefe da administração. Fiquei emocionada com a atenção.

Mais tarde descobri o que tinha acontecido. A controladora de transmissão me contou que estava preocupada com o exame vestibular do filho e só prestou atenção à ligação quando o diretor de plantão lhe telefonou, em pânico. O Velho Wu estava ouvindo a transmissão em casa, como fazia todo dia. Percebendo que o programa tinha entrado num campo minado, ligou imediatamente para o diretor de programação, que telefonou na mesma hora para o diretor da rádio: estar a par da situação e não informar teria constituído um erro muito mais grave. Todos eles foram correndo para o estúdio, ouvindo o programa no caminho. Quando chegaram à sala de controle, a crise tinha se resolvido.

A primeira vez que ouvi falar de homossexualismo foi na universidade. Como eu tinha a pele bonita, as estudantes me apelidaram de "Ovo" ou "Bola de neve", e freqüentemente me acariciavam as faces e os braços, admiradas. Observando isso, um professor arreliou: "Cuidado com uma investida homossexual!".

Eu conhecia a palavra "investida" em termos de agressão física, mas não tinha idéia do que o professor estava falando. E ele explicou: "Homossexualismo é uma mulher amar outra mulher ou um homem amar outro homem. É contra a lei".

"O quê? É contra a lei a mãe amar as filhas ou o pai amar os filhos?"

O professor balançou a cabeça. "Isso são relacionamentos de família, não é amor sexual. Ah, não vale a pena falar com você. É o mesmo que tocar música para um búfalo. Esqueça, esqueça."

Mais tarde ouvi sobre homossexualismo numa reunião de ex-colegas da minha mãe. Parece que em certa ocasião a minha mãe trabalhou com duas mulheres que dividiam o quarto. Quando as condições melhoraram e a unidade de trabalho designou um quarto para cada uma, as duas recusaram a oferta. Como se comportavam como irmãs, ninguém prestou muita atenção na época. As suas contemporâneas estavam ocupadas namorando, casando, tendo filhos e depois netos. Reduzidas a um estado de exaustão física e mental pelas exigências das respectivas famílias, na velhice elas se lembravam das duas mulheres e invejavam-lhes a vida de despreocupação e calma. Toda a especulação e os mexericos que ninguém se dera ao trabalho de fazer na juventude vieram à tona, e o grupo de ex-colegas concluiu que as duas eram homossexuais.

Ouvindo as mulheres idosas chegando às suas conclusões, pensei em como aquelas duas deviam ser livres de preocupações: provavelmente não guardavam ressentimentos contra os homens, e certamente não tinham as constantes preocupações com os filhos. Talvez a homossexualidade não fosse coisa má afinal de contas, pensei, talvez fosse apenas outro caminho na vida. Não compreendia por que era contra a lei, mas não parecia haver ninguém a quem eu pudesse perguntar sobre o assunto.

Uma vez tive coragem de perguntar à diretora do departamento de ginecologia.

Ela me olhou, perplexa. "O que a fez pensar em me perguntar sobre isso?"

"Por quê? É mau perguntar? Só quero saber o que torna essas mulheres diferentes das outras."

"Com exceção das diferenças de mentalidade e do comportamento sexual, elas não são diferentes das mulheres comuns", disse a ginecologista, corando ligeiramente.

"Se a mentalidade e o comportamento sexual de uma mulher são diferentes dos das mulheres em geral", insisti, "ela ainda é considerada uma mulher normal?" A ginecologista não soube responder ou não se sentiu disposta a fazer isso.

A terceira vez em que topei com a questão do homossexualismo foi quando a rádio me mandou cobrir uma campanha pela ordem pública na cidade.

O organizador da operação, quando me viu, exclamou: "Como é que a rádio pôde mandar uma mulher? Deve ter sido um engano! Ah, bom, já que está aqui, é melhor você ficar. Mas acho que vai ter que fazer uma reportagem posterior e não no local".

Os colegas dele caíram na gargalhada e eu não entendi nada. Iniciada a operação, ficou clara a razão da hilaridade: estavam fazendo inspeções de surpresa em banheiros públicos — cujo mau cheiro era indescritível — e prendendo homens que estivessem praticando atos homossexuais.

Tive as minhas dúvidas sobre a campanha. Já não havia bastantes ladrões e outros criminosos por capturar? E não podia haver tantos homens assim fazendo sexo nos banheiros ao mesmo tempo. Inacreditavelmente, mais de cem foram presos naquela noite. Quando a operação estava quase encerrada perguntei, aturdida, a um funcionário da ordem pública: "Essas pessoas também são responsáveis pela manutenção da ordem nos banheiros de mulheres?".

"Como é que a gente pode dar batida em mulheres? Você está brincando, não é?", respondeu ele, balançando a cabeça, admirado com a minha ingenuidade.

A ouvinte que perguntou sobre homossexualismo no meu programa ao vivo foi a primeira pessoa a me dar uma compreensão autêntica da questão.

Cerca de uma semana depois daquele telefonema, terminei o programa e voltei para casa, cheia de adrenalina. Por volta das duas da manhã, quando finalmente estava ficando com sono, o telefone tocou.

"Xinran, lembra de mim?", perguntou uma mulher. "Você deve lembrar. Eu lhe fiz uma pergunta difícil no rádio outro dia."

Irritada, perguntei-me como é que ela tinha obtido o meu número de casa. Era puro bom senso que a rádio não desse a ninguém o meu número particular. Mas era tarde demais para fazer qualquer coisa a respeito.

Enfureci-me em silêncio, enquanto a mulher dizia: "Ei, eu sei o que você está pensando. Não culpe seu colega de plantão por ter me dado o seu número. Eu disse que era uma parente de Pequim e que me roubaram a bolsa quando desci do trem. Disse que o meu caderno de telefones estava dentro dela e que eu precisava que você viesse me apanhar. Nada mau, hein?".

"Nada mau, nada mau", repeti, com frieza. "O que é que eu posso fazer por você? Eu lembro de você. É de Ma'anshan, não é?"

"Sou. Eu sabia que você não me esqueceria. Você está cansada?"

Eu estava exausta. "Hum, um pouco. O que é que você quer?"

Ela pareceu ter entendido. "Está bem, você está cansada. Não vou dizer nada agora. Telefono amanhã, depois do seu programa." E desligou.

Na noite seguinte, eu tinha quase esquecido do telefonema. Mas fazia menos de meia hora que estava em casa, quando o telefone tocou.

"Xinran, estou ligando um pouco mais cedo hoje. Por favor, não se preocupe. Não vou falar muito. Só queria lhe dizer que estou muito agradecida por você ter pedido desculpas aos homossexuais pelo preconceito que eles enfrentam. É só isso por hoje, boa noite!"

Novamente desligou antes que eu pudesse dizer alguma coisa. Consolei-me: ela estava bem-intencionada e parecia cortês.

Durante três semanas a mulher me telefonou todas as noites, à mesma hora. Dizia-me o que tinha achado do meu programa naquela noite, sugeria livros e músicas que eu talvez achasse úteis para o assunto, ou simplesmente me dava conselhos sensatos sobre a vida em geral. A cada telefonema só falava alguns minutos e nunca me deu uma oportunidade de abrir a boca. Nunca me disse como se chamava.

Um dia, quando eu saía da rádio por volta da uma da manhã, encontrei um vizinho me esperando no portão. Achei muito estranho. Ele contou que a babá lhe pedira que fosse ao meu encontro, porque estava morta de medo. Uma estranha tinha telefonado para a minha casa, dizendo à babá que fosse embora.

Fiquei muito preocupada.

Exatamente na hora de sempre, como acontecia fazia três semanas, o telefone tocou. Antes que ela pudesse dizer qualquer coisa, eu já fui dizendo: "Foi você que ligou mais cedo?".

"Sim, falei com a sua babá e disse a ela que fosse embora", respondeu a mulher, com muita calma e autocontrole.

"Por que foi que você fez isso?", perguntei, furiosa.

"Por que não? Ela não deveria ter você só para si. Você deveria pertencer a mais mulheres."

"Ouça, fico contente em trocar idéias ou falar sobre a vida em geral com você. Mas se interferir na minha vida, não vou querer saber de mais nada com você. Não interfiro na vida dos outros e os outros não podem interferir na minha."

Ela fez silêncio por um momento, depois disse, em tom queixoso: "Vou fazer o que você está dizendo, mas você não pode abandonar o nosso amor".

A idéia de que aquela mulher pudesse estar apaixonada por mim me deixou muito ansiosa. Parei de atender o telefone por vários dias e pensei comigo que não precisava me preocupar: a paixonite dela provavelmente passaria, como acontece com os fãs obcecados de popstars.

Uma tarde o diretor da rádio me convocou à sua sala e disse: "Uma apresentadora da rádio Ma'anshan, chamada Taohong, tentou suicídio. O pai me enviou o bilhete de suicida dela. Diz que ama você profundamente, mas que você a rejeitou".

Fiquei sem fala. Essa mulher chamada Taohong só podia ser a minha ouvinte misteriosa. Eu não tinha idéia de que ela também era apresentadora de rádio, e certamente não me ocorrera que ignorar os seus telefonemas fosse levar àquilo.

O diretor da rádio sugeriu que eu não fizesse nada por um tempo. Parece que a primeira coisa que Taohong disse ao recuperar a consciência foi: "Eu preciso ver Xinran!".

Alguns dias depois, enquanto eu estava numa reunião de planejamento, um apresentador veio me dizer que eu tinha uma visita. Acompanhou-me à sala de recepção, onde encontrei uma jovem usando um elegante traje masculino. Tinha o cabelo muito curto, de modo que, vista de trás, teria sido impossível dizer que fosse mulher. Antes que o apresentador que tinha ido me buscar pudesse nos apresentar, ela se aproximou, agarrou minhas duas mãos com as suas e disse, emocionada: "Não diga nada, deixe-me olhar bem. Eu vi imediatamente que você era a minha Xinran!".

"A *sua* Xinran?", disse o apresentador.

"Sim, a minha Xinran! Eu sou Taohong, a sua Taohong!"

O meu colega saiu de mansinho. Ele sabia da história de Taohong e supus que tivesse ido buscar ajuda.

Taohong continuou falando, de olhos cravados em mim: "Você é ainda mais bonita do que eu tinha imaginado. Tão feminina, tão suave. Finalmente estou conhecendo você! Venha, venha, sente. Eu quero dar uma boa olhada em você. Faz mais de seis meses... Eu não vim nem uma vez em todo esse tempo. Eu quis conhecer e compreender você pelo seu programa, e pela sua imagem no meu coração".

" O que você diz é verdade, as mulheres são a força criadora do universo. Dão beleza, emoção e sensibilidade ao mundo. São puras e honestas. São as melhores criaturas..."

O meu colega tinha voltado com três ou quatro apresentadores. Sentaram-se todos não muito longe de nós, conversando, mas de olho em mim.

"Olhe o que eu lhe trouxe. Estes livros estão cheios de desenhos de mulheres. Veja como os corpos são bonitos. Veja esta imagem, esta expressão, veja como esta boca é sedutora. Eu os trouxe especialmente para você. Pode ficar com eles e olhar quando quiser. Também lhe trouxe isto... para lhe dar prazer sexual. E isto. Quando eu passar isto no seu corpo, você vai sentir como se estivesse chegando ao paraíso!"

Os meus colegas olhavam de relance para os objetos que Taohong dispunha à minha frente. Eu estava morta de constrangimento. Tinha sempre afirmado que sexo sem emoção é bestial; nem sabia que existiam artefatos para despertar sensações sexuais de maneira mecânica.

Taohong continuava a todo vapor: "Com a ajuda de instrumentos modernos, nós podemos alcançar coisas que os nossos ancestrais sonhavam mas não podiam ter. Ao contrário deles, podemos levar nossas sensações até onde quisermos...".

Tentei distraí-la, apontando para uma pilha de papéis que ela segurava, que parecia material publicitário. "O que é isso, Taohong? Você não disse nada sobre isso."

"Ah, eu sabia que você ia perguntar. Estes são os princípios norteadores da Associação de Homossexuais Chineses. Já ouviu falar da associação? Planejamos uma conferência há um ano e meio. Os hotéis, a pauta, estava tudo pronto, mas o governo proibiu. No fundo, não teve importância. Já tínhamos conseguido quase tudo o que queríamos: durante vários jantares antes da conferência, tínhamos definido nossos princípios, aprovado resoluções e discutido as nossas necessidades físicas, e como aproveitar melhor o sexo..."

Eu me lembrava da conferência de que Taohong estava falando. Quase tinha ido a Pequim para cobri-la. Na véspera de eu viajar, alguém do Departamento de Segurança Pública de Nanquim telefonou para me dizer que iam despachar pessoal para ajudar a polícia de Pequim a impedir que a conferência se realizasse. Iam dar uma batida num grande hotel e fechá-lo, e prender vários membros-chave da Associação de Homossexuais. Liguei imediatamente para vários psicólogos e médicos que eu sabia que tinham sido convidados para a conferência, para aconselhá-los a não ir. Tive medo de que a coisa terminasse em derramamento de sangue.

Felizmente, conforme Taohong me contou agora, a proibição da conferência não levou a violência. Para impedir que a situação degenerasse, a polícia deliberadamente vazou informação sobre a operação, de modo que a Associação de Homossexuais cancelou o encontro. Os dois lados tinham atingido a maior parte de seus objetivos: o governo mantivera a situação sob controle e a associação conseguira se reunir para planejar a conferência. Os chineses estavam ficando mais sofisticados em suas manobras políticas.

Senti uma onda de náusea quando li o título chamativo de um dos folhetos que Taohong segurava: "Técnicas de sexo oral, parte 4: O uso do maxilar superior". Eu tinha muita dificuldade em aceitar essas conversas tão explícitas sobre sexo. Taohong notou a minha expressão de repulsa e disse, em tom paciente: "Não pense que tem que olhar agora. Tente mais tarde, e vai descobrir o prazer do sexo".

Os meus colegas davam risadinhas.

"Vamos dar uma caminhada", disse eu, aflita por escapar da troça deles.

"É mesmo? Claro, já devíamos ter saído para andar pela rua. Vamos fazer um belo casal."

Saímos da rádio e Taohong perguntou aonde íamos. Respondi que não perguntasse e que ela saberia quando chegássemos lá. Ela ficou mais animada, dizendo que era bem o tipo de aventura de que gostava; adorava-me ainda mais por isso.

Levei-a ao templo do Corvo, um velho templo de Nanquim cujos sinos se ouvem de uma grande distância. Às vezes, quando estava aborrecida ou desanimada, eu ia sentar no pagode do Buda da Cura. Ouvir os sinos olhando o céu azul e as nuvens brancas dissipava a minha tristeza e me dava determinação, confiança e contentamento. Achei que o espírito de Taohong talvez fosse tocado também pelo som dos sinos. Ao portão do templo, ela parou e perguntou, ansiosa: "Se eu entrar, o templo vai me purificar? Vai remover certos atributos?".

"Só o que não tem sentido pode ser removido. Emoção e sentido não podem ser eliminados por purificação. É o que eu penso."

Assim que Taohong atravessou o portão, os sinos do templo soaram. "O meu coração foi tocado por um momento", observou ela, pensativa. "Por quê?"

Eu não soube responder a pergunta.

Em pé no pagode do Buda da Cura, nenhuma de nós disse nada por um longo tempo. Quando os sinos soaram de novo, fiz duas perguntas a Taohong: quando começara a gostar de mulheres e quem tinha sido a sua primeira amante.

A história veio aos borbotões:

O pai de Taohong sentia muita vergonha de não ter tido um filho. Depois que ela nasceu, a mãe teve câncer no útero, não pôde ter mais filhos e acabou morrendo. O pai ficou muito pesaroso de que a linha da sua família tivesse sido "cortada". Não havia nada que pudesse fazer, mas passou a tratar Taohong como um filho e a criá-la como menino em todos os sentidos, da roupa e do corte de cabelo aos jogos e brinquedos. Taohong nunca entrava num banheiro público porque não conseguia decidir se devia ir ao masculino ou ao feminino. Tinha orgulho do seu comportamento masculino e, na época, não sentia amor por mulheres.

No entanto, no ano em que completou catorze anos, os acontecimentos de uma noite de verão a transformaram, e mudaram completamente a opinião que fazia de homens e mulheres. Foi o verão que precedeu o seu ingresso no curso colegial. Tinham lhe dito que o colegial era terrível, que ia determinar a direção da sua vida, que das suas realizações durante o curso dependeria o sucesso no futuro. Ela estava decidida a gozar o verão na íntegra, antes de iniciar três anos de estudo a sério, e saía muito com os amigos à noite.

Naquela noite, eram umas onze horas e ela voltava para casa. A distância não era longa e o trajeto não era isolado. Estava a poucos metros de casa, quando quatro homens pularam do escuro e a agarraram.

Levaram-na, vendada e amordaçada, para o que parecia um barracão de ferramentas numa obra. Tiraram-lhe a venda, mas não a mordaça. Havia mais três homens no barracão, perfazendo um total de sete. Disseram a Taohong que queriam ver o que ela era de fato, homem ou mulher, e começaram a tirar-lhe a roupa. Ficaram momentaneamente intimidados ao verem o seu corpo de moça, mas depois, muito vermelhos, os sete se atiraram em cima dela. Taohong perdeu os sentidos.

Quando voltou a si, viu-se nua e ensangüentada sobre uma bancada de trabalho. Os homens roncavam no chão, alguns ainda com as calças descidas até os tornozelos. Taohong ficou um tempo sentada, em pânico mudo, até que finalmente se levantou, com dificuldade. Tremendo e sem muito equilíbrio, recolheu lentamente a roupa do chão. Ao ser mover, pisou nas mãos de um dos homens. O grito de dor que ele deu despertou os outros. Ficaram todos olhando, paralisados pela culpa, enquanto ela pegava a roupa e vestia peça por peça.

Não disse uma palavra nos trinta minutos que levou para se vestir com dificuldade.

A partir de então, passou a odiar todos os homens, inclusive o pai. Eram todos imundos, lascivos, animalescos e brutais. Na ocasião tinha tido só duas menstruações.

Continuou a se vestir como menino, sem que soubesse explicar o motivo disso, e nunca contou a ninguém o que tinha acontecido. O estupro lhe deixara claríssimo que ela era mulher. Começou a se perguntar como eram as mulheres. Não achava que tivesse beleza feminina, mas queria vê-la.

A sua primeira tentativa de fazer isso foi com a garota mais bonita da classe, no primeiro ano do colegial. Disse à colega que estava com medo de ficar sozinha enquanto o pai viajava a negócios e pediu-lhe que passasse a noite com ela.

Antes de se deitarem, Taohong disse que dormia nua. A colega ficou um pouco embaraçada de fazer o mesmo, mas Taohong disse que lhe faria uma massagem e ela concordou em se despir. Taohong ficou admirada com a suavidade e a maciez do corpo da garota, especialmente dos seios e dos lábios. O mais leve contato fazia o sangue de Taohong subir-lhe à cabeça e lhe dava arrepios. Bem quando Taohong massageava a garota a ponto de deixá-la sem fôlego, o pai entrou no quarto.

Com uma calma inesperada, Taohong cobriu a ambas com o acolchoado e perguntou: "Por que foi que você voltou? Não disse que ia viajar a negócios?". O pai saiu sem dizer uma palavra, estupefato.

Mais tarde, quando o entrevistei, ele me disse que naquele dia entendeu que Taohong tinha crescido e que, além disso, pertencia a um grupo especial. Não conseguiu perguntar a Taohong por que ela era homossexual, mas freqüentemente fazia a pergunta à falecida esposa, quando varria o túmulo dela durante o Festival da Luz Pura.

Taohong passou a levar garotas para casa com freqüência, "para uma massagem". Achava as mulheres encantadoras, mas não havia amor no que sentia por elas.

Apaixonou-se pela primeira vez durante os preparativos para a conferência de homossexuais de que me falou. No hotel, deram-lhe um quarto com uma mulher catorze anos mais velha — graciosa, discreta e muito cordial. Perguntou a Taohong por que ia participar da conferência e ouviu que Taohong gostava de mulheres. Disse a Taohong que o amor sexual é o estado mental mais exaltado e que o das mulheres é o mais precioso de todos. Quando a conferência foi cancelada, levou Taohong para outro hotel, para um curso de "treinamento sexual". Taohong sentiu estimulação e prazer sexual como nunca antes. A mulher também orientou Taohong sobre saúde sexual e sobre como usar os instrumentos sexuais. Contou-lhe muita coisa sobre a história do homossexualismo, na China e em outros países.

Taohong disse que se apaixonou por essa mulher porque foi a primeira pessoa a compartilhar idéias e conhecimento com ela, a protegê-la e a lhe dar prazer físico. Mas a mulher lhe disse que não a amava nem podia amá-la: não conseguia esquecer, que dirá substituir, a ex-amante, uma professora universitária que morrera muitos anos antes num acidente de carro. Taohong ficou muito emocionada; disse que desde a infância sabia que o amor é mais puro e sagrado que o sexo.

Depois de Taohong responder às minhas duas perguntas, saímos do templo do Corvo. Caminhando, Taohong me disse que procurava uma mulher com quem pudesse compartilhar o mesmo tipo de relacionamento que tivera com a primeira amante. Lia muito, e oito meses antes fora aprovada no exame para apresentadora da rádio Ma'anshan. Apresentava um programa ao vivo sobre cinema e televisão. Contou-me que um ouvinte lhe escrevera, sugerindo que ouvisse *Palavras na brisa noturna.* Fazia seis meses que me ouvia todas as noites, e esperava que eu pudesse vir a ser a sua nova amante.

Citei um provérbio que repetia com freqüência no ar — "Se não pode fazer alguém feliz, não lhe dê esperança" — e disse, com franqueza: "Taohong, obrigada. Fico muito feliz de tê-la conhecido, mas não lhe pertenço e não posso ser sua amante. Creia-me, há alguém à sua espera no mundo. Continue lendo e expandindo os horizontes, e você a encontrará. Não a deixe esperando".

Taohong ouviu, calma. "Bom, posso considerá-la como a minha segunda ex-amante?", perguntou, lentamente.

"Não, não pode. Porque não houve amor entre nós. O amor tem que ser mútuo. Amar ou ser amado sozinho não é suficiente."

"Como é que devo pensar em você, então?" Taohong começava a se deixar convencer pelos meus argumentos.

"Pense em mim como uma irmã mais velha. Os laços de parentesco são os mais fortes."

Taohong disse que pensaria a respeito e nos despedimos.

Alguns dias mais tarde, quando recebi um telefonema de uma ouvinte que preferiu permanecer anônima, percebi imediatamente que era Taohong. "Irmã Xinran, eu gostaria que todo mundo tivesse a sua sinceridade, a sua generosidade e o seu conhecimento. Você me aceita como sua irmã mais nova?"

8. A mulher cujo casamento foi arranjado pela Revolução

Há um provérbio na China: "A lança atinge o pássaro que espicha a cabeça para fora". Não fazia muito tempo que eu era apresentadora de rádio quando o número de cartas que recebia dos ouvintes, as promoções e os prêmios que ganhava começaram a provocar comentários maldosos dos meus colegas. Os chineses dizem que "se você se mantém ereto, por que temer uma sombra recurvada?". Eu então procurava manter o bom humor diante da inveja. No final foram as vozes das próprias chinesas que fizeram meus colegas se aproximar de mim.

A rádio tinha comprado para mim quatro secretárias eletrônicas com fitas para quatro horas de gravações cada uma. Toda noite, depois das oito horas, essas secretárias ficavam à disposição de mulheres que quisessem dar uma opinião sobre o programa, pedir ajuda ou contar sua história. A minha saudação gravada convidava-as a desabafar, para que pudessem caminhar rumo ao futuro com uma carga mais leve, e informava que elas não precisavam se identificar nem dizer de onde eram. Toda manhã, ao chegar ao escritório, eu encontrava um número cada vez maior de colegas —

editores, repórteres e apresentadores — esperando para ouvir as histórias que saíam dos gravadores, narradas em vozes onde se percebia constrangimento, ansiedade e medo.

Um dia, ouvimos:

"Alô, alguém aí? Xinran está aí? Ah, bom, é só uma fita."

A mulher fez uma pausa de vários segundos.

"Xinran, boa noite. Infelizmente não sou uma ouvinte regular. Não sou da sua província e faz pouco tempo que comecei a ouvir o seu programa. Outro dia as minhas colegas falavam sobre você e o seu programa, disseram que você mandou instalar telefones especiais onde as ouvintes podiam deixar mensagens, e que qualquer mulher podia contar a sua história anonimamente. Disseram que você transmite as histórias no dia seguinte, para que os ouvintes discutam livremente ao vivo, na esperança de ajudar as mulheres a compreender umas às outras, ajudar os homens a entender as mulheres e a unir mais as famílias.

"Agora faz alguns dias que ouço o seu programa todas as noites. A recepção não é muito boa, mas gosto muito dele. Eu não achava que houvesse tantas histórias de mulheres, semelhantes mas diferentes. Tenho certeza de que você não pode transmitir todas. Mesmo assim, penso que muitas mulheres ficarão agradecidas a você. As suas linhas telefônicas dão a elas a oportunidade de falar sobre coisas que não ousam ou não podem mencionar desde que eram bem jovens. Você deve saber que é um grande alívio para as mulheres dispor de um espaço para se expressarem sem medo de acusações ou de reações negativas. É uma necessidade emocional, não menos importante do que as nossas necessidades físicas."

Houve outra pausa longa.

"Xinran, parece que estou sem coragem de lhe contar a minha história. Quero muito contar às pessoas sobre o tipo de família em que vivo. Também quero ouvir a minha própria história, porque nunca ousei olhar para o passado, com medo de que as minhas recordações possam destruir a minha fé na vida. Certa vez eu li que o tempo cura tudo, mas mais de quarenta anos não curaram o meu ódio nem a minha mágoa; só serviram para me deixar amortecida."

Ela soltou um leve suspiro.

"Aos olhos dos outros, tenho tudo o que uma mulher poderia desejar. O meu marido ocupa um cargo importante no governo provincial; o meu filho, que tem quase quarenta anos, é gerente da agência local de um banco nacional; a minha filha trabalha na companhia nacional de seguros; e eu trabalho no prédio do governo municipal. Vivo calma e pacificamente. Não preciso me preocupar com dinheiro nem com o futuro dos meus filhos, como muita gente precisa, e também não tenho que me preocupar com o risco de perder o emprego.

"Em casa, temos tudo de que precisamos em quantidade mais do que suficiente. Meu filho tem um apartamento grande só para ele, e minha filha, que diz que por princípio não vai se casar, mora conosco. Nós três moramos num apartamento grande de quase duzentos metros quadrados, com móveis de estilo e os aparelhos elétricos mais modernos — até o vaso sanitário e o assento do vaso são importados. Quase todo dia vem alguém fazer a limpeza e trazer flores frescas. Mas minha casa é uma mera vitrina de objetos domésticos: não existe comunicação de verdade na família, não há sorrisos nem risos. Quando estamos só nós, tudo o que se ouve são os ruídos da existência animal: comer, beber e ir ao banheiro. Somente quando temos visita é que há um sopro de humanidade. Nesta família, não tenho direitos de esposa nem posição de mãe. Meu marido diz que sou como um pedaço de pano cinza desbotado, que não presta para fazer uma calça, cobrir a cama ou mesmo ser usado como pano de prato. Só sirvo para limpar lama dos sapatos. Para ele, a minha única função é servir de prova da sua 'simplicidade, diligência e caráter correto', para que possa passar a um cargo mais alto.

"Essas foram as palavras exatas que ele usou comigo, Xinran. Disse na minha cara."

A mulher começou a soluçar. "E disse de maneira tão casual! Pensei inúmeras vezes em deixá-lo. Tinha vontade de redescobrir o meu gosto pela música e pelo ritmo, satisfazer o meu anseio por uma família de verdade, ser livre como já fui um dia — redescobrir o que significa ser mulher. Mas meu marido disse que, se eu o abandonasse, ele tornaria a minha vida tão difícil que eu ia preferir estar morta. Ele não ia tolerar que eu pusesse sua carreira em risco nem que o transformasse em objeto de mexericos. Eu sei que ele cumpriria a palavra: ao longo dos anos, não houve um único dos seus inimigos políticos que tenha conseguido escapar da vingança dele. As mulheres que rejeitaram seus avanços ficaram todas presas nos piores empregos, incapazes de sair ou de obter uma transferência durante um longuíssimo tempo. Até alguns maridos foram arruinados. Não tenho como escapar.

"Você pode se perguntar por que acho que não tenho a posição de mãe. As crianças foram tiradas de mim logo depois de nascerem e enviadas para uma creche do exército, porque o Partido achou que elas poderiam afetar o trabalho do pai — o 'comandante'. Naquela época acontecia o mesmo com os filhos da maioria dos soldados. Enquanto outras famílias podiam ver os filhos uma vez por semana, nós viajávamos muito, de modo que só víamos as crianças uma ou duas vezes por ano. Os nossos poucos encontros costumavam ser interrompidos por visitas ou telefonemas, e as crianças ficavam muito infelizes. Às vezes até voltavam mais cedo para a creche. Para elas, pai e mãe eram apenas nomes. Eram mais ligadas às babás, que cuidaram delas por tanto tempo.

"Quando cresceram um pouco, a posição do pai possibilitou que tivessem muitos direitos especiais, diferentes dos das outras crianças. Isso pode exercer uma péssima influência sobre as crianças, fazendo com que cresçam com uma permanente sensação de superioridade e o hábito de desprezar os outros. Também a mim elas passaram a considerar com desdém. Como aprenderam com o pai a maneira de lidar com os outros e de dar ordens, viam o comportamento dele como o meio de atingir suas ambições. Tentei ensiná-las a ser boas, usando as minhas idéias e experiências, na esperança de que o amor e a atenção de mãe as mudassem. Mas elas mediam o valor da pessoa pelo status no mundo, e o sucesso do pai provava que era a ele que valia a pena imitar. Se o meu próprio marido não me considerava digna de respeito e amor, que chance tinha eu com os meus filhos? Eles não acreditavam que eu já tinha tido valor um dia."

Ela deu um suspiro de desamparo.

"Quarenta anos atrás, eu era uma garota inocente e romântica e tinha acabado de me formar no colegial de uma cidadezinha. Tinha muito mais sorte do que outras garotas da minha idade: meus pais tinham estudado no exterior e eram esclarecidos. Nunca me preocupei com casamento, como as minhas colegas de classe. Para a maioria delas, o casamento foi arranjado enquanto ainda estavam no berço; as outras ficaram noivas no ginásio. Se o homem estivesse muito ávido ou se a tradição da família exigisse, a garota tinha que sair da escola para casar. Achávamos que as que tinham menos sorte eram as que se tornavam segunda ou terceira esposas, ou concubinas. A maioria das garotas que saíram da escola para casar se viram nessa posição — casaram com homens que queriam 'experimentar carne nova'. Hoje em dia muitos filmes mostram a concubina como a menina-dos-olhos do marido; ela aparece valendo-se da própria posição para mandar na família, mas isso está muito longe da verdade. O homem que pudesse ter várias esposas pertencia, necessariamente, a uma família grande e importante, com muitas normas e tradições. As famílias tinham, por exemplo, mais de dez maneiras de cumprimentar as pessoas. O menor desvio dessas normas fazia a família 'perder prestígio'. E não bastava pedir desculpas — as esposas mais novas eram punidas por qualquer coisa que se interpretasse como mau procedimento. Eram esbofeteadas pela primeira esposa, proibidas de comer durante dois dias, obrigadas a fazer trabalhos pesados ou forçadas a se ajoelhar em cima da tábua de lavar roupa. Imagine como minhas colegas — de uma escola moderna, em estilo ocidental — suportavam isso! Não havia o que pudessem fazer; desde a mais tenra idade sabiam que os pais teriam a última palavra na escolha do marido.

"Muitas meninas me invejavam por poder sair de casa e ir à escola. Na época, as mulheres obedeciam às 'três submissões e quatro virtudes': submissão ao pai, em seguida ao marido e, depois da morte deste, ao filho. As virtudes eram fidelidade, encanto físico, decoro na fala e nos atos, e diligência no trabalho doméstico. Durante milhares de anos as mulheres foram ensinadas a respeitar os idosos, cumprir seus deveres para com o marido, cuidar do fogão e das costuras, tudo isso sem pôr os pés fora de casa. Uma mulher estudar, ler e escrever, discutir assuntos de Estado como um homem, e até dar conselhos a homens, era heresia para a maioria dos chineses na época. As minhas colegas e eu reconhecíamos nossa liberdade e nossa sorte, mas também nos sentíamos desorientadas, porque não tínhamos ninguém que nos servisse de modelo.

"Embora todas viéssemos de famílias liberais que compreendiam a importância do estudo, a sociedade à nossa volta e a inércia da tradição tornavam difícil para qualquer uma de nós determinar um rumo independente para a própria vida.

"Eu me sentia muito grata aos meus pais, que nunca me fizeram imposições nem me obrigaram a seguir os papéis tradicionais das chinesas. Não só freqüentava a escola, ainda que fosse uma escola para meninas, como também sentava à mesma mesa que os amigos dos meus pais e discutia política e atualidades. Podia comparecer a qualquer reunião ou praticar qualquer esporte ou atividade que quisesse. Um ou outro 'bem-intencionado' na cidade me censurava pelos modos modernos, mas durante toda a infância e enquanto estudava fui muito feliz. O mais importante é que eu era livre." E ela repetiu baixinho, consigo mesma: "Livre...

"Eu absorvia de tudo à minha volta. Nada limitava as minhas escolhas. Eu queria me lançar num empreendimento grandioso, em escala espetacular, queria assombrar o mundo com um feito brilhante, e sonhava em ser uma beldade acompanhada por um herói. Quando li um livro sobre a Revolução chamado *A estrela vermelha*, descobri um mundo que até então só conhecia nos livros de história. Seria aquele o futuro pelo qual eu ansiava? Fiquei num entusiasmo só e resolvi aderir à Revolução. Para minha surpresa os meus pais, sempre liberais, se opuseram. Proibiram-me de participar, dizendo que a minha decisão não era sensata nem se baseava em fatos. Disseram que idéias imaturas levariam a arrependimento e amargura. Tomei as palavras deles como crítica pessoal e reagi muito mal. Levada pela teimosia de jovem, decidi mostrar que eu não era uma garota comum.

"Ao longo dos quarenta anos que se seguiram, lembrei com freqüência das palavras deles. Entendi que meus pais não falavam só a meu respeito; aludiam ao futuro da China.

"Uma noite, em meados do verão, enfiei numa mala as minhas duas mudas de roupa e alguns livros, e abandonei a minha família feliz e tranqüila, exatamente como uma heroína de romance. Ainda hoje lembro que, ao atravessar o portão, pensei: 'Pai, mãe, desculpem. Estou decidida a fazer com que escrevam a meu respeito em livros, e a tornar vocês orgulhosos de mim'.

"Mais tarde os meus pais viram de fato o meu nome em muitos livros e reportagens, mas somente como o de uma esposa, nada mais. Não sei por quê, mas minha mãe sempre me perguntava se eu era feliz. Ela morreu e nunca respondi diretamente à pergunta. Eu não sabia como responder; ainda assim acho que ela sabia a resposta."

Ela fez silêncio por vários segundos, e continuou, em tom confuso: "Eu era feliz?", murmurou consigo. "O que é a felicidade... Eu sou feliz?

"Eu estava muito feliz logo que cheguei à área libertada pelo Partido. Era tudo novo e estranho: nos campos, não se distinguia entre camponeses e soldados; nos desfiles, a guarda civil ficava lado a lado com os soldados. Homens e mulheres usavam as mesmas roupas e faziam as mesmas coisas; os líderes não se distinguiam por símbolos de patente. Todo mundo falava sobre o futuro da China, todo dia havia críticas e condenações ao antigo sistema. O tempo todo chegavam notícias de feridos e mortos em combate. Nessa atmosfera, as estudantes eram tratadas como princesas, valorizadas pela leveza de espírito e pela beleza. Os homens que esbravejavam e combatiam ferozmente no campo de batalha, ao nosso lado, nas aulas, eram dóceis como cordeiros.

"Passei só três meses na área libertada. Em seguida fui designada para uma equipe que ia trabalhar com reforma agrária na margem norte do rio Amarelo. A minha unidade de trabalho — uma companhia de teatro sob as ordens do quartel-general central — levava as políticas do Partido Comunista ao povo por meio de música, dança e todo tipo de atividade cultural. A área era pobre: com exceção da trombeta chinesa tocada em casamentos e funerais, a população nunca tivera vida cultural, e por isso fomos muito bem recebidos.

"Eu era uma das poucas garotas na companhia que sabiam cantar, dançar, atuar e tocar música; dançar era o que eu fazia melhor. Toda vez que tínhamos uma festa com oficiais graduados, eles competiam para dançar comigo. Eu era extrovertida, estava sempre rindo e sorrindo, e todo mundo me chamava de 'cotovia'. Era um passarinho bem feliz na época, sem nenhuma preocupação no mundo.

"Você conhece o ditado: 'A galinha no galinheiro tem grãos para comer, mas também tem a panela por perto; a garça selvagem não tem grão algum, mas o seu mundo é vasto'. Uma cotovia engaiolada tem o mesmo destino de uma galinha. No dia em que fiz dezoito anos, o grupo deu uma festa de aniversário para mim. Não houve bolo nem champanhe. Tudo o que tínhamos eram alguns biscoitos que os companheiros tinham guardado de suas rações, com um pouco de açúcar dissolvido em água. As condições eram difíceis, mas nós nos divertimos. Eu estava dançando e cantando quando o líder do regimento me fez sinal para parar e acompanhá-lo. Sem nenhuma vontade, fui com ele até o escritório, onde me perguntou, muito sério: 'Você está disposta a realizar qualquer missão que a organização do Partido lhe atribua?'.

" 'Claro!', respondi, sem hesitar. Eu sempre quisera ingressar no Partido mas, como a minha família não tinha antecedentes revolucionários, sabia que teria que me esforçar muito mais para me qualificar.

" 'Está disposta a realizar qualquer missão incondicionalmente, seja ela qual for?'

"Fiquei intrigada. O líder do regimento sempre fora muito direto. Por que é que estava sendo tão vago e evasivo hoje? Mas logo respondi: 'Sim, garanto que cumprirei a missão'.

"Ele não pareceu nem um pouco satisfeito com a minha determinação, mas me disse que eu partiria imediatamente, no meio da noite, para a minha 'missão urgente' no prédio do governo regional. Quis me despedir dos meus amigos, mas ele não julgou necessário. Como estávamos em guerra, concordei e parti com os dois soldados que tinham sido enviados especialmente para me buscar. Eles não abriram a boca durante as duas horas do trajeto e eu, obedecendo às normas, não pude fazer nenhuma pergunta.

"No prédio do governo regional, fui apresentada a um oficial de alta patente. Ele me olhou de alto a baixo e comentou: 'Nada má... Bem, a partir de hoje você é a minha secretária. De agora em diante precisa estudar mais, e esforçar-se para se reformar e ingressar no Partido o mais breve possível'. Depois mandou alguém me levar para descansar num quarto. O quarto era muito confortável, havia até um acolchoado novo em cima do *kang*. Parecia que trabalhar para um líder era realmente diferente, mas eu estava tão cansada que não pensei muito nisso e logo peguei no sono.

"Mais tarde, na mesma noite, fui despertada por um homem subindo na cama. Aterrorizada, estava prestes a gritar quando ele me tapou a boca com a mão e disse, em voz baixa: 'Xiu, não perturbe o repouso dos outros camaradas. Esta é a sua missão'.

" 'Missão?'

" 'Sim. A partir de hoje, esta é a sua missão.'

A voz dura era do oficial que eu tinha conhecido ao chegar. Não tive forças para me defender, nem saberia como. Só pude chorar.

"No dia seguinte, o Partido me informou que, à noite, realizaria uma festa simples para celebrar o nosso casamento. Aquele oficial é o meu marido até hoje.

"Durante muito tempo me perguntei como foi que isso pôde acontecer. Como foi que pude ser 'dada em casamento pela Revolução'? Faz quarenta anos que vivo humilhada. Para o meu marido, a carreira é tudo; as mulheres satisfazem apenas uma necessidade física, mais nada. Ele costuma dizer: 'Se você não usa a mulher, para que se dar ao trabalho de tê-la?'.

"A minha juventude terminou prematuramente, as minhas esperanças foram destruídas e tudo o que havia de belo ao meu redor foi usado por esse homem."

Ela fez silêncio.

"Desculpe, Xinran, só pensei em mim mesma, falando deste jeito. A sua máquina gravou tudo? Eu sei que mulher fala demais, mas eu raramente tenho oportunidade ou vontade de falar; vivo como um autômato. Finalmente consegui falar sem medo. Sinto-me mais leve. Obrigada. E obrigada à sua rádio e aos seus colegas também. Adeus..."

Depois de ela dizer adeus, meus colegas e eu ficamos um longo tempo ali parados, emocionados e chocados com o relato. Quando pedi permissão para transmitir a história, as autoridades recusaram, comentando que prejudicaria a imagem dos nossos dirigentes.

9. Minha mãe

O Velho Chen foi um dos que se reuniram em torno do gravador para ouvir a esposa do dirigente provincial contar a sua história. Mais tarde me disse que não se surpreendeu. Muitos homens que aderiram à Revolução deixaram mulher e filhos para trás, a fim de seguir o Partido. Quando atingiram posições graduadas, o Partido lhes deu uma nova esposa, porque a primeira ficara retida em áreas ocupadas pelo inimigo.

A maioria das novas esposas eram estudantes que acreditavam fervorosamente no Partido Comunista e idolatravam os homens de fuzil no ombro. Muitas vinham de famílias abastadas e todas eram cultas. Eram completamente diferentes das primeiras esposas, que eram sobretudo camponesas. O refinamento delas estimulava nos oficiais o desejo por novidade, e a sua instrução as tornava boas professoras e oficiais de estado-maior.

Em 1950, depois que o Partido Comunista assumiu o controle sobre a maior parte da China, o novo governo se viu diante do problema de decidir o que fazer com as primeiras esposas de seus líderes. Muitas delas, casadas com homens que agora ocupavam altos cargos, foram para Pequim com os filhos, na esperança de encontrar o marido. O governo estava promovendo a liberação das mulheres, a igualdade sexual e a monogamia, de modo que topou com um dilema. Os funcionários tinham constituído nova família com as novas esposas: que esposa e que filhos seriam repudiados, e quais seriam conservados? Não havia lei alguma em que basear uma decisão.

No que dizia respeito a qual das famílias beneficiaria a carreira e a posição dos homens na sociedade, a escolha era óbvia. Mas eles não sabiam o que dizer às primeiras esposas, que tinham suportado anos de privações por eles. Essas mulheres analfabetas, que não sabiam ler nem os ideogramas mais simples, só entendiam uma coisa: pertenciam aos homens que lhes tinham levantado o véu e que as transformaram de meninas em esposas.

O governo acabou por redigir um documento reconhecendo a posição política dessas mulheres. Elas ganharam alguns direitos especiais e uma pensão vitalícia. Obedecendo a ordens que mal compreendiam, voltaram para as aldeias com os filhos, que cresceram ressentidos contra pai e mãe.

Os aldeães não ousaram censurar nem fazer troça das esposas abandonadas, pois elas estavam sob proteção do governo. Mas poucas dessas mulheres simples e honestas se valeram da sua posição especial ou de privilégios para obter uma vida mais fácil. Meramente aceitaram a pensão do governo — uma soma pequena, que quase não acompanhava a inflação — e criaram os filhos sozinhas. Pouquíssimas tornaram a se casar.

O Velho Chen me contou que uma delas lhe dissera: "Por que esfregar sal nas minhas feridas, usando os meus privilégios? As pessoas só iam falar sobre o meu marido e fazer que eu sentisse ainda mais saudade dele".

Mais tarde descobri que, assim como a mulher que telefonara para o meu programa, muitas das novas esposas não eram felizes.

Saber disso teria servido de consolo às primeiras? Tal como a minha ouvinte anônima, muitas novas esposas tinham sido designadas para um marido a respeito de quem não sabiam nada. A educação, a cultura, o refinamento e o romantismo à ocidental que tinham adquirido nas escolas progressistas que freqüentaram tinham atraído o marido de início, mas acabaram por ser considerados inaceitáveis. Os maridos tinham crescido nos campos e em meio à brutalidade da guerra. Tinham sido ensinados pela geração mais velha que a mulher deve ser controlada e trancada em casa. A lacuna entre as expectativas dos maridos e as das novas esposas foi estreitada pela submissão delas, mas os homens logo perderam o interesse e começaram a encará-las como meros instrumentos.

Quando visitei meus pais num fim de semana, comentei com minha mãe que achava difícil distinguir entre a vida num casamento emocionalmente estéril e a vida numa prisão. A minha mãe retrucou, sem pensar: "Quantas pessoas na China se casam por amor?". Perguntei por que disse isso, mas ela encontrou um pretexto e saiu da sala. Eu sabia que a minha mãe ouvia o meu programa de rádio quase todos os dias, mas raramente conversávamos sobre nossas emoções. A vida toda eu tivera vontade de que ela me abraçasse. Quando eu era criança, ela não me abraçou nem beijou uma única vez; quando me tornei adulta, a reserva tradicional chinesa impedia essas manifestações de afeto. Entre 1945 e 1985, quando os deslocamentos pelo país se tornaram possíveis de novo, muitas famílias chinesas se dividiram. Não fomos exceção, e passei muito pouco tempo com os meus pais. Tinha muita vontade de saber mais sobre a minha mãe, a mulher que me dera a vida e que me deixara com inúmeras perguntas sobre as mulheres. A autoconfiança que eu estava adquirindo como jornalista me ajudou a juntar as partes do que eu sabia da sua história.

* * *

Minha mãe vem de uma grande família capitalista em Nanquim, uma cidade fervilhante de vida, mas tranqüila e harmoniosa, bem diferente da política Pequim, da comercial Xangai e da ruidosa Cantão. Sun Yat-sen, o fundador da China moderna, quis ser sepultado em Nanquim, e em certa época o Kuomintang teve ali a sua capital.

Situada às margens do rio Yang-tsé, no sudeste da China, ao pé da imponente montanha Zijin, a cidade tem lagos e áreas verdes. Avenidas arborizadas partem em todas as direções, e os palácios históricos, as muralhas da cidade e os prédios modernos junto ao rio demonstram a riqueza do patrimônio cultural de Nanquim. Os chineses dizem que as pessoas são moldadas pela água e pela terra que as cercam; pelo que sei da família da minha mãe, acredito que isso seja verdade.

Houve época em que a família da minha mãe era dona de uma vasta propriedade em Nanquim: tudo o que ficava ao sul de uma linha que ia do portão ocidental da cidade até o centro, quase três quilômetros para leste, lhe pertencera. Meu avô materno era o presidente de uma indústria de cânhamo em três províncias — Jiangsu, Zhejiang e Anhui —, além de possuir várias outras fábricas. No próspero sul da China, a navegação era o meio de transporte mais importante, e ele produzia de tudo, de encerados para navios de guerra a cabos de âncoras para pequenos barcos de pesca.

Meu avô era um empresário e administrador extremamente capaz. Não tinha muita instrução, mas entendia a importância da cultura e da educação, e não só mandou os sete filhos para os melhores colégios, como também fundou uma escola em Nanquim. Embora na época a opinião geral fosse que "numa mulher, a falta de talento é uma virtude", as filhas dele receberam a educação mais completa.

Pelos meus tios e tias, sei que na casa do meu avô vigoravam normas severas. Às refeições, se alguém fizesse um ruído ao comer, afastasse a mão esquerda da tigela de arroz ou violasse alguma outra regra, meu avô pousava os pauzinhos e se retirava. Depois disso, ninguém podia continuar comendo e todos tinham que ficar com fome até a refeição seguinte.

Depois da instauração do novo governo, em 1949, meu avô teve que ceder propriedades ao governo para proteger a família. Todos os filhos, talvez em rebelião contra a educação rigorosa, se envolveram ativamente nos movimentos revolucionários do Partido Comunista, lutando contra capitalistas como o pai.

Meu avô dividiu com o governo o seu imenso patrimônio em três ocasiões — 1950, 1959 e 1963 —, mas o sacrifício não o protegeu. No início da Revolução Cultural, foi alvo de perseguição porque fora elogiado por dois inimigos mortais de Mao Tsé-tung. O primeiro foi Chang Kai-chek, que cumprimentara meu avô por trabalhar para desenvolver a indústria nacional diante da agressão japonesa. O segundo foi um ex-companheiro de Mao, Liu Shaoqi, que louvou o meu avô por doar ao país uma grande quantidade de bens. Chang tinha sido expulso da China para Taiwan, e Liu caíra em desgraça e fora preso.

Meu avô já tinha mais de setenta anos quando foi encarcerado. Sobreviveu à provação com uma determinação surpreendentemente férrea. Os guardas vermelhos cuspiam ou assoavam o nariz na comida grosseira e no chá fraco que serviam aos presos. Um velho que dividia a cela com meu avô morreu de tristeza, raiva e vergonha com esse tratamento, mas meu avô manteve um sorriso no rosto. Removia o muco e o cuspo, e comia tudo o que era possível comer. Chegou o dia em que os guardas vermelhos passaram a admirá-lo e a lhe dar uma comida um pouco melhor do que a dos outros.

Quando meu avô foi libertado, ao fim da Revolução Cultural, um companheiro de prisão o convidou a comer uma especialidade de Nanquim, pato prensado no sal, para celebrar. Quando o prato foi trazido para a mesa, o amigo do meu avô teve um colapso e morreu de hemorragia cerebral, provocada pela extrema emoção.

Meu avô não demonstrou alegria com a liberdade nem sofrimento com a morte dos amigos e a perda da família e dos bens; seus sentimentos pareciam permanentemente entorpecidos. Foi apenas quando me permitiu ler o seu diário, numa visita que fiz à China em março de 2000, que me dei conta de que ele jamais deixou de sentir as vicissitudes dos tempos. A sua experiência e compreensão da vida o tornaram incapaz de expressar-se pelo meio insuficiente que é a fala mas, no diário, embora a emoção nunca seja óbvia, encontram-se os seus sentimentos mais íntimos.

Minha mãe ingressou na Liga da Juventude Comunista aos catorze anos, e no exército e no Partido aos dezesseis. Antes disso, gozou de uma modesta reputação em Nanquim por realizações acadêmicas e pelo talento no canto e na dança. No exército, continuou a brilhar. Era a primeira da classe em treinamento e testes, e esteve entre os primeiros em competições militares de âmbito nacional. Inteligente e bonita, era muito solicitada nos bailes por inúmeras personalidades do Partido e do exército, que rivalizavam para dançar com ela. Anos mais tarde diria que se sentia como uma Cinderela que calçara perfeitamente o sapatinho de cristal da Revolução, que lhe realizava todos os sonhos. Feliz com o sucesso que alcançava, não se deu conta de que o passado da sua família voltaria para assombrá-la.

No início da década de 50, o exército conduziu o primeiro expurgo interno em estilo stalinista. Minha mãe foi relegada à classe "negra" dos descendentes de capitalistas e excluída do círculo privilegiado do primeiro escalão de revolucionários. Foi trabalhar numa fábrica militar, onde, em colaboração com especialistas alemães-orientais, teve êxito na produção de uma nova ferramenta para a fabricação de equipamento militar. Quando o grupo foi fotografado para registrar a ocasião, disseram à minha mãe que ela não podia aparecer na primeira fila devido à história da família, e passaram-na para a fila de trás.

Durante a cisão sino-soviética, minha mãe se tornou alvo de investigação especial. Seus antecedentes capitalistas foram a justificativa para testarem a lealdade dela ao Partido. No final da Revolução Cultural, ela encabeçava uma pequena equipe de técnicos que projetara uma ferramenta que aumentaria muito a eficiência na manufatura. Mas não lhe deram crédito pelo trabalho e negaram-lhe a designação de projetista-chefe, porque consideraram impossível que alguém com o seu passado pudesse ser realmente leal ao Partido.

Por mais de trinta anos minha mãe lutou para receber o mesmo tratamento e reconhecimento concedidos aos colegas que tinham a sua capacidade, mas fracassou em cada tentativa. Nada podia mudar o fato de que ela era filha de um capitalista.

Um amigo da família me contou um dia que a melhor prova da força de caráter da minha mãe foi a sua decisão de casar com meu pai. Quando se casaram, ele era professor de uma academia militar, tido em alta consideração; fora professor da minha mãe e era admirado por muitas das alunas. Embora ela tivesse muitos pretendentes entre os professores, foi a ele que minha mãe escolheu. Não era bonito, mas de todos era quem tinha os maiores dotes intelectuais. As colegas da minha mãe acharam que ela não casou por amor, mas para provar o próprio valor.

O intelecto do meu pai parecia, de fato, ser a justificativa da minha mãe para ter casado com ele. Toda vez que o mencionava, dizia que ele era muito inteligente, um especialista nacional em mecânica e informática, e falava vários idiomas. Nunca se referia a ele como um bom marido ou um bom pai. Para o meu irmão e para mim, era difícil conciliar a imagem que minha mãe fazia do meu pai com o homem atrapalhado que mal víamos quando éramos crianças e que tratávamos de "tio".

Há inúmeros incidentes que mostram a distração do meu pai; pensando hoje, lembro de algumas histórias engraçadas. Na sala dos oficiais, uma vez, ele enfiou embaixo do braço o prato em que tinha acabado de comer, levou um grosso dicionário até a pia e lavou o livro, sob os olhos atônitos dos colegas. Em outra ocasião, enquanto andava e lia um livro ao mesmo tempo, entrou no apartamento de outra família, deitou no sofá e adormeceu. A família ficou perplexa, mas teve pena de acordá-lo.

Para provar que era tão competente quanto minha mãe em coisas práticas do cotidiano, um dia ele tentou preparar uma refeição. Comprou uma balança, que veio com vinte pesos, para poder seguir as receitas com exatidão. Enquanto ele pesava o sal com todo o cuidado, o óleo pegou fogo na frigideira.

Minha mãe contou que, um dia, ele atravessou correndo a multidão na praça da Paz Celestial para ir encontrá-la junto ao Memorial da Revolução Popular. Chegou contando, todo animado, que a sua unidade de trabalho tinha acabado de lhe dar duas garrafas de óleo de gergelim. Foi só ao levantar as mãos para mostrar o óleo que percebeu que tinha quebrado as garrafas no caminho e estava segurando um par de gargalos.

É comum a solidariedade ser confundida com amor, encerrando as pessoas em casamentos infelizes. Muitos chineses que se casaram entre 1950 e 1980 caíram nessa armadilha. Enfrentando movimentos políticos e dificuldades físicas, sentindo a pressão da tradição, muitos homens e mulheres se casaram por solidariedade e talvez desejo, mas não por amor. Só depois de casar é que descobriram que o que lhes despertara a compaixão na verdade os repelia, tornando a vida familiar emocionalmente estéril.

Meus pais compartilhavam antecedentes "negros" capitalistas — meu avô paterno trabalhou durante trinta e cinco anos para a empresa britânica GEC, em Xangai —, portanto a solidariedade deve ter desempenhado um papel no casamento deles. E creio que ao longo dos anos vieram a depender um do outro e a sentir afeto um pelo outro. Mas amavam-se? Eram felizes? Nunca me atrevi a perguntar, para não remexer em anos de recordações infelizes, recordações de separações forçadas, de presídio e de uma família dividida.

Eu tinha um mês de idade quando me levaram para viver com minha avó. No total, vivi menos de três anos com minha mãe. Não sou capaz de me lembrar de um único aniversário em que a família toda estivesse reunida.

Toda vez que ouço o apito de uma locomotiva, penso na minha mãe. O som longo e estridente, ao mesmo tempo triste e carregado de expectativa, lembra-me de um dia quando eu tinha cinco anos. Minha avó tinha me levado à estação ferroviária de Pequim e estávamos ambas paradas na plataforma, ela segurando minha mão. A estação não era tão movimentada como hoje, nem tinha tantos cartazes e anúncios publicitários. Sem saber por que estávamos ali, tudo o que lembro é de estarmos calmamente esperando, enquanto eu tentava dobrar os dedos enrijecidos da minha avó.

Um apito melancólico e prolongado pareceu trazer um trem muito comprido até o nosso lado. Quando o trem estacou fragorosamente, roncando muito, deu a impressão de estar cansado de carregar tanta gente de tão longe e tão depressa.

Uma mulher bonita veio na nossa direção, a mala na sua mão balançando em harmonia com seus passos; tudo fluía como num sonho. Minha avó pegou minha mão e apontou para a mulher, dizendo: "Essa é a sua mãe. Diga 'mamãe', vamos!".

"Titia", disse eu, tratando a mulher bonita da maneira como tratava todas as mulheres.

"Ela é sua mãe. Diga 'mamãe', não 'titia'", corrigiu minha avó, embaraçada.

De olhos arregalados e em silêncio, fitei a mulher. Seus olhos se encheram de lágrimas, mas ela se forçou a dar um sorriso triste e cansado. Minha avó não tornou a insistir comigo e as duas ficaram ali paradas, imóveis.

Essa cena nunca deixou de me voltar à memória. Senti a dor da situação com mais intensidade depois de também me tornar mãe e ter experiência do vínculo atávico e inevitável que une a mãe ao filho. O que é que minha mãe poderia ter dito, diante de uma filha que a chamava de "titia"?

Ao longo dos anos minha mãe teve que suprimir sua natureza feminina. Competindo com homens e lutando com a mácula dos antecedentes familiares para ter sucesso na carreira e no Partido, sentiu que os filhos eram um fardo e que sua família lhe arruinara a vida. Ela, que um dia fora a princesa dos bailes do exército, mal prestava atenção à roupa que usava e à própria aparência.

Uma vez telefonei para ela da Inglaterra, numa época em que estava achando particularmente difícil a vida numa cultura estrangeira. "Não se preocupe", disse ela. "O mais importante é que você está tendo a oportunidade de descobrir o que é ser mulher."

Fiquei perplexa. Já com bem mais de sessenta anos, ela estava reconhecendo o fato de que havia suprimido uma parte importante de si mesma, e instava comigo a não cometer o mesmo erro.

Na segunda vez em que voltei à China depois de me mudar para a Inglaterra, admirei-me de vê-la de batom para receber o meu amigo britânico. Meu pai mal continha o entusiasmo com esse toque de elegância: fazia mais de quarenta anos que ela não usava maquiagem.

10. A mulher que esperou quarenta e cinco anos

É característica do chinês moderno ter uma família sem sentimentos ou sentimentos sem uma família. As condições de vida obrigam os jovens a fazer do emprego e da habitação os principais pré-requisitos para o casamento. Seus pais, que viveram a turbulência das mudanças políticas, fizeram da segurança e da estabilidade os alicerces sobre os quais uma família deve ser construída. Para ambas as gerações, as providências práticas sempre vieram em primeiro lugar, e qualquer sentimento familiar que pudesse existir desenvolveu-se posteriormente. O que muitas mulheres buscam e desejam é uma família que se baseie em sentimentos. É por isso que se lê sobre tantos casos de amor trágicos na história da China — romances que não deram flor nem fruto.

Em 1994 meu pai compareceu à celebração do octogésimo terceiro aniversário da Universidade de Qinghua, uma das melhores da China. Na volta, contou do reencontro de um casal de ex-colegas de turma, Jingyi e Gu Da, que tinham sido apaixonados um pelo outro quando eram estudantes. Depois de formados, foram enviados para regiões diferentes da China, para atender "às necessidades da Revolução", e perderam o contato durante os dez anos que durou o pesadelo da Revolução Cultural, que impedia qualquer comunicação. A mulher, Jingyi, esperou e procurou o amado durante quarenta e cinco anos. O reencontro na universidade foi a primeira vez em que se reviram, mas Jingyi não pôde se atirar nos braços do amado: a esposa estava ao lado dele. Jingyi forçou-se a sorrir, trocou apertos de mãos e cumprimentou com toda a cortesia, mas foi óbvio que ficou profundamente abalada, pois deixou cedo a reunião.

Os colegas que presenciaram a cena dolorosa ficaram de olhos vermelhos de emoção. Jingyi e Gu Da tinham sido a grande história de amor de sua classe; todo mundo sabia que se amaram profundamente durante os quatros anos de universidade. Lembravam de como Gu Da fora buscar pilritos cristalizados no meio de uma tempestade de neve em Pequim e das dez noites que ela passara em claro, cuidando de Gu Da quando ele tivera pneumonia. Meu pai estava melancólico ao contar isso, e suspirou pensando no destino e na passagem do tempo.

Perguntei se Jingyi tinha casado. Ele respondeu que não, que ela nunca deixara de esperar o namorado. Alguns ex-colegas comentaram que era tolice permanecer assim obcecada com um amor do passado e quiseram saber como ela pudera alimentar tal esperança durante os anos de violência e turbulência política. Diante da incredulidade deles, ela se limitara a sorrir e a fazer silêncio. Eu disse a meu pai que ela me fazia pensar num lírio-d'água, erguendo-se puro do charco. Ouvindo isso, minha mãe, que acompanhava a conversa, observou que o lírio-d'água murcha muito mais depressa do que as outras flores quando se quebra. Tive muita vontade de saber se Jingyi tinha se quebrado.

Encontrei o endereço da unidade de trabalho dela na lista de colegas da universidade de meu pai, mas não havia número de telefone nem endereço particular. A unidade de trabalho era uma fábrica militar de projetos experimentais no alto das montanhas, onde as condições de vida eram básicas e para onde era difícil arrumar transporte. Fiz uma chamada interurbana para a fábrica e fui informada de que ela ainda não tinha voltado de Pequim. Pediram-me que confirmasse se ela já tinha viajado. Concordei em fazer isso e pedi à fábrica que também mandasse alguém para procurá-la. Nas semanas seguintes, perguntei a alguns amigos de universidade de Jingyi se ela tinha entrado em contato com eles, com outros amigos ou com parentes, mas não encontrei vestígio dela. A unidade de trabalho me telefonou para dizer que ela ligara de Pequim solicitando uma licença, mas que não tornara a telefonar para saber se a licença fora concedida. Imaginei se ela estaria com o velho amor, Gu Da, mas quando lhe telefonei, numa fábrica militar em larga escala em Jiangxi, no sudoeste da China, ele só conseguiu perguntar: "O que foi que aconteceu? Onde é que ela está?".

Durante várias semanas Jingyi se tornou o único tema de conversa nos meus telefonemas para a minha família. Estávamos todos extremamente preocupados, mas não havia nada que pudéssemos fazer. Ela estava perdida em algum lugar na China.

Uma noite recebi uma ligação de uma ouvinte que se identificou como funcionária de um hotel junto ao lago Taihu, em Wuxi. Falou de uma hóspede muito estranha que nunca saía do quarto e não deixava a camareira entrar para limpar o aposento. O pessoal do hotel só sabia que ela ainda estava viva porque ela atendia o telefone. A funcionária estava aflita e esperava que eu pudesse ajudar a hóspede estranha.

Depois do programa, liguei para o hotel e pedi à telefonista que me transferisse para o quarto da reclusa. Ela atendeu prontamente, mas era óbvio que não estava disposta a falar. Perguntou como eu tinha descoberto a seu respeito. Quando respondi que havia muita gente no hotel preocupada com ela, pediu-me que agradecesse em seu nome. Admirei-me muito de que ela pedisse a alguém que estava tão longe que agradecesse a pessoas que estavam ali a seu lado. Na minha experiência, evitar contato pessoal dessa maneira era sinal de perda de fé na vida. Ela disse que nunca tinha ouvido o meu programa e não pretendia ouvir.

Nossa primeira conversa foi breve, mas passei a lhe telefonar todas as noites, depois do programa, pensando nos telefonemas como uma linha de salvação. Depois de várias conversas, um leve tom de aceitação começou a se insinuar na voz dela, que agora me fazia uma ou outra pergunta a meu respeito, em vez de só responder friamente às minhas perguntas.

Duas semanas mais tarde, ela não atendeu quando liguei. Alarmada, telefonei imediatamente para os funcionários do hotel, pedi que fossem bater na porta do quarto, e fiquei aliviada quando me disseram que ela respondeu lá de dentro. Nos dias que se seguiram ela não atendeu quando liguei, mas continuei com a rotina diária para demonstrar a minha preocupação.

Por acaso, não muito tempo depois disso, fui enviada para fazer uma reportagem em Wuxi. Embora o assunto da reportagem fosse a vida dos guardas de trânsito da localidade, eu podia aproveitar a oportunidade para visitar a mulher que se excluíra do mundo.

Informei o diretor da rádio de que partiria assim que terminasse o meu programa. Ele ficou intrigado: "Você está maluca? Se viajar a uma hora dessas, vai chegar a Wuxi ainda de madrugada e não vai haver ninguém para recebê-la". A experiência me ensinara a manter as explicações a um mínimo.

O motorista que me designaram odiava dirigir no meio do tráfego pesado do dia, e ficou muito contente quando lhe pedi que me levasse até o hotel junto ao lago Taihu durante a noite. Chegamos lá às quatro horas da manhã, encontrando as recepcionistas tontas de sono e indolentes. O motorista, impaciente por natureza, pôs-se a falar alto e com insistência. "Com licença, acordem, por favor! Esta é Xinran. Ela veio direto depois de terminar o programa da meia-noite e tem que começar uma reportagem às oito da manhã. Podem apressar as formalidades, por favor?"

"O quê, Xinran? Xinran que apresenta *Palavras na brisa noturna*? Eu estava ouvindo o programa dela ainda há poucas horas."

"Isso mesmo, é ela. E está cansada! Quer fazer o favor de nos atender?"

"Você é mesmo Xinran? Sim, sim! Eu vi a sua foto no jornal. Que maravilha conhecê-la pessoalmente. Ah, vou chamar os meus colegas...", disse a recepcionista, fazendo menção de sair correndo.

"Não se preocupe", disse eu, detendo-a. "Eu vou passar alguns dias aqui. Não perturbe o sono dos seus colegas, e eu estou mesmo muito cansada."

"Ah, desculpe, desculpe, vou já abrir um quarto com vista para o lago." E, virando-se para o motorista: "Você terá o mesmo tratamento, não se preocupe que não será ignorado".

"Obrigado por não ter se ofendido", disse ele.

"Não tem importância. Você tem a língua afiada, mas o seu coração é mole. E em todo caso, comigo entra tudo por um ouvido e sai pelo outro."

Enquanto a recepcionista me acompanhava até o quarto, perguntei se sabia sobre a mulher esquisita que estava hospedada no hotel.

"Ouvi dizer que há uma senhora no prédio quatro que é bem estranha", respondeu. "Parece que já está aqui há várias semanas, mas não tenho certeza. Eu pergunto ao chefe da equipe amanhã, na mudança de turno, quando temos a reunião regular de funcionários."

"Obrigada, e desculpe por lhe dar tanto trabalho."

"Ah, não, você é que tem muito trabalho com tantas ouvintes, mas quantas de nós podem lhe agradecer pessoalmente?" Os chineses dizem que é preciso temer as mãos dos homens e as palavras das mulheres, mas parece que eu estava lidando com o lado mais delicado da língua daquela mulher.

No quarto, resolvi não dormir imediatamente, mas tomar um banho e planejar as entrevistas do dia seguinte. Tinha acabado de me despir, quando o telefone tocou.

"Alô, é Xinran? Eu sou a telefonista de plantão. A recepcionista do prédio central me disse que você acabou de chegar. Desculpe incomodar, mas eu soube que você quis informações sobre uma hóspede. Ela me telefonou hoje, pouco depois do fim do seu programa, para saber se eu tinha ouvido. Eu disse que sim e perguntei se ela precisava de alguma coisa, mas ela desligou. Eu posso ver o quarto dela daqui. Estou no turno da noite nesta semana e vejo que ela passa a noite toda sentada à janela, olhando para o lago. Talvez ela durma durante o dia."

"Desculpe, posso interromper um instante? Você está vendo a hóspede agora? Ela continua olhando para o lago?"

"Hum... Eu estou olhando. Sim, ela está lá... Dá para vê-la nitidamente. Parece que ela nunca fecha as cortinas."

"Muito obrigada. Qual é o número do quarto dela?"

"Ela está... está no quarto 4209, segundo andar do Prédio Quatro."

"Obrigada, telefonista. Posso fazer alguma coisa por você?"

"Não, nada... Bom, você me daria o seu autógrafo?"

"Claro! Talvez eu tenha tempo de visitá-la amanhã, está bem?"

"É mesmo? Seria ótimo. Até logo."

"Até logo." Enquanto falava, eu me vestia de novo, tendo decidido ver a hóspede imediatamente, pois o tempo era precioso.

Parada diante da porta do quarto dela, de repente hesitei alguns minutos, mas bati e chamei: "Olá, eu sou Xinran. Eu vim visitá-la. Abra a porta, por favor".

Não houve resposta e a porta permaneceu firmemente fechada. Não tornei a bater nem a falar, mas continuei ali, certa de que ela me ouvira no silêncio do amanhecer. Tinha certeza de que ela estava logo atrás da porta e que sentíamos a presença uma da outra. Uns dez minutos depois, ouvi a voz dela:

"Xinran, você ainda está aí?"

"Estou. Estou esperando que você abra", respondi, baixo mas com firmeza.

A porta se abriu devagar e uma mulher de ar exausto e ansioso me fez sinal para entrar. O quarto estava limpo e arrumado, e o único indício de que estava ocupado era uma mala grande junto da parede. Fiquei aliviada de ver uns pacotes de macarrão instantâneo — pelo menos ela não estava jejuando.

Sentei perto dela, mas permaneci em silêncio, pensando que qualquer coisa que eu dissesse só toparia com resistência. Ia esperar que ela falasse, mas até que estivesse pronta a fazer isso eu tentaria criar uma atmosfera de confiança. Ficamos ali sentadas, ouvindo o leve marulho da água, e me pus a devanear sobre o lago e seus arredores.

Taihu é o terceiro maior lago de água doce da China, e fica ao sul da província de Jiangsu e ao norte da província de Zhejiang. É um lugar famoso pela beleza no delta do Yang-tsé. Ao seu redor há jardins bem cuidados, com muitas lagoas e riachos. Taihu também é conhecido pelo chá da fonte de Biluo. Diz a lenda que uma bela garota chamada Biluo regou um arbusto com o próprio sangue e, com as suas folhas tenras, fez um chá para o amado que estava perigosamente doente. Fez isso dia após dia, até que o jovem recuperou a saúde, mas então foi Biluo que adoeceu e morreu.

Pensei nisso e em outras histórias de amor trágicas, ouvindo o marulho suave e sentada em silêncio ao lado da mulher. Embora as lâmpadas ainda estivessem acesas, já não se distinguia a claridade delas ao raiar do dia. A luz do amanhecer havia gradualmente introduzido um novo aspecto no nosso silêncio.

O telefone rompeu a nossa comunhão. A ligação era para mim. Eram quinze para as sete e o motorista tinha que me levar a Wuxi para um encontro com o Departamento de Propaganda da Guarda de Trânsito às oito e meia.

Despedi-me da mulher com um aperto de mão, mas limitei-me a dizer: "Coma um pouco mais, por favor, e descanse um pouco".

Na estrada para Wuxi, adormeci no assento traseiro do carro. O atencioso motorista não me acordou quando chegamos ao nosso destino. Estacionou o carro e foi ele mesmo procurar as pessoas do Departamento de Propaganda da Guarda de Trânsito. Ninguém tinha chegado ao escritório ainda, de modo que pude dormir mais uma hora inteira. Quando acordei, vi as pessoas que eu devia encontrar paradas ao lado do carro e conversando à minha espera. Fiquei embaraçada e sem nenhuma explicação a dar. Um dos guardas me provocou: "Xinran, se você dormir em todo lugar aonde for, vai engordar".

O dia transcorreu no ritmo agitado do jornalismo: recolhi material em vários lugares e discuti o conteúdo da reportagem que estava fazendo. Felizmente passei um bom tempo dentro do carro e pude tirar várias sonecas.

Quando voltei para o hotel, à noite, encontrei em cima da minha cama uma lista de todos os empregados que queriam um autógrafo meu. Coloquei-a de lado, tomei um banho e fui visitar a mulher no quarto 4209. Ainda que ela não quisesse falar, achei que sentar com ela seria de alguma ajuda. Devia estar parada atrás da porta, esperando por mim, pois abriu assim que parei diante da porta.

Sorriu com algum esforço, mas manteve-se em silêncio. Mais uma vez sentamos à janela, olhando para o lago ao luar. A superfície da água estava calma, e fizemos companhia uma à outra na paz daquela atmosfera.

Ao amanhecer, fiz sinal dando a entender que tinha que ir trabalhar e ela me apertou a mão, com fraqueza mas muita emoção. Voltei para meu quarto, dei uma olhada rápida em algumas anotações que tinha trazido comigo e escrevi um bilhete de agradecimento à telefonista. Eu tinha adquirido o hábito de ter sempre comigo cartões para dar autógrafos a ouvintes entusiastas que viesse a encontrar por acaso. Assinei alguns deles para os empregados do hotel e deixei-os com a atendente do meu andar.

A minha breve viagem a trabalho assumiu um padrão: eu fazia as entrevistas em Wuxi durante o dia e passava as noites sentada em silêncio com a mulher, olhando para o lago Taihu. A cada dia nosso silêncio parecia se tornar mais profundo e carregado de emoção.

Na última noite, disse à mulher que ia embora no dia seguinte, mas que telefonaria. Ela não respondeu nada, mas sorriu, abatida, e me deu um leve aperto de mão. Deu-me uma foto que tinha sido rasgada ao meio e que parecia dela, tirada quando era estudante, nos anos 40. A garota que se via irradiava juventude e felicidade. No verso da foto havia uma parte de uma frase, em tinta desbotada: "água não pode...". Outra frase, em tinta mais forte, parecia mais recente: "As mulheres são como a água, os homens, como as montanhas". Imaginei que a pessoa na metade da foto que faltava era a causa do sofrimento da mulher.

Deixei o hotel junto ao lago Taihu, mas não tive a sensação de haver partido.

De volta a Nanquim, fui direto visitar meus pais para lhes dar as especialidades de Wuxi que tinha trazido para eles: estatuetas de argila e costeletas. O motorista, ao abrir a porta do carro para mim, disse: "Xinran, se você fizer outra viagem como esta, não venha me procurar. Morri de tédio no carro. Você só queria dormir e não tive ninguém com quem conversar!".

Já era tarde quando cheguei, e meus pais tinham ido dormir. Resolvi me enfiar no quarto de hóspedes e deixar para vê-los de manhã. Do outro quarto, minha mãe perguntou: "Correu tudo bem?", e os sonoros roncos do meu pai me informaram que, com eles, estava tudo bem.

Logo ao amanhecer do dia seguinte, meu pai, que se levantava muito cedo, me despertou com um dos seus incontroláveis acessos de espirros. Fazia isso toda manhã. Certa vez contei vinte e quatro espirros seguidos. Sonolenta e exausta, voltei a adormecer, mas logo tornei a acordar com o meu pai batendo na porta e chamando: "Levante, rápido, é urgente!".

"O que foi? O que aconteceu?" Eu estava confusa, pois a casa dos meus pais aposentados costumava ser muito tranqüila.

Meu pai estava diante da porta, segurando a foto rasgada que eu tinha deixado na mesa da sala de estar. Perguntou, agitado. "Onde foi que você achou esta foto? É ela!".

"O quê? De quem você está falando?"

"Esta é Jingyi, aquela minha colega de turma. A que esperou o namorado durante quarenta e cinco anos!" Não continha a impaciência diante da minha lentidão.

"É mesmo? Tem certeza de que é ela? Será que a idade não está afetando os seus olhos? Faz quarenta e cinco anos e essa foto é velha." Eu mal conseguia acreditar nele.

"Eu não poderia me enganar. Ela era a garota mais bonita da classe. Todos os rapazes gostavam dela e havia muitos atrás dela."

"Até você?"

"Xiu! Fale baixo. Se a sua mãe ouvir, vai ficar com idéias ainda mais estranhas na cabeça. Para dizer a verdade, eu gostei de Jingyi, mas não fazia parte da turma dela", disse ele, acanhado.

"Não fazia parte da turma dela? Impossível! Você está sempre se gabando do sucesso que fazia quando era moço", provoquei, já preparando as malas de novo.

"Por que você vai embora tão cedo?", perguntou meu pai.

"Vou voltar para Wuxi agora mesmo. Fiz tanto esforço para encontrar Jingyi e agora a encontrei por acaso."

"Se eu soubesse disso, não teria acordado você", replicou meu pai, pesaroso.

Um dos diretores da emissora morava perto dos meus pais. Corri à casa dele e pedi uma licença de emergência. Menti que tínhamos uma parente de visita e que eu precisava de alguns dias para mostrar a cidade a ela. Odeio mentir porque acredito que a mentira encurta a vida, mas estava com mais medo ainda de que o diretor soubesse a verdade. Depois de obter a permissão, liguei para a apresentadora substituta do meu programa e pedi que continuasse me substituindo por mais alguns dias.

Perdi o trem do meio-dia para Wuxi e tive que esperar pelo da noite, com a cabeça girando de perguntas sobre Jingyi e ardendo de impaciência. O tempo parecia rastejar.

Na hora em que o meu programa estava começando, dez horas ou perto disso, cheguei ao hotel do lago Taihu. A recepcionista me reconheceu: "Ah, você não foi embora, então?".

"Não, não fui", respondi, sem querer perder tempo com explicações.

Diante da porta do quarto 4209, as perguntas que se acumulavam na minha cabeça sumiram de repente e hesitei de novo. Levantei e baixei a mão duas vezes, antes de bater.

"Jingyi, sou eu, Xinran." Eu tinha vontade de chorar. Tinha passado tantas noites sentada ao lado dela, sem saber de nada. Imaginei-a sentada durante quarenta e cinco anos e o meu peito se contraiu.

Antes que eu pudesse me recompor, a porta se abriu.

Ela surgiu, atônita, e perguntou: "Você não tinha ido embora? E como é que sabe o meu nome?".

Levei-a para sentar junto à janela, mas desta vez não fiquei calada e repeti o que meu pai me havia contado. Jingyi ouviu chorando, sem fazer esforço para enxugar as lágrimas. As perguntas que eu queria fazer me sufocavam, mas só consegui dizer: "Você está pensando em Gu Da?". Nisso ela desmaiou.

Fiquei assustada e liguei para a telefonista pedindo uma ambulância.

A telefonista hesitou. "Xinran, é de madrugada..."

"As pessoas não distinguem entre o dia e a noite quando estão morrendo. Você suportaria ver uma mulher morrer na sua frente?", perguntei, agitada.

"Está bem, não se preocupe. Vou chamar agora mesmo."

A telefonista foi muito eficiente. Não passou muito tempo para que eu ouvisse alguém gritando no prédio: "Onde está Xinran?".

Respondi, rápido: "Estou aqui!".

O motorista da ambulância, quando me viu, admirou-se. "Você é Xinran? Mas não há nada de errado com você!"

"Eu estou ótima." Confusa, imaginei que a telefonista tivesse se valido da minha suposta fama junto ao público para chamar a ambulância.

Acompanhei Jingyi ao hospital militar. Não deixaram que eu estivesse presente enquanto a examinavam, e só pude olhar por uma janela minúscula na porta. Ela estava lá deitada, na brancura do quarto, e eu, pensando no pior, fui ficando cada vez mais ansiosa. Não conseguia parar de pedir, em lágrimas: "Ah, Jingyi, acorde!".

Um médico me deu um tapinha no ombro. "Não se preocupe, Xinran, ela está bem. Só está fraca. Parece que sofreu um grande desgosto, mas os testes das funções vitais não revelam nada de grave. Isso é muito bom para a idade dela. Com uma dieta mais nutritiva, ela vai ficar ótima."

Ouvindo o diagnóstico, comecei a me acalmar, embora ainda sentisse intensamente a angústia de Jingyi. Murmurei para o médico: "Ela deve ter sofrido muito. Não sei como atravessou mais de quinze mil noites...".

O médico me deixou descansar na sala do pessoal de plantão. Ainda com a cabeça girando, mas exausta, peguei no sono. Sonhei com mulheres chorando e se debatendo, e acordei sem me sentir descansada.

No dia seguinte fui ver Jingyi quatro ou cinco vezes, mas encontrei-a sempre dormindo. O médico disse que ela dormiria por vários dias, porque estava prostrada.

Reservei uma cama no dormitório da pensão do hospital. Estava sem dinheiro suficiente para um quarto particular, e além disso praticamente não usei a cama. Não querendo que Jingyi ficasse sozinha, passava a noite toda ao lado de sua cama e descansava um pouco durante o dia. Ela esteve inconsciente durante vários dias, e um leve tremor nas pálpebras era seu único movimento.

Ao anoitecer do quinto dia, finalmente despertou. Pareceu não entender onde se encontrava e começou a se esforçar para falar.

Pus um dedo sobre seus lábios e contei-lhe baixinho o que havia acontecido. Ela ouviu, estendeu a mão para segurar a minha, em gratidão, e conseguiu proferir as primeiras palavras: "O seu pai vai bem?".

Rompera-se a represa, e o relato de Jingyi irrompeu sobre a brancura dos travesseiros do hospital. Foi com voz firme que me contou a sua história naquela noite.

Em 1946, Jingyi foi aprovada no exame de admissão da Universidade de Qinghua. Logo no primeiro dia na faculdade viu Gu Da, que não se distinguia dos outros pela aparência nem pelas realizações. Naquele dia, em silêncio, ajudava os outros com a bagagem e parecia um carregador da universidade. Jingyi e Gu Da foram postos na mesma sala, onde muitos rapazes começaram a cortejá-la por causa da sua beleza e meiguice. Diferentemente deles, Gu Da costumava sentar sozinho num canto da sala, ou ler nos jardins da universidade. Jingyi não prestava muita atenção nele, só reparou que ele lia muito.

Era uma garota alegre, e costumava sugerir atividades de que os colegas gostavam de participar. Num dia claro de inverno, depois de uma nevasca pesada, os estudantes saíram para fazer um boneco de neve. Jingyi sugeriu que modelassem dois bonecos de neve e que usassem pilritos cristalizados para compor o nariz. Homens e mulheres se dividiriam em dois grupos, e cada um deles, de olhos vendados, beijaria os bonecos de neve. Quem tivesse sorte comeria um pilrito; os outros morderiam a neve.

Na época, transporte público e bicicletas não eram comuns. O único jeito de encontrar pilritos cristalizados para a brincadeira seria andar várias horas na neve até o centro de Pequim, então conhecida como Peiping. Os estudantes homens, que normalmente competiam pela atenção de Jingyi, não se ofereceram para fazer isso, e vários voltaram de mansinho para o dormitório. Jingyi ficou desapontada, mas não insistiu.

No dia seguinte outra nevasca cobriu tudo com uma densa camada de neve e a maioria dos estudantes passou o dia na sala de aula, lendo. Mais ou menos na metade do período noturno de estudo, um homem coberto de gelo entrou na sala iluminada pela luz fraca das lâmpadas. Aproximou-se de Jingyi e, com algum esforço, tirou do bolso dois bastões de pilritos cristalizados de Peiping, ambos congelados. Antes que alguém conseguisse identificá-lo, o homem coberto de gelo se virou e saiu da sala.

Jingyi, atônita, tinha reconhecido Gu Da. Enquanto os colegas falavam animados sobre bonecos de neve e o jogo no dia seguinte, a jovem olhava os pilritos cristalizados e a neve caindo lá fora, e imaginava Gu Da a caminhar no frio.

Gu Da não participou da brincadeira no dia seguinte. Seus colegas de dormitório disseram que ele dormia como um morto, como se tivesse tomado uma poção mágica. Jingyi ficou preocupada, achou que estivesse doente de exaustão. Mas no período de estudo daquele noite, sentiu-se aliviada de vê-lo chegar e sentar no seu canto para ler como de costume. Ao terminar de estudar, parou diante dele e agradeceu. Gu Da sorriu timidamente e disse: "Não foi nada. Eu sou um homem".

A resposta simples de Gu Da tocou Jingyi. Era a primeira vez que sentia a força e a solidez masculinas. Começou a se sentir como a heroína de um livro e os pensamentos não a deixavam dormir à noite.

Passou a observar Gu Da com atenção. A natureza taciturna dele lhe provocava todo tipo de conjectura, e ela pensava o tempo todo no seu comportamento. Com exceção do momento em que lhe trouxera os pilritos cristalizados, parecia indiferente a ela, num grande contraste com a atitude dos outros rapazes, que a perseguiam. Começou a esperar que ele lhe desse alguma atenção e se pôs a encontrar pretextos para puxar conversa. Ele respondia impassivelmente, sem demonstrar nenhuma atenção especial na fala ou na atitude. Essa reserva, longe de contrariá-la, simplesmente aumentou sua expectativa.

A simpatia de Jingyi por Gu Da exasperava muitos dos seus pretendentes. Faziam pouco do retraimento de Gu Da, chamando-o de sapo que sonhava em beijar a princesa e acusando-o de brincar com os sentimentos de Jingyi. Não faziam esses comentários na presença de Jingyi, mas uma colega, um dia, repetiu-os para ela, dizendo que Gu Da devia mesmo ser feito de madeira e que só replicava: "As pessoas envolvidas sabem o que é verdade e o que é falso".

Jingyi admirava a calma de Gu Da diante das zombarias dos colegas, achando que fazia parte das qualidades de um homem de verdade. Mas nem por isso deixava de se aborrecer com o fato de Gu Da permanecer assim indiferente por tanto tempo.

Pouco antes dos exames de final de trimestre, Gu Da faltou às aulas dois ou três dias seguidos. Os colegas de dormitório disseram que ele estava dormindo. Jingyi não acreditou que estivesse só dormindo, mas não tinha permissão de visitá-lo no dormitório devido à estrita separação entre os sexos. No terceiro dia, porém, deixou sorrateiramente a sala enquanto os outros estavam absortos nos estudos e foi até o dormitório. Abriu a porta devagar e viu Gu Da adormecido. Ele estava com o rosto muito vermelho. Ao pegar delicadamente a mão dele para enfiá-la embaixo do acolchoado, notou que ardia de quente. Embora na época não se permitisse nenhum contato físico entre um homem e uma mulher que não fossem casados, tocou a cabeça e o rosto de Gu Da sem hesitar e constatou que também estavam quentes. Chamou-o em voz alta, mas ele não respondeu.

Jingyi correu de volta para a sala de aula, gritando por ajuda. Ficaram todos alarmados com o seu pânico e dispararam em direções diferentes à procura de um professor ou de um médico. Mais tarde o médico diria que Gu Da teve sorte ao ser encontrado em tempo: se tivesse passado mais um dia sem assistência, teria morrido de pneumonia aguda. Não havia recursos hospitalares no câmpus de Qinghua e o médico receitou de dez a vinte doses de ervas medicinais, dizendo que seria melhor se algum parente pudesse cuidar dele, para lhe aplicar compressas frias e esfregar-lhe gelo nas mãos e nos pés.

Gu Da nunca mencionara parentes nem amigos em Peiping. A casa dele ficava no sul da China, mas a linha ferroviária estava interrompida, portanto não havia como entrar em contato com a família. E de toda forma não daria tempo para que alguém viesse cuidar dele durante o período crítico. O médico, preparando-se para ir embora, viu-se num dilema: não tinha certeza se Gu Da sobreviveria sob os cuidados daqueles jovens inexperientes que discutiam, agitados, a situação. Mas Jingyi aproximou-se do médico e disse, baixinho: "Eu cuido dele. Gu Da é meu noivo".

O sub-reitor, então, sendo homem generoso, providenciou para que os rapazes que dividiam o dormitório com Gu Da passassem para outro aposento para que Gu Da pudesse repousar em paz e Jingyi ficasse com ele. Mas ela foi estritamente proibida de dormir no quarto.

Durante mais de dez dias Jingyi pôs compressas frias na cabeça de Gu Da, lavou-o, alimentou-o e preparou-lhe as ervas medicinais. A luz ficava acesa a noite inteira no dormitório de Gu Da, e o cheiro amargo dos remédios se espalhava pelos corredores, junto com o som suave da voz de Jingyi, que cantava músicas do sul da China, pensando em reanimar Gu Da com canções da sua região natal. Os colegas de classe, especialmente os rapazes, suspiravam pensando na delicada Jingyi a cuidar incansavelmente de Gu Da.

Sob os cuidados constantes de Jingyi, Gu Da se recuperou. Disse o médico que ele escapou das garras da morte.

O amor dos dois se solidificou — ninguém podia invejá-lo, depois dos sacrifícios que eles tinham feito. Mas algumas pessoas ainda comentavam que unir Jingyi com Gu Da era como atirar uma flor viçosa num monte de esterco.

Durante os quatro anos de universidade, Jingyi e Gu Da ajudaram-se mutuamente nos estudos e na vida cotidiana. Cada dia que passava era uma prova do seu amor — o primeiro para ambos, e inabalável na sua força. Ideologicamente engajados, ingressaram juntos no Partido Comunista, então clandestino, sonhando com uma nova era e uma nova vida, imaginando os filhos que teriam e falando das suas bodas de ouro.

A formatura deles coincidiu com a fundação de uma nova China, e o status político de ambos, finalmente revelado, rendeu-lhes um respeito inusitado na sociedade. Foram convocados separadamente para entrevistas com o exército. Tinham ambos estudado engenharia mecânica, e a nova pátria, ainda na infância, precisava do conhecimento deles para a defesa nacional. Era uma época solene: tudo tinha um forte sentido de missão e as coisas aconteciam muito depressa. As experiências de Jingyi e Gu Da na clandestinidade haviam ensinado que o dever os obrigava a aceitar todas as missões e a executá-las até o fim. Tudo, inclusive a separação, tinha que ser aceito incondicionalmente.

Jingyi foi postada numa base militar no noroeste e Gu Da, numa unidade do exército na Manchúria. Antes de se separar, combinaram de se reencontrar nos jardins da Universidade de Qinghua, onde contariam suas experiências um ao outro e depois iriam ao centro de Pequim para comer pilritos cristalizados. Pediriam permissão ao Partido para se casar, iriam para a casa de Gu Da, junto ao lago Taihu, no sul da China, e ali se instalariam para iniciar uma família. O combinado ficou firmemente gravado na mente de Jingyi.

Contrariando todas as expectativas, com o início da guerra da Coréia no ano seguinte foram ambos confinados às suas respectivas unidades de trabalho militar. Fazia três anos que estavam separados quando Jingyi foi temporariamente transferida para uma unidade militar especial de pesquisa e desenvolvimento, na região central do país, sem permissão de visitar amigos nem parentes. No quarto ano da separação, Gu Da foi transferido para uma base da força aérea, no leste da China. Os endereços que iam mudando na caixa de cartas de amor de Jingyi eram prova de que ela e Gu Da eram indispensáveis às necessidades urgentes da nova China e de sua indústria militar.

Nas cartas ficava patente a relutância de ambos em romper o compromisso, mas estava se tornando cada vez mais difícil combinarem um encontro. O "dever ao Partido" levava a inúmeros adiamentos de encontros planejados e com freqüência interrompia a correspondência dos dois. No caos dos movimentos políticos do final dos anos 50, Jingyi foi submetida a interrogatório devido a problemas nos seus antecedentes familiares e enviada para a região rural de Shaanxi para "treinamento e reforma". Naquela época, mesmo a importante tarefa de construir as defesas nacionais era considerada secundária em relação à luta de classes. Jingyi perdeu toda a liberdade de movimento e de comunicação. Quase enlouqueceu de saudade de Gu Da, mas os camponeses encarregados de supervisionar a sua reforma recusaram-se a ajudá-la. Não podiam desafiar as ordens do presidente Mao e permitir que ela partisse: poderia tornar-se espiã ou ter contato com os contra-revolucionários. Mais tarde um militante do Partido sugeriu-lhe uma saída: ela poderia mudar a situação e obter a liberdade, casando-se com um camponês. Ainda profundamente apaixonada por Gu Da, Jingyi considerou a idéia intolerável.

Passou nove anos trabalhando no povoado em Shaanxi. O riacho da aldeia era sua linha de salvação e local não oficial de encontros, onde se trocavam mexericos sobre os moradores e notícias que chegavam de longe. Jingyi via o riacho como o seu único meio de comunicação com Gu Da. Quase toda noite, sentava-se ali à margem e, em silêncio, expressava a saudade que sentia dele, esperando que as águas velozes levassem seus sentimentos até o lugar onde ele estivesse. Mas o riacho não lhe trazia notícia alguma do mundo lá fora.

Ao longo dos anos os camponeses foram esquecendo aos poucos que havia alguma coisa de especial em Jingyi. Ela adquiriu a aparência exata de uma camponesa típica e só havia um traço que a distinguia das outras: era a única mulher da sua idade que ainda não se casara.

No final dos anos 60 um funcionário do distrito foi à aldeia transmitir a Jingyi a ordem do governo para que ela se preparasse para ser transferida. A ordem era "entender a revolução e aumentar a produção". Tinha começado a campanha anti-soviética.

Assim que regressou à sua base militar, Jingyi se dispôs a fazer duas coisas. A primeira era provar que permanecia essencialmente a mesma. Os anos de trabalho na lavoura a tinham envelhecido e mudado muito a sua aparência. De início os colegas não a reconheceram nem acreditaram que ela ainda possuísse as antigas qualificações. Submeteram-na a testes e experiências, fizeram-na analisar problemas e descrever acontecimentos passados, até que, depois de uma semana, concluíram que sua inteligência não diminuíra.

A segunda coisa, que era mais importante para Jingyi pessoalmente, era retomar contato com Gu Da. Os colegas ficaram comovidos com a sua dedicação e puseram-se todos a investigar para ajudá-la na busca. Procuraram durante três meses, mas tudo o que apuraram foi que Gu Da tinha sido preso no início da Revolução Cultural, acusado de ser reacionário e possível agente secreto do Kuomintang. As indagações nas prisões para onde ele poderia ter sido mandado deram em respostas insatisfatórias: Gu Da parecia ter passado por todas elas, mas ninguém sabia dizer para onde fora em seguida. Para Jingyi, enquanto não houvesse notícia de Gu Da havia esperança, e isso dava significado à vida dela.

Durante a Revolução Cultural, Jingyi teve mais sorte do que a maioria dos colegas e ex-colegas de classe. Recebeu proteção especial devido a suas qualificações; foram inúmeras as vezes em que os líderes da base militar a esconderam dos guardas vermelhos. Ela compreendia o grande risco a que os líderes se expunham e contribuiu com várias realizações científicas importantes para pagar a dívida que tinha com eles.

Jingyi nunca parou de procurar Gu Da. Visitou cada cidade e aldeia onde ele poderia ter estado, e chegou a ir ao lago Taihu, com o qual os dois tinham sonhado. Com a ajuda de amigos, passou duas semanas viajando em torno do lago à procura dele, mas não encontrou vestígio algum.

Nos anos 80, depois de instaurada a política de reforma e abertura, as pessoas finalmente despertaram do interminável pesadelo de caos político e social e começaram a recolocar em ordem o que fora lançado em confusão. Jingyi foi uma entre as inúmeras pessoas a procurar parentes ou amigos perdidos por meio de cartas, telefonemas e investigações pessoais. Era freqüente os outros não se deixarem tocar pela sua obstinação: Gu Da era namorado de Jingyi, não deles. A Revolução Cultural entorpecera os sentimentos de muita gente, que tinha aprendido a duras penas a pôr as necessidades físicas e a segurança política na frente de empatia ou emoção.

Quando recebeu uma cópia da lista de pessoas que compareceriam à celebração do aniversário de Qinghua em 1994, Jingyi procurou ansiosa o nome de Gu Da, mas não o encontrou. Ao viajar para Pequim para o evento, levou consigo dezenas de cartas pedindo ajuda, para distribuir entre os antigos colegas de classe.

No primeiro dia da celebração, reuniu-se gente vinda de toda a China no câmpus de Qinghua. Os mais jovens se cumprimentavam animadamente: o tempo ainda não os mudara muito. Os mais velhos pareciam relutar: para a maioria, foi só depois de entrarem na sala designada para o seu ano e classe que conseguiram identificar velhos colegas com alguma certeza.

Na confusão inicial, ninguém reconheceu Jingyi, e também ela não reconheceu ninguém. Uma atendente da universidade a levou até a sala designada para o seu ano e classe. Ao entrar, Jingyi viu imediatamente um homem de costas para ela, um homem que sempre lhe seria familiar, por mais que as privações da vida o tivessem mudado: Gu Da. Jingyi ficou muito emocionada, começou a tremer, o pulso se acelerou e ela se sentiu fraca. A jovem atendente segurou-a pelo braço e perguntou, preocupada, qual era o problema, se ela tinha alguma doença cardíaca. Incapaz de falar, Jingyi indicou com um sinal que estava bem, ao mesmo tempo que apontava para Gu Da.

Forçou-se a chegar perto dele, mas a emoção era tanta que mal conseguia se mover. Bem quando ia falar com ele, ouviu-o dizer: "Esta é minha mulher, Lin Zhen, minha filha mais velha, Nianhua, minha segunda filha, Jinghua, e minha terceira filha, Yihua. Sim, sim, acabamos de chegar...".

Jingyi congelou.

Gu Da se virou bem nesse momento e ficou paralisado ao vê-la. Arquejou, e a esposa, preocupada, perguntou o que havia de errado. Ele respondeu em voz trêmula: "Esta... é Jingyi".

"Jingyi? Não pode ser..." A esposa a conhecia de nome.

Os três idosos, comovidos, permaneceram em silêncio por alguns momentos, controlando as próprias emoções. Com lágrimas nos olhos, a esposa finalmente contou que Gu Da só se casara com ela ao ser informado de que Jingyi tinha morrido. Em seguida fez menção de deixar os dois sozinhos, mas Jingyi a reteve.

"Por favor... por favor, não se afaste. O que tivemos ficou no passado, quando éramos jovens, mas agora, no presente, vocês têm uma família completa. Por favor, não magoe essa família. Saber que Gu Da é feliz será um consolo muito maior para mim."

Não era exatamente isso que ela sentia, mas foi sincera.

A filha mais nova, ao saber quem era Jingyi, disse: "Os ideogramas iniciais do meu nome e dos nomes das minhas irmãs formam a frase 'Nian Jing Yi' — em memória de Jingyi. Meus pais dizem que é para se lembrarem da senhora. A Revolução Cultural transformou em caos a vida de muita gente. Por favor, procure no seu coração um meio de perdoar os meus pais".

Jingyi sentiu-se mais calma de repente e encontrou forças para apertar a mão da mulher de Gu Da. "Obrigada por se lembrar de mim", disse, "obrigada por haver dado a ele uma família tão feliz. A partir de hoje serei mais feliz, porque terei uma preocupação a menos. Vamos, vamos juntos para a reunião."

Todos aproveitaram a deixa de Jingyi e se encaminharam para o auditório. Depois de sentarem nos lugares designados, Jingyi esgueirou-se e voltou para o hotel. Queimou as cartas que levara, em que pedia ajuda para achar Gu Da. Junto com as cartas, foram-se as esperanças longamente acalentadas e a calma momentânea.

Vários dias depois, recompôs-se e telefonou para a unidade de trabalho, pedindo mais alguns dias de licença. A colega que atendeu disse que havia um telegrama para ela, mandado por um tal Gu Jian, pedindo que entrasse em contato o mais breve possível. Jingyi entendeu que, por motivos que ignorava, Gu Da tinha mudado o nome para Gu Jian. Fora por isso que suas investigações não tinham dado em nada.

Tomou um trem e viajou para o Sul, para o lago Taihu, pretendendo encontrar uma casa para morar, como aquela com que ela e Gu Da tinham sonhado um dia. Não teve dinheiro nem forças suficientes para fazer isso, então hospedou-se no hotel junto ao lago.

Não sentia vontade de ver ninguém, e sobrevivia com macarrão instantâneo, refletindo dia e noite.

Jingyi tinha quase terminado a sua história. Ergueu uma mão, debilmente, e traçou um círculo no ar.

"Quarenta e cinco anos de anseio constante por ele fizeram que minhas lágrimas formassem um lago de saudade. Junto a esse lago eu esperei todos os dias, com confiança e amor. Achava que meu amado sairia do lago para me tomar nos braços. Mas, quando finalmente saiu, havia outra mulher ao seu lado. As pegadas deles perturbaram a superfície límpida do meu lago. As ondulações destruíram os reflexos do Sol e da Lua, e a minha esperança se foi.

"Para continuar vivendo, eu precisava esquecer Gu Da e os meus sentimentos. Tive a esperança de que o lago Taihu me ajudasse a fazer isso, mas é difícil apagar quarenta e cinco anos."

Ouvi o vazio na sua voz, a angústia, o desamparo. Não havia empatia que bastasse.

Eu tinha que voltar para Panpan e para o meu trabalho, mas não queria deixá-la sozinha. Telefonei para meu pai naquela noite para perguntar se ele e minha mãe podiam vir a Wuxi para fazer companhia a Jingyi por alguns dias. Chegaram no dia seguinte. Minha mãe, ao se despedir de mim na porta do hospital, disse: "Jingyi deve ter sido realmente bonita quando era jovem".

Uma semana mais tarde, meus pais retornaram a Nanquim. Meu pai me contou que, com a permissão de Jingyi, entrara em contato com a sua unidade de trabalho. Estavam à sua procura, e ao serem informados do ocorrido mandaram imediatamente alguém para cuidar dela. Meu pai disse que, sem que ela soubesse, fez pelo telefone um relato abreviado da história de Jingyi ao colega. O homem ríspido com quem ele falou se pôs a chorar e disse, aos soluços: "Nós todos sabemos como Jingyi sofreu procurando esse amor, mas ninguém é capaz de descrever a profundidade dos sentimentos dela".

Meu pai descobriu por que Gu Da mudou de nome e contou a Jingyi o que apurou. O líder dos guardas vermelhos na segunda prisão para onde Gu Da foi enviado tinha exatamente o mesmo nome, por isso Gu Da foi obrigado a adotar outro. Os guardas vermelhos mudaram-lhe o nome para Gu Jian em todos os documentos, sem autorização de ninguém para fazer isso. Gu Jian empenhou-se junto às autoridades locais para recuperar o nome antigo, mas elas se limitaram a dizer: "Ora, muitos erros foram cometidos durante a Revolução Cultural. Quem é que pode corrigi-los?". Mais tarde alguém lhe disse que Jingyi, que ele havia procurado durante anos, morrera fazia mais de vinte anos, num acidente de carro. Ele, então, decidiu deixar que o nome Gu Da também morresse.

Para Jingyi, as mulheres são como a água e os homens, como as montanhas. A comparação era válida? Fiz a pergunta aos meus ouvintes e recebi mais de duzentas respostas em uma semana. Dessas, mais de dez vieram de colegas meus. O Grande Li escreveu: "Os chineses precisam das mulheres para formarem uma imagem de si mesmos — como as montanhas ao se refletirem nos riachos. Mas os riachos correm das montanhas. Onde está a imagem verdadeira, então?".

11. A filha do general do Kuomintang

Os temas discutidos no meu programa às vezes provocavam um debate acirrado entre os ouvintes e, para minha surpresa, com freqüência eu encontrava os colegas querendo continuar o debate no dia seguinte. Na manhã depois de apresentar um programa sobre a invalidez, que havia suscitado uma grande diversidade de opiniões, vi-me no elevador com o Velho Wu, o chefe da Administração. Enquanto o elevador rangia e sacudia até o décimo sexto andar, ele aproveitou a oportunidade para conversar sobre o programa da véspera. Era ouvinte regular, sempre disposto a compartilhar comigo suas idéias e opiniões. Sentia-me tocada pelo seu interesse. A política havia amortecido a tal ponto o entusiasmo pela vida na China, que era raro encontrar homens de meia-idade, como o Velho Wu, que ainda sentissem curiosidade pelas coisas. Também era inusitado uma pessoa que trabalhasse na mídia chinesa ver, ouvir ou ler o que fosse divulgado pelo veículo em que trabalhava: todos sabiam que era mera propaganda do Partido.

"Achei muito interessante o que você discutiu ontem à noite", disse o Velho Wu. "Todos os seus ouvintes concordaram que devemos ter compaixão e compreensão pelos inválidos. Ter compaixão é fácil, mas acho que compreender já não é tão fácil. Quantas pessoas podem se distanciar da mentalidade de quem é fisicamente capaz, e compreender os deficientes nos próprios termos deles? E as experiências de quem nasceu com uma deficiência têm que ser diferenciadas das de pessoas que se tornaram inválidas ao longo da vida. Claro que... Ei, o que foi? A luz vermelha está acesa?"

O elevador tinha parado com um solavanco e a luz de alarme tinha acendido, mas ninguém entrou em pânico: defeito era coisa de todo dia. Por sorte o elevador tinha parado num andar e não entre dois, de modo que o técnico, uma das pessoas mais populares no prédio, logo abriu a porta. Ao sair do elevador, o Velho Wu me disse uma última coisa, quase como se desse uma ordem: "Xinran, encontre algum tempo para conversar comigo. Não pense só nos seus ouvintes. Ouviu?".

"Sim, ouvi", respondi alto, enquanto ele se afastava.

"Então você ouviu, Xinran?" Havia um supervisor de programação parado no corredor.

"Ouvi o quê? Eu estava falando com o diretor Wu."

"Pensei que você tivesse ouvido sobre a discussão que o departamento editorial teve sobre o seu programa de ontem."

Sabendo como a língua dos meus colegas podia ser afiada, coloquei-me na defensiva. "O que foi que discutiram? O tema? Alguma coisa que os ouvintes disseram? Alguma coisa que eu disse?"

"Eles discutiam se é mais triste nascer deficiente ou tornar-se deficiente depois", respondeu o supervisor de programação, seguindo em frente sem olhar para trás.

O departamento editorial parecia haver retomado o debate da véspera. Quando entrei na minha sala, havia sete ou oito pessoas numa discussão acalorada, inclusive dois técnicos. Todos tinham opiniões firmes: alguns estavam vermelhos de entusiasmo, outros gesticulavam e batiam com lápis nas mesas.

Não quis ser arrastada para a discussão, depois de experimentar as dificuldades de lidar com a questão da invalidez com os ouvintes, que tinham me mantido no estúdio até bem depois de encerrado o programa. Eu só tinha voltado para casa às três da manhã. Com toda a discrição possível, apanhei as cartas que tinha vindo pegar e me apressei para fora da sala.

Mas mal eu tinha chegado à porta, o Velho Chen gritou: "Xinran, não vá embora! Você iniciou este incêndio, portanto deve apagá-lo!".

Murmurei uma desculpa: "Eu volto, o chefe quer me ver por um minuto", e disparei em busca de refúgio na sala do diretor da estação. Só que o encontrei à minha espera.

"É falar do diabo...!", exclamou.

Fiquei tensa, temendo o pior.

"Esta é uma cópia do registro dos telefonemas que recebemos. Há um aí que pode dar uma entrevista bem interessante. Dê uma olhada e prepare algumas idéias durante a tarde", disse, peremptório.

Havia uma mensagem para mim no registro: a filha de um general do Kuomintang estava num hospital para doentes mentais e me pediam que entrasse em contato com um dr. Li. Não havia nada que fizesse pensar numa boa história, mas eu sabia que o diretor era muito astuto; se disse que havia alguma coisa, era provável que houvesse. Ele tinha o talento de enxergar o quadro mais amplo, de ver as questões que podiam virar notícia por trás de coisas menores. Com freqüência eu achava que, num ambiente de imprensa livre, ele teria feito muito sucesso profissionalmente.

Telefonei para o dr. Li, que foi breve: "A mulher é filha de um general do Kuomintang, é deficiente mental, mas não nasceu assim. Dizem que na infância ela ganhou o primeiro prêmio num grande concurso de redação na província de Jiangsu, mas agora...". Calou de repente. "Desculpe, podemos conversar pessoalmente?"

Concordei na mesma hora e combinamos de eu ir ao hospital à uma e meia daquela tarde.

Depois de uma rápida saudação, o dr. Li me levou para ver a mulher. Ao entrarmos no quarto branco e silencioso, um rosto pálido e sem expressão se virou na nossa direção.

"Shilin, esta é Xinran. Ela veio ver você", disse o dr. Li.

O dr. Li voltou-se para mim. "Ela não reage a praticamente nada, mas acho que devemos tratá-la com respeito assim mesmo. Ela não nasceu com deficiência mental, e entendia a fala e os sentimentos normais." Olhou para o relógio. "Umas parentes de Shilin ouviram o seu programa ontem e uma delas me pediu que marcasse um encontro com você. Eu estou de plantão agora, mas espere aqui um instante, por favor. As parentes de Shilin devem chegar a qualquer momento."

Eu nunca tinha estado sozinha com um deficiente mental. Tentei conversar com Shilin, que parecia me ouvir, mas não reagia. Sem muita certeza do que fazer, peguei meu bloco de anotações e comecei a desenhá-la. Ela permaneceu completamente em silêncio, sem prestar atenção ao que eu fazia.

Shilin era muito bonita. Calculei que estivesse por volta dos quarenta anos, mas tinha a pele ao redor dos olhos clara e sem rugas. Seus traços eram regulares e bem-proporcionados, e o nariz reto atraía a atenção para os seus olhos longos e estreitos, que se voltavam levemente para cima nos cantos, como se ela estivesse prestes a sorrir. Os lábios eram finos, como os das mulheres retratadas em antigas pinturas chinesas.

Antes de eu terminar meu desenho, as parentes de Shilin chegaram: a tia e a prima — mãe e filha. A tia, Wang Yue, era uma mulher que falava bem e de muito boas maneiras. A prima, Wang Yu, estava na faixa dos trinta anos e trabalhava como contadora numa editora de revistas.

Wang Yue contou que, na véspera, a família tinha ligado o rádio antes de ir deitar. Todos ouviam o programa todas as noites, porque os ajudava a dormir. Perguntei-me se o meu programa era enfadonho assim, e não soube se devia me aborrecer ou achar graça.

A filha de Wang Yue notou a expressão ambígua no meu rosto e deu um cutucão na mãe, mas esta a ignorou. E continuou: ficaram todos muito incomodados com os ouvintes que achavam que era muito mais trágico nascer com deficiência mental do que tornar-se deficiente no curso da vida. A família discordava totalmente disso e sentira uma grande animosidade em relação a esses ouvintes, a quem consideraram completamente errados.

Wang Yue falava acaloradamente. Será que as pessoas podiam esquecer a dor de perder algo que tiveram um dia? Claro que ter tido conhecimento e entendimento um dia e perdê-los irrevogavelmente era mais trágico do que nunca tê-los tido. Segundo Wang Yue, a família ficou tão perturbada com a questão que ninguém conseguiu dormir. Resolveram que iam provar o argumento deles, contando-me a história de Shilin. A expressão de Shilin não se alterou enquanto a tia me fez o relato.

Shilin era filha de um general do Kuomintang, a mais nova da família. Ao contrário das duas irmãs e do irmão mais velhos, cresceu protegida e mimada. Quando a guerra civil irrompeu na China, em 1945, o pai foi promovido a general no exército de Chang Kai-chek. O Kuomintang havia perdido o apoio dos camponeses, o que fora uma catástrofe, pois os camponeses constituíam mais de noventa e oito por cento da população. Embora a Grã-Bretanha e os Estados Unidos fornecessem armas para Chang Kai-chek, a situação logo se deteriorou. Seu exército, composto de vários milhões de soldados, foi rapidamente expulso para Taiwan pelos comunistas. Enquanto o Kuomintang fugia para o Leste, muitos de seus líderes não conseguiram providenciar para que suas famílias escapassem a tempo. A família de Shilin foi uma dessas.

Na primavera de 1949, Shilin estava com sete anos e fazia dois anos que morava com a avó, em Peiping. Preparava-se para voltar para a casa dos pais em Nanquim, onde deveria ir à escola. A mãe escrevera dizendo que o marido ia viajar com o batalhão, por isso ela tinha que ficar em Nanquim para cuidar dos outros filhos e não podia ir buscar Shilin em Peiping. A avó era fraca, não tinha boa saúde e não poderia fazer a viagem. Combinou-se, então, que a tia de Shilin, a jovem Wang Yue, levaria a menina de volta para Nanquim.

Aquela foi a época das batalhas entre o Kuomintang e os comunistas que se revelariam decisivas. Quando Wang Yue e Shilin chegaram à margem do rio Yang-tsé, o serviço de balsas, o único meio de transporte entre o Norte e o Sul, estava parcialmente suspenso. Havia pilhas de mercadorias dos dois lados do rio.

Enquanto esperavam, souberam que haveria uma batalha em Nanquim: o Exército de Libertação Popular estava prestes a atravessar o rio. Mas não havia o que fazer, a não ser seguir viagem para a cidade. Ao chegarem lá, em meio a uma grande multidão, viram uma bandeira vermelha pendendo da casa de Shilin: um grupo de soldados do Exército de Libertação Popular tinha ocupado a habitação.

Wang Yue não parou na casa. Levando Shilin consigo, foi perguntar nas lojas e casas de chá das proximidades se alguém tinha notícias da família. Algumas pessoas tinham visto os carros da família serem carregados e caixas serem levadas embora, e tinham ouvido dizer que muitos empregados haviam sido dispensados. Segundo outras, a família inteira teria desaparecido sem deixar vestígios, na véspera de os comunistas cruzarem o Yang-tsé. Ninguém tinha uma informação definitiva, mas a impressão era que a família de Shilin tinha fugido para Taiwan.

Logo depois disso, Wang Yue recebeu a notícia de que sua mãe tinha morrido enquanto os comunistas davam uma busca na sua casa em Peiping — rebatizada de Pequim pelo novo governo — por causa do parentesco dela com o pai de Shilin. Era impossível voltar para Peiping. Sem saber o que fazer, Wang Yue instalou-se com Shilin numa pequena pensão em Nanquim. Um dia, o bondoso proprietário da pensão lhe disse: "Você não disse que sabe ler e escrever? O novo governo está contratando professores para as novas escolas. Você devia se candidatar". Sem acreditar muito, Wang Yue se candidatou, e foi contratada.

Tinha só vinte anos — apenas treze mais do que Shilin —, mas disse à sobrinha que a chamasse de mãe para ocultar a identidade das duas. Como "mãe e filha", tiveram um quarto designado para elas pela nova escola administrada pelo governo, que também as ajudou a adquirir alguns artigos domésticos. Shilin foi aceita como aluna na escola.

Wang Yue maquiava-se e penteava-se de modo a aparentar idade suficiente para ser mãe de Shilin. Toda manhã dizia a Shilin que não tocasse no nome dos pais e que em circunstância alguma dissesse alguma coisa sobre a antiga casa da família. Embora prestasse muita atenção nas advertências da tia, Shilin não tinha plena consciência das conseqüências que haveria para ambas caso deixasse escapar alguma coisa. As crianças gostam de se exibir para as outras, e um dia, jogando três-marias com minúsculos saquinhos de feijões, Shilin contou aos amiguinhos que os saquinhos que o pai lhe dera para jogar aquele jogo eram enfeitados com pedras preciosas. Uma das crianças mencionou isso em casa e a história logo correu entre os adultos.

Naquela época, todo mundo procurava obter vantagem política para consolidar a própria posição na nova ordem comunista.

Não levou muito tempo para que um representante da guarnição local do exército informasse Wang Yue de que teria que apresentar um relato completo sobre o seu "falecido marido", o pai de Shilin.

Uma noite o diretor da escola de Wang Yue correu ao quarto delas num estado de grande agitação. "Vocês têm que ir embora já. Vão ser presas a qualquer momento. Fujam para o mais longe que puderem. Não voltem para Nanquim em hipótese alguma. Estão dizendo que Shilin é filha de um general do Kuomintang e que você cometeu o crime de abrigar uma contra-revolucionária. Não quero ouvir as suas explicações. Nos tempos que correm, quanto menos a gente souber, melhor. Partam imediatamente! Não façam malas, nada. Eles podem até fechar a margem do rio a qualquer momento. Vamos, depressa! Se precisarem de alguma coisa no futuro, venham me procurar. Eu tenho que ir. Se o exército me pegar, a minha família toda está perdida."

Quase chorando de tão nervosa, Wang Yue pegou a sonolenta Shilin pela mão e saiu andando pelas ruas de Nanquim. Não tinha idéia de para onde ir, mas não podia pedir ajuda a ninguém. Não ousava pensar no que aconteceria a ambas se fossem apanhadas. Caminharam quase três horas. O céu já clareava, mas Nanquim ainda parecia estar logo atrás delas. Quando Shilin já não conseguia andar, Wang Yue empurrou-a para o meio de uns arbustos à beira da estrada e sentaram-se. O chão estava úmido de orvalho e ambas sentiam fome e frio, mas Shilin estava tão cansada que adormeceu imediatamente, encostada na tia. Cansada e assustada, Wang Yue chorou até que também acabou pegando no sono.

Algum tempo depois, foi despertada por vozes. Um casal de meia-idade e um rapaz alto estavam parados diante delas, olhando preocupados.

"Por que é que estão dormindo aqui?", perguntou a mulher. "Está frio e úmido. Levantem já e encontrem uma casa ou outro lugar para dormir, ou vão ficar doentes."

“Obrigada, mas eu, nós, não podemos continuar. A menina está cansada demais”, respondeu Wang Yue.

“Para onde vocês estão indo?”, perguntou a mulher, fazendo um gesto ao rapaz para que pegasse Shilin.

“Não sei. Só quero ir para longe de Nanquim.” Wang Yue não sabia o que dizer.

“Fugindo de um casamento forçado, é? Ah, é difícil, levando uma criança”, disse a mulher, amável. “Espere um instante, vou tentar resolver alguma coisa com o meu marido. Este é o meu filho, Guowei, e este é o meu marido.”

O homem de meia-idade, parado a um lado, parecia bondoso e tinha ar de pessoa culta. Falou depressa, mas com gentileza. “Não há o que discutir. Nós todos estamos com pressa. Venha conosco. É mais fácil viajar em grupo. Além disso, como poderíamos abandonar uma viúva e uma órfã? Vamos, eu levo a sua trouxa. Guowei cuida da garotinha. Ting, dê a mão para ela se levantar.”

Na estrada, Wang Yue ficou sabendo que o homem se chamava Wang Duo e que fora diretor de uma escola em Nanquim. A esposa, Liu Ting, fora educada numa escola progressista de meninas e ajudava o marido, lecionando e cuidando da contabilidade da escola. Wang Duo era de Yangzhou, onde seus antepassados ensinavam os clássicos confucianos numa academia particular. A academia fora fechada durante as várias guerras e o caos generalizado das últimas décadas, e transformada em residência. Quando Wang Duo casou, herdou a profissão da família e a casa. Teve vontade de abrir uma escola, mas encontrou dificuldade em realizar o plano na cidadezinha de Yangzhou. Como queria que o único filho recebesse uma boa educação, mudou-se para Nanquim, onde a família viveu dez anos.

Naqueles tempos conturbados, Wang Duo teve dificuldade em abrir a escola em Nanquim. Pensou várias vezes em voltar para Yangzhou para escrever em paz, mas Liu Ting, querendo que

Guowei completasse os estudos em Nanquim, sempre o convencia a ficar. Agora que Guowei tinha terminado o colegial, estavam retornando para Yangzhou.

Wang Yue não se atreveu a contar a verdade a seu respeito e apenas falou vagamente de um segredo que era difícil expressar em palavras. Naquela altura as pessoas instruídas sabiam que era perigoso ter conhecimento. Depois da queda da dinastia Qing, a China decaíra num longo período de anarquia e feudalismo. O caos atingira o pior nos quarenta e cinco anos que precederam o governo comunista: governos e dinastias pareciam mudar todos os dias. Agora ninguém ainda conhecia as leis da nova república, e o ditado popular mandava "fazer silêncio sobre assuntos de Estado e falar pouco sobre assuntos de família: é melhor uma coisa a menos do que uma coisa a mais". Assim, a família Wang não pressionou Wang Yue para obter detalhes.

Yangzhou é uma cidade pitoresca à beira-rio, não longe de Nanquim. As especialidades locais — bolinhos de legumes cozidos no vapor, nabos secos e folhas de tofu refogadas com gengibre — são conhecidas na China toda. As garotas de Yangzhou são famosas pela cútis e pela beleza. O ar bucólico da cidade, com montanhas e regatos ao fundo, atrai muitos homens de letras e membros do governo. O mestre da Ópera de Pequim, Mei Lanfang, e o famoso poeta da escola da Lua Nova, Xu Zhimo, são ambos de Yangzhou, assim como o atual presidente da China, Chang Tsé-min.

A casa de Wang Duo e Liu Ting era uma residência tradicional construída em torno de um pátio, num subúrbio ocidental de Yangzhou, junto ao lago Shouxi. Séculos de dragagem e o cultivo de jardins e bosques tinham transformado esse lago num dos mais belos da China.

Na ausência da família, um casal idoso cuidara da casa, que estava limpa e arrumada. Embora fosse tudo velho, a habitação tinha um agradável ar de erudição. Logo depois de chegarem à cidade, Wang Yue e Shilin tiveram uma febre muito forte. Liu Ting ficou muito preocupada e mandou correndo chamar o herbanário. Este diagnosticou choque e tremores causados por exaustão e receitou um tratamento à base de ervas, que Liu Ting preparou para elas.

Wang Yue e Shilin sararam depois de uma ou duas semanas, mas Shilin estava diferente e escondia-se atrás dos adultos quando a família Wang a levava para ver os filhos dos vizinhos. Wang Yue achou que a menina ainda estivesse sofrendo dos efeitos da fuga de Nanquim e que logo se recuperaria.

Não muito tempo depois disso, Liu Ting lhe disse: "O meu marido diz que você tem boa mão com a caneta. Se quiser, pode ficar conosco e nos ajudar com trabalho de escritório. Pode nos tratar de tio e tia, e chamar Guowei de irmão mais velho. Nós a ajudaremos a cuidar de Shilin também".

Wang Yue sentiu-se extremamente grata e aceitou na mesma hora.

O clima político em Yangzhou nos anos 50 era muito menos tenso do que em cidades maiores. As pessoas ali não morriam de amores por política e a tradição da região era todos trabalharem e viverem em paz. A sinceridade e a generosidade da família Wang ajudaram Wang Yue a deixar para trás o terror e a insegurança dos últimos meses.

Guowei começou a lecionar na escola primária recém-construída, e todo dia levava Shilin consigo. Entre crianças da sua idade, a garota aos poucos se tornou menos reservada e começou a se comportar como antes.

Guowei gostava de seu trabalho, pois a escola tinha uma atmosfera animada e criativa e não fazia distinção entre ricos e pobres. A sua dedicação era recompensada pela escola, que o indicava para participar de muitas atividades extracurriculares. Quando ele falava entusiasmado sobre o trabalho em casa, os pais o preveniam que fosse mais circunspecto. Wang Yue ouvia com atenção, demonstrando interesse e compreensão pela animação do rapaz. Os dois acabaram se apaixonando e ficaram noivos no terceiro ano de Wang Yue em Yangzhou.

No dia do noivado, Wang Yue contou à família a verdade a seu respeito. Liu Ting ouviu, balançando a cabeça. Depois, segurou a mão de Wang Yue, e disse repetidas vezes: "Você teve muitas dificuldades, muitas dificuldades".

"Shilin é filha de sua irmã e também é nossa filha", afirmou Wang Duo. "A partir de amanhã, você é filha da família Wang e Shilin é nossa neta."

Shilin já chamava Wang Duo e Liu Ting de "avô" e "avó", e Wang Yue de "mãe", mas tratar Guowei de "pai" não foi tão fácil. Estava com dez anos agora e era difícil tratar Guowei de outra forma, sobretudo diante dos colegas de classe. No entanto, no casamento de Wang Yue e Guowei chamou-o de "papai" sem que a forçassem. Ele ficou tão satisfeito e surpreso que a levantou do chão e lhe deu um abraço tão apertado que Liu Ting exclamou: "Ponha-a no chão, você vai machucá-la".

Shilin era inteligente e aplicada, e era orientada pela família, na qual eram todos professores. Saía-se muito bem na escola e pulou um ano, passando do terceiro para o quinto. Ao ingressar no sexto ano, representou a escola no Concurso de Redação da Região Norte de Jiangsu e ganhou o primeiro prêmio. Depois ganhou a medalha de bronze num concurso para toda a província de Jiangsu. Wang Yue e Guowei ficaram muito alegres com a notícia, cobrindo Shilin de abraços e atenções, a ponto de ignorar o choro do seu primeiro bebê. A família toda se sentiu muito orgulhosa e os vizinhos foram cumprimentá-la pelo sucesso de Shilin.

Pouco depois dos prêmios, na escola, num momento em que Guowei escrevia versinhos em papel vermelho da sorte para expor em 1º de junho, Dia Internacional da Criança, uma aluna entrou correndo na sua sala, sem fôlego.

"Professor Wang, venha logo. Os meninos estão xingando a Shilin e ela está brigando com eles. Ela está sem forças, mas nós meninas não temos coragem de ajudar. Os meninos dizem que vão bater em quem ajudar a Shilin!"

Guowei correu até o pátio atrás da escola e ouviu os meninos gritando para Shilin:

"Sua hipócrita!"

"Bastarda!"

"Os bastardos são sempre os espertos!"

"Pergunte à sua mãe quem era o seu pai. Era um bêbado que ela encontrou numa vala?"

Guowei avançou e afastou aos murros os meninos que cercavam a menina. Pegou-a nos braços e berrou: "Quem disse que Shilin não tem pai? Quem se atrever a dizer mais uma palavra vai ficar muito tempo sem poder abrir a boca depois de se entender comigo. Experimentem para ver!".

Assustados, os garotos sumiram. Shilin tremia nos braços de Guowei, branca como um lençol, com a testa úmida de suor e sangue no lábio que ela mordera.

Em casa teve febre alta, murmurando o tempo todo: "Não sou bastarda, tenho mãe e pai". Liu Ting e Wang Yue se revezaram cuidando dela.

O médico disse à família que Shilin se encontrava em estado de choque e que havia irregularidades no seu batimento cardíaco. Disse também que se a temperatura não baixasse o mais rápido possível a garota poderia ficar mentalmente perturbada. E perguntou como é que uma menina de doze anos podia ter recebido tamanho choque.

Wang Duo estava furioso: "Este país piora a cada dia. Como é que crianças pequenas podem fazer uma coisas dessas? O que fizeram com ela foi praticamente um assassinato".

Guowei não parava de pedir desculpas à família por não ter tomado conta de Shilin, mas todo mundo sabia que a culpa não era dele. Mais tarde ele soube como a cena no pátio começou. Um menino mais velho quis abraçar Shilin, mas ela o rejeitou, dizendo-lhe que se comportasse. Furioso e envergonhado, ele apontou para ela e gritou: "Quem você pensa que é? Quem é o seu pai? Não há nem uma sombra de Wang Guowei no seu rosto. Vá para casa e pergunte à sua mãe com quem foi que ela dormiu para ter uma bastarda como você! Pare de fingir que é decente e pura!". E mandou os meninos mais novos que estavam por perto xingar Shilin, ameaçando bater em quem desobedecesse. Guowei se enfureceu: sem a menor consideração pela dignidade da sua posição como professor e sem pensar nas conseqüências, foi procurar o garoto e lhe deu uma surra enorme.

Shilin se recuperou, mas passou a falar pouco, raramente saía e geralmente ficava em casa sozinha. Os exames de admissão ao secundário estavam se aproximando e todo mundo achou que ela estivesse estudando e que por isso era melhor não perturbá-la. Só Wang Yue continuava preocupada. Sentia que alguma coisa não ia muito bem com Shilin, mas não ousava compartilhar suas conjecturas com ninguém, para não arrumar problemas para a família. Começavam a se difundir em Yangzhou movimentos políticos como o antidireitista, e muitos indivíduos ignorantes e sem instrução acharam que estava na hora de diminuir as diferenças entre ricos e pobres, invadindo as casas dos ricos e dividindo os despojos — uma prática que existia desde a dinastia Ming. Puseram-se a fazer listas de residências abastadas, planejando criar confusão, acobertados pela Revolução. A família Wang, que não era rica nem pobre, ficara entre as duas categorias, mas eles não podiam ter certeza se alguém que tivesse algum ressentimento contra eles não iria classificá-los como ricos.

No exame de admissão, Shilin não se saiu tão bem quanto teria sido de esperar antes do incidente no pátio, mas mesmo assim o resultado foi bom o suficiente para lhe garantir um lugar numa das melhores escolas. A que escolheu não ficava longe de casa, o que tranqüilizou Wang Yue.

Na escola Shilin continuava calada e reservada, mas em casa falava mais. Começou a fazer perguntas a Wang Duo sobre as razões dos movimentos políticos que ocorriam na China e sobre a inimizade entre o Kuomintang e o Partido Comunista. Com freqüência perguntava a Wang Yue sobre os pais, mas Wang Yue sabia pouco sobre a irmã, devido à diferença de idade entre elas. Era muito nova quando a irmã saiu de casa para ir estudar no Sul, e tinha só três ou quatro anos quando ela se casou. Shilin achava que Wang Yue era reticente de propósito, por não querer que ela pensasse no passado.

No início da Revolução Cultural, quando as relações extraconjugais eram vistas como um crime "contra-revolucionário", os guardas vermelhos rotularam Wang Yue de criminosa por ter tido Shilin antes de casar. Grávida do segundo filho, foi submetida a freqüentes condenações públicas, mas nunca disse uma palavra. Wang Duo, Ling Tiu e Guowei foram presos e interrogados, mas os três sustentaram que não sabiam nada sobre o passado de Wang Yue e Shilin. Um dos guardas vermelhos que conduziram o interrogatório brutal foi o adolescente que tentara abraçar Shilin e fora espancado por Guowei. Humilhou a todos sem piedade, e bateu tanto em Guowei que lhe deixou o pé esquerdo com um defeito permanente.

Os guardas vermelhos obrigaram Shilin a olhar pela janela enquanto interrogavam e torturavam a família Wang. Puxavam-lhe o cabelo e beliscavam-lhe as pálpebras para mantê-la acordada durante vários dias e noites e ver o pé de Guowei sangrando, Wang Yue segurando a barriga, Wang Duo e Liu Ting tremendo de medo, e o filhinho de Wang Yue chorando num canto. O rosto de Shilin permanecia sem expressão, mas ela suava e tremia. No momento em que os guardas vermelhos iam começar a bater no pé direito de Guowei com paus e porretes, Shilin gritou de repente, numa voz estridente e selvagem: "Não batam nele, não batam nele! Eles não são meus pais. O nome do meu pai é Zhang Zhongren, o nome da minha mãe é Wang Xing, eles estão em Taiwan!".

Por alguns instantes fez-se silêncio e ficaram todos paralisados. Aí a família Wang correu para a janela, aos berros: "Não é verdade! Ela ficou louca, não sabe o que está dizendo!".

Shilin olhava enquanto eles negavam aos brados, e de súbito soltou uma gargalhada: "Eu sei que não sou bastarda. Eu tenho mãe e pai", disse. Começou a espumar e caiu no chão.

Os guardas vermelhos lançaram as garras sobre os nomes que Shilin dissera. Com base na confirmação da sua filiação e em outras provas incriminatórias que alegaram haver apurado, a família Wang foi presa. Wang Duo tinha constituição fraca, adoecia com freqüência — e morreu na prisão. Liu Ting ficou com um lado do corpo paralisado por dormir no chão. Wang Yue teve o segundo filho, uma menina, na prisão. Deu-lhe o nome de Wang Yu para simbolizar o acréscimo à família Wang, porque o ideograma Yu (jade) é escrito com o acréscimo de um ponto ao ideograma Wang. Apelidaram-na de Xiao Yu (Pequeno Jade) por ser muito pequena e fraca. Quando foram libertados, dez anos depois, Guowei só conseguia andar de bengala.

No final dos anos 80, Wang Yue e Guowei toparam com um dos guardas vermelhos que os haviam perseguido. O homem admitiu que, com exceção dos nomes dos pais de Shilin e de uma foto mostrando os líderes do Kuomintang, as provas contra Shilin e a família Wang tinham sido forjadas.

Shilin ficou mentalmente doente, mas o seu estado variava e havia dias em que estava melhor. Os guardas vermelhos a mandaram para uma área montanhosa em Hubei para ser "reeducada" pelos camponeses. Não podia trabalhar no campo devido à instabilidade mental, por isso lhe deram o trabalho relativamente leve de pastora. Logo os homens da aldeia começaram a inventar pretextos para subir até as vertentes remotas aonde Shilin levava as vacas para pastar. Tinham descoberto que, para fazê-la perder o controle, bastava perguntar: "Quem é o seu pai?".

Ela se punha a rir e gritar loucamente, e em seguida desmaiava. Enquanto ela estava perturbada, os homens a estupravam. Se ela se debatia eles gritavam sem parar: "Quem é o seu pai? Você é bastarda?", até que ficava tão desorientada que cedia às ordens deles.

Uma avó de bom coração soube do que estava acontecendo ao ouvir um homem brigando com a esposa. Furiosa, plantou-se no centro da aldeia, amaldiçoando os homens em alto e bom som: "Seus animais desalmados! Vocês nasceram de uma mulher? Vocês não têm mãe? Vão pagar por isso!". Levou Shilin para morar consigo, mas a jovem tinha perdido toda a noção de onde estava.

No começo de 1989, Wang Yue e a família encontraram Shilin na aldeia em Hubei e levaram-na para casa. Shilin não os reconheceu e também eles mal a reconheceram depois de dez anos no interior. Wang Yue pediu que lhe fizessem um exame médico completo no hospital. Quando leu os resultados, adoeceu. Segundo o relatório, o torso de Shilin tinha cicatrizes de mordidas, parte de um mamilo fora arrancada e os lábios vaginais estavam dilacerados. O colo e o revestimento do útero estavam gravemente danificados, e os médicos encontraram um galho quebrado dentro dele. Não foram capazes de determinar quanto tempo ela tivera aquele galho alojado no útero.

Depois de se recobrar, Wang Yue telefonou aos funcionários do Partido na aldeia de Hubei e disse que ia processá-los pelos maus-tratos dispensados a Shilin. Os funcionários lhe imploraram que não fizesse isso: "Este lugar é muito pobre. Se todos os homens da aldeia forem presos, as crianças vão passar fome". Wang Yue decidiu não processar. Ao desligar o telefone, pensou: "Deus os castigará".

Embora temesse que Shilin sofreria muito se recuperasse a memória, Guowei sugeriu que tentassem ajudá-la a ter ao menos a noção do lugar onde se encontrava. Durante sete ou oito anos, Wang Yue e Guowei tentaram vários tratamentos, mas nenhum teve resultado. Passou-lhes pela cabeça a idéia de perguntar a Shilin sobre o pai, mas tiveram medo demais das conseqüências.

Wang Yue conseguiu fazer contato com os irmãos de Shilin em Taiwan e eles foram visitar a irmã que tinham perdido fazia muito tempo. Não conseguiram associar aquela mulher sem reação e de olhos mortos com a garotinha vivaz e inteligente que os pais tinham descrito, mas Shilin era tão parecida com a mãe que não podia haver dúvida quanto à sua identidade.

Wang Yue não lhes revelou o verdadeiro motivo do estado de Shilin. Não que tivesse medo de ser acusada de não haver protegido Shilin, mas sabia que quem não vivera durante a Revolução Cultural seria incapaz de imaginar ou entender o que aconteceu. Não desejava disseminar o ódio e preferiu não contar os detalhes da história de Shilin. Limitou-se a dizer que Shilin perdera a memória depois de um acidente de carro. Quando os irmãos perguntaram se Shilin havia sofrido, Wang Yue os tranqüilizou dizendo que não e que ela perdera a memória logo após o acidente.

Wang Yue nunca deixou de se perguntar até quando Shilin teve consciência do seu sofrimento antes de perder a razão. Com relutância eu disse que, assim como acontece com outras pessoas que enlouquecem depois de adultas, Shilin deve ter perdido a razão em resultado de uma angústia extrema. O seu sofrimento fora se acumulando em camadas, ao longo da infância confusa, desde a noite em que fugiu de Nanquim, e ela nunca teve como expressá-lo por não querer tornar infeliz a família Wang. Os anos de maus-tratos em Hubei esmagaram-lhe a consciência.

* * *

Quando voltei para a rádio para o programa da noite, depois de passar a tarde no hospital, minha sala estava vazia. Encontrei um copo de suco sobre a minha mesa e um bilhete de Mengxing, que guardara o suco para mim, preocupada com minha eventual exaustão. Mengxing tinha a reputação de ser uma mulher dura que nunca dava nada a ninguém, e fiquei comovida. O diretor da rádio também deixara um bilhete, pedindo-me que lhe apresentasse no dia seguinte o meu relatório sobre a entrevista com a filha do general do Kuomintang.

Pela manhã, contei-lhe sobre Shilin, mas disse que não podíamos transmitir a história. Ele ficou surpreso. "Qual é o problema? Geralmente você pede para transmitir as coisas."

"Não há problema algum. É que eu não conseguiria contar esta história de novo, nem fazer um programa sobre ela. Seria difícil demais."

"É a primeira vez que ouço você dizer que alguma coisa é difícil demais. Deve ter sido mesmo uma história difícil de ouvir. Espero que consiga esquecê-la."

Acabei não tendo uma conversa com o Velho Wu sobre os deficientes. Ele morreu naquele fim de semana, de uma doença no fígado, durante um banquete. No serviço fúnebre, contei-lhe em silêncio minhas inquietações, certa de que ele me ouvia. Depois que deixam este mundo, as pessoas continuam vivas nas lembranças dos que ficam. Às vezes se pode sentir a sua presença, ver-lhes o rosto ou ouvir a voz delas.

12. A infância que não consigo esquecer

Eu começara a investigar as histórias das chinesas cheia de entusiasmo juvenil, mas muito pouco informada. Agora que sabia mais, tinha uma compreensão mais amadurecida — mas também sentia uma angústia maior. Às vezes era invadida por uma espécie de entorpecimento, devido a toda a dor que encontrara, como se houvesse um calo formando-se dentro de mim. Aí ouvia mais uma história e voltava a ficar muito agitada.

Embora minha vida interior estivesse em turbilhão, na carreira eu ia muito bem. Fora promovida a diretora de Desenvolvimento e Planejamento de Programação, o que me tornava responsável pela estratégia para o futuro de toda a emissora. À medida que cresciam a minha reputação e a minha influência, eu ia tendo ocasião de conhecer mulheres a quem, em outras circunstâncias, não teria acesso: esposas de dirigentes do Partido, mulheres nas Forças Armadas, em instituições religiosas, ou na prisão. Um desses encontros ocorreu devido a um prêmio do Departamento de Segurança Pública. Eu tinha feito um trabalho organizando atividades de conscientização do público para o departamento e recebera o título de "Flor da Força Policial". O prêmio em si não significava muita coisa, mas fui a única mulher na província a ser homenageada com ele, o que se comprovaria extremamente útil nas minhas tentativas de fazer contato com mais mulheres.

Para os chineses, tudo é pretexto para um banquete: vivemos de acordo com o princípio de que "a comida é o paraíso", e consumimos fortunas comendo e bebendo. Embora só quatro pessoas fossem receber prêmios, havia mais de quatrocentos convidados para a cerimônia e o banquete. Muito poucas mulheres recebem homenagens ou prêmios nos círculos da polícia, que dirá as que não pertencem ao Departamento de Segurança Pública, e por isso fui assunto de muita conversa naquela noite. Detestei a multidão e as perguntas intermináveis, e me esgueirei para o corredor de serviço para escapar. Os garçons, apressados pelo corredor, quando me viram gritaram: "Saia da frente, não atrapalhe o caminho!".

Encostei-me contra a parede. O desconforto daquele lugar parecia melhor do que o escrutínio dos convidados. Alguns momentos depois o delegado Mei, comandante regional da polícia, veio agradecer aos garçons e se admirou de me ver. Perguntou o que eu estava fazendo ali.

Já nos conhecíamos havia algum tempo, e eu confiava nele, por isso falei com franqueza. Ele deu uma risadinha. "Não precisa se esconder neste lugar horrível e apertado. Vou levá-la para um lugar melhor."

O local do banquete, famoso na cidade toda, tinha vários outros salões e salas de reuniões contíguos que eu desconhecia. O comandante Mei me levou para uma delas, e contou que o salão todo tinha a mesma planta que o Grande Palácio do Povo, em Pequim, projetado para a conveniência dos líderes do governo central quando iam inspecionar a cidade. Ser admitida naquele aposento reservado me deixou impressionada e, ao mesmo tempo, preocupada com a possibilidade de os outros interpretarem com malícia o fato de estarmos os dois sozinhos ali.

Mei notou minha hesitação. "Não precisa se preocupar com mexericos. Há uma sentinela aí fora. Ah, estou tão cansado..." Bocejou e afundou no sofá.

O guarda bateu na porta e perguntou: "Comandante, precisa de alguma coisa?".

"Está dispensado", respondeu Mei, frio e abrupto. Na China, todos os funcionários graduados falavam daquela maneira com os subalternos. Pensei em como isso contribuíra para criar as atitudes de superioridade e inferioridade entre os chineses.

Estendido no sofá, o comandante Mei massageou a cabeça com as duas mãos. "Xinran, acabo de voltar de uma viagem a Hunan, onde inspecionei várias prisões. Ouvi falar de uma presidiária que pode interessá-la. Já esteve presa várias vezes por acusação de delitos sexuais e coabitação ilegal. Parece que a história da família dela é trágica. Se quiser entrevistá-la, posso tomar as providências e mandar um carro vir buscá-la."

Assenti e agradeci. Ele balançou a cabeça, cansado. "A vida das chinesas é dura mesmo. Ouvi várias vezes o seu programa. É triste, muito comovente. Quanta felicidade pode haver na vida de uma mulher que atravessou as últimas décadas? A minha esposa diz que as mulheres dão seus sorrisos aos outros e guardam suas mágoas para si. Gosta muito do seu programa, mas não quero que ela o ouça com muita freqüência. É muito emotiva e é capaz de passar vários dias se torturando por causa de uma história." Fez uma pausa. "Não quero que ela morra antes de mim. Eu não agüentaria."

O comandante Mei é um homem grande e durão de Shandong. Eu o conhecia havia muitos anos, mas jamais suspeitara de que pudesse ser tão sensível. Na China os homens são educados para acreditar que devem impor respeito, e são poucos os que expõem aos outros o seu lado mais terno. Pela primeira vez, desde que nos conhecíamos, nossa conversa naquela noite não foi sobre trabalho, mas sobre homens, mulheres e relacionamentos.

Duas semanas depois, um jipe do Departamento de Segurança Pública me levou a um presídio feminino nas montanhas da região oeste de Hunan. O conjunto de prédios fazia pensar em qualquer outra prisão: a cerca elétrica, as sentinelas e os holofotes no muro cinza-escuro criavam imediatamente uma atmosfera de medo e tensão. O portão principal, por onde só passavam os carros dos poderosos, estava trancado; entramos por uma porta lateral.

Olhando para os prédios enormes, eu bem podia adivinhar pelo tamanho e pela forma das janelas o que se encontrava lá dentro. Por trás das janelas largas, altas e quebradas, figuras cinzentas se moviam de um lado para o outro, por entre o estrépito de máquinas. Os presos costumam trabalhar enquanto cumprem a pena: consertam carros, caminhões ou máquinas operatrizes, ou costuram e produzem tecidos. Alguns são enviados para trabalhos pesados, em pedreiras ou nas minas. Pelas janelas de tamanho médio, viam-se uniformes, equipamento e um ou outro lampejo de cor: eram os escritórios e as salas de estudos políticos. As janelas menores, no alto, eram dos dormitórios e refeitórios das presas.

O prédio principal tinha o formato de uma ferradura em torno de uma construção menor, que abrigava os aposentos dos guardas e as salas de controle. No presídio feminino de Hunan ocidental notei duas coisas diferentes em relação às outras prisões: a primeira, que as paredes estavam cobertas de musgo verde-escuro e líquen, devido à umidade da região; a outra, que as policiais gritavam com as detentas. A vida, os amores, pesares e alegrias das mulheres fardadas não podiam ser muito diferentes dos das mulheres que envergavam uniforme de presidiária.

A carta de apresentação do comandante Mei foi como um édito imperial. Depois de lê-la, o diretor do presídio me designou uma sala de entrevista particular, para conversar com Hua'er, a presidiária que Mei havia mencionado.

Hua'er era uma mulher delgada, mais ou menos da minha idade. De uniforme de detenta, remexia-se o tempo todo, como se lutasse com a própria impotência. Seu cabelo desigual e cheio de pontas cortado por mãos inexperientes, me fez pensar nos estilos esquisitos que alguns salões de cabeleireiro vinham adotando. Era bonita, mas a expressão dura e fechada era como um defeito numa bela peça de porcelana.

Não lhe pedi detalhes sobre a pena a que fora condenada, nem por que violara inúmeras vezes a lei que proibia coabitação. Em vez disso, perguntei se me falaria sobre sua família.

"Quem é você?", retrucou ela. "O que é que você tem de tão especial que me obrigue a contar?"

"Você e eu somos iguais. Nós duas somos mulheres e atravessamos a mesma época", respondi devagar e com clareza, fitando-a nos olhos.

Ouvindo isso, Hua'er fez silêncio por um momento.

Depois, em tom zombeteiro, perguntou: "Se é assim, você acha que vai agüentar ouvir a minha história, se eu contar?".

Foi a minha vez de não ter o que dizer. A pergunta calou fundo: será que eu ia mesmo agüentar? Não estava lutando para esquecer as minhas próprias recordações dolorosas?

Hua'er percebeu que havia me atingido. Acintosamente, pediu ao guarda que abrisse a porta e a deixasse voltar para sua cela. O guarda me deu uma olhada de interrogação e assenti com a cabeça, sem pensar. Ao voltar para os aposentos das funcionárias, onde passaria a noite, já estava imersa nas minhas lembranças. Por mais que tentasse, jamais fora capaz de me libertar do pesadelo da minha infância.

Nasci em Pequim em 1958, quando a China se encontrava no auge da pobreza e a ração diária de comida consistia em alguns grãos de soja. Enquanto outras crianças da minha idade passavam frio e fome, eu comia chocolate importado na casa da minha avó em Pequim, cercada de flores e ouvindo passarinhos no pátio. Mas, no seu estilo político bastante particular, a China estava prestes a eliminar as diferenças entre ricos e pobres. Eu seria desprezada e insultada pelas crianças que tinham lutado para sobreviver à pobreza e às dificuldades. Logo a privação espiritual contrabalançaria as riquezas materiais que eu tivera um dia. A partir de então, entendi que na vida há muitas coisas mais importantes do que chocolate.

Quando eu era pequena, minha avó penteava e trançava meu cabelo todos os dias, garantindo que as tranças estivessem iguais e regulares antes de amarrar um laço de fita em cada ponta. Eu gostava muitíssimo das minhas tranças e, ao andar ou brincar, mexia orgulhosamente a cabeça para exibi-las. Na hora de dormir, não deixava minha avó tirar as fitas e colocava as tranças com todo o cuidado dos dois lados do travesseiro, antes de pegar no sono. Às vezes, quando acordava de manhã e via os laços desfeitos, emburrava e perguntava quem os tinha desmanchado.

Meus pais estavam postados numa base militar perto da Grande Muralha. Aos sete anos fui morar com eles, pela primeira vez desde que nascera. Menos de duas semanas depois de eu ter chegado, os guardas vermelhos deram uma batida na nossa casa. Suspeitavam que meu pai fosse uma "autoridade técnica reacionária", porque era membro da Associação Chinesa de Engenheiros Mecânicos de Alto Nível e especialista em mecânica elétrica. Também o consideravam um "lacaio do imperialismo britânico", porque o pai dele havia trabalhado para a empresa britânica GEC durante trinta e cinco anos. Além disso, como havia muitos objetos de arte e históricos na casa, meu pai foi acusado de ser "representante do feudalismo, do capitalismo e do revisionismo".

Lembro dos guardas vermelhos remexendo na casa toda e de uma grande fogueira no nosso pátio, onde lançaram os livros de meu pai, os preciosos móveis tradicionais de meus avós e meus brinquedos. Meu pai tinha sido preso e levado embora. Assustada e triste, fiquei olhando as chamas, estuporada, como que ouvindo pedidos de socorro vindos do meio delas. O fogo consumiu tudo: a casa que fazia pouco tempo eu chamava de minha, minha infância até então feliz, minhas esperanças e o orgulho da minha família com sua cultura e seus bens. Deixou-me mágoas ardentes que levarei comigo até a morte.

À luz do fogo, uma garota com uma braçadeira vermelha veio na minha direção empunhando uma grande tesoura. Agarrou as minha tranças e disse: "Este estilo de cabelo é pequeno-burguês".

Antes que eu entendesse o que ela dizia, cortou as minhas tranças e jogou-as no fogo. Arregalei os olhos, sem fala, vendo as tranças e os laços bonitos se transformarem em cinzas. Quando os guardas vermelhos foram embora, a garota que me havia cortado as tranças me disse: "A partir de hoje você fica proibida de prender o cabelo com fitas. É um estilo de cabelo imperialista!".

Depois que meu pai foi atirado na prisão, era raro minha mãe ter tempo de cuidar de nós. Voltava sempre tarde para casa e, quando não saía, estava sempre escrevendo — o quê, não sei. Meu irmão e eu só podíamos comprar comida na cantina da unidade de trabalho do meu pai, onde serviam uma magra dieta de nabos e repolho cozidos. Óleo para cozinhar era artigo raro na época.

Certa vez minha mãe trouxe um pedaço de barriga de porco e preparou um guisado durante a noite. Pela manhã, ao sair para o trabalho, disse-me: "Quando voltar para casa, atice as brasas, aqueça o porco que está na panela e comam no almoço, você e seu irmão. Não precisam deixar nada para mim. Vocês dois precisam de nutrição".

Quando saí da escola, ao meio-dia, fui buscar meu irmão na casa de uma vizinha que cuidava dele. Ficou muito contente quando lhe disse que teríamos uma coisa gostosa para comer e sentou à mesa, obediente, esperando que eu esquentasse a comida.

Nosso fogão era alto, de tijolos, do tipo usado pelos chineses do Norte, e eu era muito pequena, não alcançava. Para atiçar o fogo, tinha que subir num banco. Era a primeira vez que fazia isso sozinha. Não sabia que o fogo deixava a ponta do atiçador em brasa e, quando tive dificuldade em puxá-lo com a mão direita, agarrei-o firmemente também com a esquerda, na parte já em brasa. Fiquei com a palma da mão cheia de bolhas e gritei de dor.

Ouvindo o barulho, a vizinha veio correndo. Chamou um médico, mas o homem, embora morasse ali perto, disse que não se atrevia a ir porque precisaria de uma permissão especial para fazer uma visita de emergência ao membro de uma família que se encontrava sob investigação.

Outro vizinho acudiu, um velho professor. Por algum motivo ele acreditava que se deve esfregar molho de soja em queimaduras, e esvaziou um vidro inteiro na minha mão. Ardeu tanto que caí no chão, contorcendo-me de dor, e desmaiei.

Quando voltei a mim, estava deitada na cama e minha mãe, sentada ao meu lado, segurava a minha mão esquerda enfaixada e censurava-se por me haver pedido que usasse o fogão sozinha.

Ainda hoje acho difícil entender como foi que aquele médico pôde deixar que a situação política da nossa família o impedisse de vir em meu auxílio.

Como "filha de um burguês capitalista", minha mãe logo foi detida para investigação também e proibida de voltar para casa. Meu irmão e eu fomos transferidos para acomodações para crianças cujos pais estavam presos.

Na escola eu era proibida de dançar e cantar com as outras meninas, para não "poluir" a arena da Revolução. Embora míope, não podia sentar na primeira fileira da sala, porque os melhores lugares eram reservados para os filhos de camponeses, operários ou soldados, que tinham "raízes retas e brotos vermelhos". Também não podia ficar na primeira fila nas aulas de educação física, embora fosse a menor da classe, porque os lugares perto do professor eram para a "próxima geração da Revolução".

Junto com as outras crianças "poluídas", cuja idade ia de dois a catorze anos, meu irmão e eu tínhamos que assistir a uma aula de estudos políticos depois da escola, e não podíamos participar de atividades extracurriculares com as crianças da nossa idade. Não tínhamos permissão de assistir a filmes, nem mesmo aos mais ardorosamente revolucionários, porque tínhamos que "reconhecer completamente" a natureza reacionária de nossas famílias. Na cantina, éramos os últimos a serem servidos, porque meu avô paterno havia "ajudado os imperialistas britânicos e americanos a tirar comida da boca de chineses e roupas de seus corpos".

Nossos dias eram regulados por dois guardas vermelhos que latiam ordens:

"Saiam da cama!"

"Vão para a escola!"

"Vão para a cantina!"

"Estudem os ensinamentos do presidente Mao!"

"Vão dormir!"

Sem nenhum parente para nos proteger, seguíamos a mesma rotina mecânica dia após dia, sem os risos e as brincadeiras da infância. Fazíamos sozinhos as tarefas de casa e as crianças mais velhas ajudavam as mais novas a lavar a própria roupa, o rosto e os pés todos os dias; só tomávamos um banho de chuveiro por semana. À noite, todos nós, meninos e meninas juntos, dormíamos apertados em camas de palha.

Nosso único e pequeno consolo eram as idas à cantina. Ninguém conversava nem ria ali, mas às vezes algumas pessoas generosas nos passavam às escondidas um ou outro pacote de comida.

Um dia levei meu irmão, que ainda não tinha três anos, para o fim da fila da cantina, que estava excepcionalmente comprida. Devia ser dia de alguma celebração nacional, pois era a primeira vez que vendiam frango assado e por toda parte sentia-se o cheiro delicioso. Ficamos com água na boca, porque fazia muito tempo que só comíamos sobras, mas sabíamos que para nós não haveria frango.

De repente meu irmão começou a chorar, gritando que queria frango. Com medo de que o barulho irritasse os guardas vermelhos e de que nos pusessem para fora, deixando-nos sem comida alguma, fiz o melhor que pude para convencê-lo a parar de chorar. Mas ele, cada vez mais agitado, continuou chorando. Eu, de tão preocupada, também estava à beira das lágrimas.

Nisso uma mulher de ar maternal passou por nós. Pegou um pedaço da sua porção de frango assado, deu ao meu irmão e foi em frente, sem dizer uma palavra. Meu irmão parou de chorar, e estava prestes a começar a comer quando um guarda vermelho veio correndo, tirou-lhe a coxa de frango da boca, jogou-a no chão e esmagou-a com os pés.

"Seus filhotes de lacaios do imperialismo! Acham que também podem comer frango, é?", berrou.

Meu irmão ficou assustado demais para se mexer. Não comeu nada naquele dia, e por muito tempo nunca mais chorou por causa de frango assado ou qualquer outro luxo assim. Muitos anos mais tarde perguntei-lhe se lembrava do incidente. Ainda bem que não lembrava de nada. Eu, porém, jamais consegui esquecer.

Meu irmão e eu moramos naquela casa durante quase cinco anos. Em comparação com outras crianças, tivemos sorte, pois algumas passaram quase dez anos lá.

As crianças confiavam umas nas outras e se ajudavam mutuamente. Éramos todos iguais ali. Mas não havia lugar para nós no mundo lá fora. Em todo lugar aonde íamos, as pessoas nos evitavam como se fôssemos portadores da peste. Os adultos amadurecidos expressavam solidariedade por meio do silêncio, mas as crianças nos humilhavam e insultavam. Cuspiam e escarravam na nossa roupa, mas não sabíamos como nos defender, muito menos brigar. E o que ficava cravado no nosso coração era a aversão por nós mesmos.

A primeira pessoa a cuspir em mim foi a minha melhor amiga. "Minha mãe diz que o seu avô ajudou aqueles ingleses horríveis a comer a carne de chineses e a beber o sangue de chineses", disse. "Ele foi a pior de todas as pessoas ruins. Você é neta dele, por isso também não pode ser boa." Cuspiu em mim, afastou-se e nunca mais falou comigo.

Um dia eu estava encolhida no fundo da classe, chorando depois de ter sido espancada pelas crianças "vermelhas". Achei que estivesse sozinha, e levei um susto quando um professor veio parar atrás de mim e me deu um tapinha leve no ombro. Por entre as lágrimas e à luz fraca das lâmpadas era difícil ler a expressão no rosto dele, mas vi que fazia sinal para que eu o acompanhasse. Eu confiava nele porque sabia que ajudava os pobres fora da escola.

Levou-me até uma cabana ao lado do playground, onde a escola guardava coisas sem valor. Abriu rapidamente o cadeado e me fez entrar. A janela estava coberta com jornais, portanto estava escuro lá dentro. Havia pilhas altas de todo tipo de objeto, e o cheiro de mofo e decomposição me fez retesar o corpo de nojo. Mas o professor abriu caminho por entre os trastes com a facilidade de uma longa prática. Fui indo atrás dele.

Lá no centro do cômodo, fiquei surpresa ao encontrar uma biblioteca muito bem arrumada. Eram centenas de livros dispostos sobre tábuas quebradas. Pela primeira vez entendi o significado de um verso famoso: "Na sombra mais escura dos salgueiros, subitamente topei com as flores coloridas de uma aldeia".

O professor contou que a biblioteca era um segredo que ele pretendia deixar para as gerações futuras. Por mais revolucionárias que sejam, disse, as pessoas não podem viver sem livros. Sem livros não compreenderíamos o mundo; sem livros não poderíamos nos desenvolver; sem livros, a natureza não pode servir a humanidade. Quanto mais falava, mais se entusiasmava, e mais medo eu sentia. Sabia que aqueles eram exatamente os livros que a Revolução Cultural estava destruindo. O professor me deu uma chave da cabana e disse que eu poderia me refugiar ali e ler a qualquer hora.

A cabana ficava atrás do único banheiro da escola, portanto era fácil eu ir até lá sem ser notada quando as outras crianças participavam de atividades que eu estava proibida de realizar.

Nas minhas primeiras visitas à cabana, achei o cheiro e a escuridão sufocantes, então fiz um furo do tamanho de uma ervilha nos jornais que tapavam a janela. Espiei as crianças que brincavam lá fora, sonhando que um dia talvez me deixassem participar.

Quando o alvoroço no playground me deixou triste demais para continuar olhando, comecei a ler. Não havia muitas leituras elementares entre aqueles livros, de modo que tive muita dificuldade com o vocabulário obscuro. De início o professor respondia a perguntas e explicava coisas quando vinha dar uma olhada em mim; mais tarde me trouxe um dicionário, que passei a usar regularmente, embora só continuasse entendendo cerca da metade do que lia.

Os livros sobre a história da China e de outros países me fascinavam. Ensinaram-me sobre estilos de vida diferentes: não só sobre as passagens dramáticas que todo mundo conhecia, como também sobre pessoas comuns criando sua própria história no cotidiano. Naquele livros também aprendi que muitas perguntas permaneciam sem resposta.

Aprendi muito na enciclopédia, e isso me poupou problemas e despesas mais tarde, pois hoje sou capaz de fazer trabalhos manuais e consertar qualquer coisa, de bicicletas a pequenos aparelhos domésticos. Eu sonhava em ser diplomata, advogada, jornalista ou escritora. Quando tive a oportunidade de escolher uma profissão, deixei o emprego administrativo que ocupei no exército durante doze anos para me tornar jornalista. O conhecimento passivo que tinha acumulado na infância ajudou-me mais uma vez.

Meu sonho de brincar com as outras crianças no playground nunca se materializou, mas consolava-me lendo sobre batalhas e carnificinas na biblioteca secreta. Os relatos de guerra faziam que me sentisse feliz por viver em tempos de paz e me ajudavam a esquecer os insultos que me aguardavam fora da cabana.

Quem primeiro me mostrou como ver felicidade e beleza na vida, observando as pessoas e as coisas ao meu redor, foi Yin Da.

Yin Da era órfão. Não parecia saber que tinha perdido os pais; tudo o que sabia era que fora criado pelos vizinhos, numa cabana de 1,50 × 1,20 metro, onde havia apenas uma cama, que ocupava todo o aposento. Comera o arroz e usara as roupas de cem famílias, e tratava todos os adultos do seu povoado de pai e mãe.

Lembro que Yin Da tinha só uma roupa. No inverno simplesmente punha um grosso blusão de algodão acolchoado por cima da roupa de verão. Como todo mundo ao seu redor era pobre, um blusão acolchoado era abrigo suficiente para o inverno.

Embora ele devesse ser uns cinco ou seis anos mais velho do que eu, estávamos na mesma classe na escola do exército. Durante a Revolução Cultural, praticamente todas as instituições educacionais foram fechadas; só as escolas e colégios militares tinham permissão de continuar educando os jovens em assuntos de defesa nacional. A fim de demonstrar apoio aos camponeses e operários da cidade ocupada pela base militar, minha escola providenciara para que as crianças da localidade fossem educadas junto com as do exército. Muitas já tinham catorze ou quinze anos quando entraram no primário.

Se estava por perto quando as crianças das famílias "vermelhas" me batiam, cuspiam ou xingavam, Yin Da sempre me defendia. Às vezes, ao me ver chorando num canto, dizia aos guardas vermelhos que ia me levar para conhecer os camponeses e me levava para ver a cidade. Mostrava-me as casas de gente paupérrima e me contava o que tornava aquelas pessoas felizes, ainda que ganhassem muito menos do que cem iuanes por ano.

Na hora do intervalo, íamos até o alto da colina atrás da escola para ver as árvores e as plantas que estavam florindo. Há muitas árvores do mesmo tipo no mundo, dizia, mas não existem duas folhas idênticas. Dizia que a vida é preciosa e que a água gera vida dando de si mesma.

Perguntou de que eu gostava na cidade onde a base militar ficava. Eu disse que não sabia, que não havia nada de que gostar: era um lugar pequeno, sem graça, sem cor, cheio da fumaça asfixiante dos fogões a lenha ou carvão e de gente com blusões rasgados e camisas esfarrapadas. Yin Da me ensinou a olhar e pensar em cada casa da cidade com cuidado, mesmo nas que se encontravam em pior estado. Quem morava naquelas casas? O que faziam lá dentro? O que faziam do lado de fora? Por que aquela porta estava entreaberta? A família esperava alguém ou tinha esquecido de fechar a porta? Quais seriam as conseqüências do esquecimento?

Segui o conselho de Yin Da, de que eu me interessasse pelo meu ambiente, e deixei de me sentir tão triste com as cuspidas e insultos que enfrentava todo dia. Absorvia-me nos meus próprios pensamentos, imaginando a vida das pessoas dentro das casas. O contraste entre o mundo real e o imaginário ia se tornar uma fonte de consolo e pesar para mim.

No final dos anos 60, a China e a União Soviética romperam relações completamente, e houve um conflito armado na ilha de Zhenbao, por causa da fronteira setentrional da China. Todas as cidades e povoados tiveram que cavar túneis para servirem de abrigos antiaéreos. Em algumas cidades grandes, os abrigos tinham capacidade para acomodar a população inteira. Com reservas de mantimentos e equipamentos simples, as pessoas teriam condições de sobreviver nos túneis por vários dias. Todo mundo, fosse jovem ou velho, foi posto para cavar esses túneis; nem mesmo crianças de sete ou oito anos foram dispensadas.

As crianças da nossa escola tinham que abrir túneis ao lado da colina atrás do prédio. Fomos divididos em dois grupos, um trabalhando dentro do túnel e o outro, do lado de fora. Embora me tivessem designado para o grupo que trabalhava dentro do túnel, puseram-me logo na entrada, porque era menina e relativamente fraca.

Um dia, cerca de meia hora depois de termos começado a escavar, houve um grande estrondo: o túnel tinha ruído. Quatro meninos foram soterrados, entre eles Yin Da, que era o que se encontrava mais fundo dentro da escavação. Quando foram finalmente retirados dos escombros, quatro dias depois do acidente, os corpos só puderam ser identificados pelas roupas.

Os filhos e dependentes das famílias "negras" não tiveram permissão para dar uma última olhada nos quatro meninos, que foram postumamente reconhecidos como heróis. De longe, o último vislumbre que tive de Yin Da foi um braço sem vida, pendendo de uma maca.

Yin Da um dia me ensinou a canção-tema do filme *Um visitante na montanha de gelo.* A melodia era bonita e a letra lembrava um amigo perdido. Anos mais tarde, quando a China iniciou o processo de abertura e reforma, o filme foi reapresentado. As recordações de Yin Da encheram-me a memória.

A minha linda pátria fica aos pés da montanha do Paraíso
Quando saí de casa, era como um melão arrancado do pé
A garota que eu amava morava sob os choupos-brancos
Quando parti, ela ficou como um alaúde, pendurado na parede
O meloeiro está quebrado, mas os melões ainda são doces
Quando o alaudista voltar, o alaúde cantará outra vez
Quando me separei do meu amigo
Ele ficou como uma montanha de neve — numa avalanche, sumiu
[para sempre
Ah, meu querido amigo
Jamais tornarei a ver o seu semblante poderoso ou o seu rosto generoso
Ah, meu querido amigo
Você nunca mais tornará a me ouvir tocar o alaúde, nunca me ouvirá
[cantar de novo

Não sei se Yin Da, quando cantou para mim essa canção melancólica, pressentia o próprio destino, mas deixou uma melodia através da qual eu podia lembrá-lo.

13. A mulher cujo pai não a reconhece

Na minha primeira noite no presídio feminino de Hunan ocidental, não ousei fechar os olhos, de medo dos meus pesadelos recorrentes. Mas mesmo de olhos fechados não conseguia afastar imagens da minha infância. Ao amanhecer, disse a mim mesma que tinha que deixar o passado para trás e encontrar um jeito de fazer Hua'er confiar em mim para que eu pudesse compartilhar a sua história com outras mulheres. Perguntei ao guarda se podia falar com Hua'er de novo na sala de entrevistas.

Quando ela entrou, a aspereza e o ar de desafio da véspera tinham sumido, e seu rosto estava tenso de angústia. Pelo seu olhar de surpresa, imaginei que também eu devia parecer diferente depois de passar a noite atormentada por recordações.

Hua'er iniciou a entrevista contando como a mãe havia escolhido os nomes para ela, a irmã e os irmãos. A mãe dissera que tudo no mundo natural luta pelo próprio lugar, mas que os seres mais fortes são as árvores, as montanhas e as rochas, por isso deu à primeira filha o nome de Shu (árvore), ao filho mais velho, Shan (montanha), e ao mais novo, Shi (rocha). Uma árvore florida dá frutos, e flores numa montanha ou numa rocha a embelezam, portanto Hua'er recebeu o nome de Hua (flor).

"Todo mundo dizia que eu era a mais bonita... talvez porque me chamasse Hua."

Fiquei sensibilizada pela poesia dos nomes, e pensei comigo que a mãe de Hua'er devia ter sido uma mulher culta. Servi-lhe um copo de água quente da garrafa térmica que estava sobre a mesa. Ela segurou o copo com as duas mãos, olhou longamente para o vapor que se erguia dele, e murmurou: "Meus pais são japoneses".

A revelação me surpreendeu muito. Não havia nada sobre isso na ficha criminal de Hua'er.

"Os dois lecionavam na universidade e recebíamos tratamento especial. Outras famílias tinham que morar num único aposento, mas nós tínhamos dois. Meus pais dormiam no menor e nós, no maior. Minha irmã Shu costumava levar a mim e ao meu irmão mais velho, Shan, às casas dos amigos com ela. Os pais dos amigos eram gentis conosco, davam-nos coisinhas para comer e pediam que falássemos japonês. Eu era muito nova, mas o meu japonês era bom, e eu gostava de ensinar palavras e frases aos adultos. As outras crianças pegavam toda a comida enquanto eu fazia isso, mas minha irmã sempre guardava um pouco para mim. Ela me protegia."

O rosto de Hua'er iluminou-se.

"Meu pai tinha orgulho de Shu porque ela se saía bem na escola. Dizia que ela podia ajudá-lo a se tornar mais sábio. Minha mãe também elogiava minha irmã por ser uma boa menina, porque ela ficava de olho em mim e no meu irmão mais velho, dando tempo à minha mãe para preparar as aulas e cuidar de Shi, o meu irmão mais novo, que tinha três anos. Era quando brincávamos com nosso pai que nos sentíamos realmente felizes. Ele gostava de se disfarçar para nos fazer rir. Às vezes era o velho carregando a montanha, do conto de fadas japonês, e carregava nós quatro nas costas. Ele ofegava com o nosso peso, mas continuava, gritando: 'Estou... carregando... a montanha!'.

"Às vezes amarrava o lenço da minha mãe na cabeça para ser a Vovó Loba, do conto de fadas chinês. Toda vez que brincava de esconde-esconde conosco, eu me enfiava embaixo do acolchoado e ele gritava, inocentemente: 'Hua'er não está embaixo do acolchoado!'.

"Ele se escondia nos lugares mais incríveis. Uma vez até se escondeu dentro do jarro grande onde guardávamos os cereais. Quando saiu lá de dentro, estava coberto de milho, trigo-mouro e arroz." Hua'er riu com a lembrança, e ri também.

Tomou um gole de água, saboreando-a.

"Éramos muito felizes. Mas aí, em 1966, começou o pesadelo."

As chamas da fogueira que havia assinalado o final da minha infância feliz apareceram-me diante dos olhos. A voz de Hua'er afastou a imagem.

"Numa tarde de verão, meus pais tinham ido trabalhar e eu estava fazendo a minha lição de casa sob a supervisão da minha irmã, enquanto o meu irmãozinho brincava com os brinquedos dele. De repente ouvimos gritos ritmados lá fora. Eram slogans, mas não prestamos muita atenção, porque na época os adultos estavam sempre gritando e berrando. Mas o barulho foi chegando cada vez mais perto, até que parou bem diante da nossa porta. Era um bando de jovens, gritando: 'Abaixo os lacaios dos imperialistas japoneses! Liquidem os agentes secretos estrangeiros!'.

"Minha irmã agiu como adulta. Abriu a porta e perguntou aos estudantes, que pareciam ter a mesma idade que ela, o que é que eles estavam fazendo, e disse que os meus pais não estavam em casa.

"Uma garota na frente da multidão disse: 'Ouçam, seus pirralhos, os seus pais são agentes secretos imperialistas japoneses. Foram colocados sob controle do proletariado. Vocês têm que romper completamente com eles e revelar as atividades de espionagem deles!'.

"Meus pais, agentes secretos! Nos filmes que eu tinha visto, os agentes secretos eram sempre malvados. Notando como eu estava assustada, minha irmã fechou rapidamente a porta e pôs as mãos nos meus ombros. Disse que eu não tivesse medo e que quando a mamãe e o papai chegassem contaríamos tudo para eles.

"Fazia algum tempo que o meu irmão mais velho dizia que queria ingressar na Guarda Vermelha. Mas naquela hora, disse baixinho: 'Se eles são agentes secretos, vou para Pequim para participar da revolução contra eles'.

"Minha irmã o encarou e disse: 'Não diga besteira!'.

"Estava escuro quando os estudantes pararam de gritar ali fora. Mais tarde alguém me contou que o grupo tinha tido a intenção de dar uma busca na casa, mas não teve coragem quando viu a minha irmã parada à porta, protegendo os três irmãos. Parece que o líder da Guarda Vermelha lhes passou uma descompostura terrível por causa disso.

"Passou-se um longo tempo até que tornássemos a ver o meu pai." O rosto de Hua'er imobilizou-se.

Durante a Revolução Cultural, toda pessoa que pertencesse a uma família rica, que tivesse recebido educação superior, fosse um especialista ou um acadêmico, tivesse ligações com o exterior ou tivesse algum dia trabalhado no governo antes de 1949 era classificada como contra-revolucionária. Havia tantos criminosos políticos desse tipo que as prisões não podiam abrigá-los. Assim, esses intelectuais foram banidos para regiões remotas no interior, para trabalhar na lavoura. Passavam a noite "confessando seus crimes" para os guardas vermelhos ou recebendo aulas dos camponeses, que nunca tinham visto um carro na vida nem ouvido falar em eletricidade. Meus pais suportaram muitos desses períodos de trabalhos pesados e reeducação.

Os camponeses ensinavam aos intelectuais as músicas que cantavam enquanto plantavam, e a matar porcos. Tendo crescido em ambientes cultos, de livros, os intelectuais estremeciam ao ver sangue e costumavam deixar os camponeses admirados com a sua falta de conhecimento e recursos práticos.

Uma professora universitária que entrevistei certa vez contou que o camponês que a supervisionava olhou para as sementes de trigo que ela havia arrancado por engano e perguntou, com pena: "Você nem consegue distinguir entre trigo e erva daninha. O que foi que as crianças que você ensinava aprenderam com você? Como é que você impunha respeito?". A professora contou também que os camponeses da área montanhosa para onde fora enviada foram extremamente bondosos com ela, e que aprendeu muito com a vida miserável deles. Sua impressão era de que a natureza humana é basicamente simples e despida de sofisticação, e que é somente quando as pessoas são ensinadas sobre a sociedade que aprendem a intervir nela. Havia verdade nessas palavras, mas ela teve sorte na sua experiência da Revolução Cultural.

Hua'er continuou sua história. "Um dia minha mãe voltou para casa excepcionalmente tarde. Só minha irmã ainda estava de pé. Em semivigília, ouvi minha mãe dizer a ela: 'O papai foi preso. Não sei onde o puseram. A partir de agora, tenho que assistir a aulas especiais todos os dias e talvez volte muito tarde. Vou levar Shi comigo, mas você vai ter que cuidar de Shan e Hua. Shu, você é grande agora, acredite no que vou lhe dizer: o papai e eu não somos más pessoas. Você precisa acreditar em nós, aconteça o que acontecer. Viemos para a China porque queríamos que mais pessoas entendessem a cultura japonesa e aprendessem a língua, não para cometer crimes... Ajude-me a cuidar do seu irmão e da sua irmã. Colha plantas no caminho de volta da escola e ponha na comida quando cozinhar. Faça com que seus irmãos comam mais, vocês todos estão crescendo, precisam se alimentar. Não deixe de pôr a tampa no fogão antes de ir deitar, para não se intoxicarem com o gás do carvão. Quando sair, feche direito as janelas e as portas, e não abra para ninguém. Se os guardas vermelhos vierem vasculhar a casa, leve os seus irmãos para fora, para que eles não fiquem com medo. A partir de agora, vá se deitar na mesma hora em que os seus irmãos. Não espere acordada por mim. Se precisar de alguma coisa me deixe um bilhete e eu lhe deixo outro antes de sair de manhã. Não pare de estudar japonês. O conhecimento lhe será muito útil um dia. Estude às escondidas, mas não tenha medo. As coisas vão melhorar'.

"O rosto da minha irmã permaneceu imóvel, mas duas linhas de lágrimas escorriam-lhe silenciosamente pelas faces. Escondi-me embaixo do acolchoado e chorei baixinho. Não quis que minha mãe me visse."

Lembrando de como meu irmão tinha chorado por minha mãe, não pude conter as lágrimas ao imaginar a cena que Hua'er descrevia. Ela parecia triste, mas tinha os olhos enxutos.

"A partir daquele dia, durante muito tempo nós mal víamos a minha mãe. Meu irmão e eu sabíamos que ela agora dormia no nosso quarto, mas os únicos sinais da sua existência eram as instruções e informações que nos passava por intermédio de Shu.

"Mais tarde descobri que podia vê-la se levantasse para ir ao banheiro durante a noite. Comecei a tomar toda a água que conseguia antes de ir deitar. Minha mãe parecia que não dormia nunca: toda vez que eu me levantava, ela estendia a mão para me acariciar. As mãos dela estavam ficando cada vez mais ásperas. Eu tinha vontade de esfregar o rosto contra elas, mas tinha medo de que minha irmã dissesse que eu estava perturbando o descanso da minha mãe.

"Fui ficando cada vez mais apática e cansada durante o dia, porque levantava várias vezes à noite para ver minha mãe. Uma vez até peguei no sono enquanto estudava 'as diretrizes supremas' do Partido na escola. Por sorte a professora era uma mulher muito bondosa. Depois da aula, levou-me para um lugar escondido perto do pátio e disse que adormecer estudando as diretrizes supremas do presidente Mao era visto como muito reacionário pela Guarda Vermelha e que eu precisava tomar mais cuidado.

"Não entendi completamente o que ela disse, mas fiquei com medo, porque o marido da professora era o líder da facção local da Guarda Vermelha. Expliquei correndo que não vinha dormindo bem. A professora fez silêncio por longo tempo e fiquei ainda mais preocupada. Até que ela me deu um tapinha afetuoso na cabeça e disse: 'Não se preocupe, talvez em breve a sua mãe possa voltar para casa mais cedo'.

"Não muito tempo depois disso, minha mãe começou de fato a voltar para casa mais cedo. Chegava bem na hora em que estávamos nos preparando para deitar. Dava para ver que tinha mudado muito: raramente falava e movia-se em grande silêncio; parecia ter medo de perturbar a fé que tínhamos nela e em nosso pai. O meu irmão mais velho, que tinha personalidade forte, não conseguia mais discutir com ela sobre ir para Pequim e alistar-se na Guarda Vermelha de Mao. Lentamente a vida se tornou mais normal. Um dia ouvi minha mãe dizer com um suspiro: 'Se ao menos seu pai também pudesse voltar...'.

"Nenhum de nós conseguia ficar feliz com a idéia de revê-lo. Nós o amávamos, mas se ele fosse agente secreto, teríamos que ignorá-lo.

"Algum tempo depois, no outono de 1969, minha irmã foi informada de que teria que participar de um grupo de estudos à noite, para aprender a adotar uma postura firme depois da libertação do nosso pai e estabelecer uma separação clara entre ele e nós.

"Na primeira noite de aula, minha irmã voltou muito tarde para casa. Minha mãe esperava ansiosa à janela, incapaz de ficar sentada quieta. Eu também não conseguia dormir, porque estava muito curiosa por saber como era o grupo de estudos. Os guardas vermelhos só admitiam pessoas cujo pensamento fosse revolucionário. Eu sabia que, depois de terem ingressado no grupo, certas pessoas deixavam de ser interrogadas, suas casas já não eram vasculhadas e os parentes que estivessem na prisão eram libertados. Comecei a me perguntar se nosso pai voltaria logo.

"Minha mãe me mandou para a cama e eu esfreguei os olhos repetidamente e pus penas de caneta no travesseiro para não dormir. Finalmente ouvi passos e a voz de um homem, falando baixo diante da janela, mas não consegui ouvir o que ele dizia. Quando minha irmã entrou, minha mãe correu até ela e, com uma voz cheia de medo, perguntou: 'E então, como foi?'.

"Shu se deitou em silêncio, completamente vestida. Quando minha mãe tentou ajudá-la a se despir, ela a afastou, virou-se e se cobriu toda com o acolchoado.

"Fiquei muito desapontada. Tínhamos esperado tanto tempo para nada.

"Naquela noite ouvi minha mãe chorando muito tempo. Adormeci pensando se ela estava magoada com o silêncio da minha irmã ou se tinha medo de que não gostássemos dela. Sonhei que também começara a participar de um grupo de estudos, mas assim que entrei na sala de aula, acordei.

"Shu passava um tempo excepcionalmente longo no grupo de estudos e nunca me contava nada. Durante vários meses voltou para casa muito tarde, bem depois de eu ter ido dormir. Uma noite retornou pouco depois de ter saído. O homem que a trouxe disse que Shu estava sempre com náuseas e que naquela noite tinha desmaiado. O instrutor político tinha mandado que ele a levasse para casa.

"Minha mãe ficou pálida como giz e permaneceu imóvel, enquanto minha irmã se punha de joelhos à sua frente e dizia: 'Mamãe, não havia nada que eu pudesse fazer. Eu queria que soltassem logo o papai'.

"Minha mãe estremeceu e pareceu que ia desmaiar. Meu irmão mais velho correu para ampará-la e levou-a para sentar na cama. Depois levou a mim e ao meu irmãozinho para o outro quarto. Eu não queria ir, mas não me atrevi a ficar.

"No dia seguinte, ao sair da escola, havia um homem da facção da Guarda Vermelha à minha espera. Disse que o instrutor político tinha mandado que eu ingressasse no grupo de estudos. Mal consegui acreditar. Eu só tinha onze anos. Como é que poderia ir? Achei que talvez a professora tivesse dito a eles que eu era muito obediente.

"Fiquei tão feliz que quis ir para casa e contar à minha mãe, mas o homem disse que ela já tinha sido informada.

"A aula seria numa sala pequena, mobiliada como a de uma casa, com camas, uma mesa de jantar e várias cadeiras parecidas com as da escola, só que maiores. Também havia uma estante grande, cheia de obras revolucionárias. Nas quatro paredes havia citações do presidente Mao e slogans revolucionários. Eu tinha só começado o quarto ano do curso primário, de modo que não podia entender todos eles.

"O guarda vermelho que tinha me levado até lá me deu um *Livro vermelho* das citações do presidente Mao — eu tinha sempre invejado o da minha irmã — e perguntou se eu sabia que os meus pais eram agentes secretos.

"Assenti, de olhos arregalados. Fiquei com medo de que acabassem não me deixando participar do grupo de estudos.

"Depois ele perguntou se eu sabia que todo mundo naquele grupo de estudos fazia parte da Guarda Vermelha.

"Tornei a assentir com a cabeça. Eu queria muito ser da Guarda Vermelha, para que as pessoas parassem de me xingar e para poder sentar na traseira de um caminhão e sair gritando slogans pelas ruas. Todo aquele poder e prestígio!

"Aí ele disse: 'Então você não pode contar nada sobre os assuntos dos guardas vermelhos aos agentes secretos, está entendendo?'.

"Pensando nas histórias sobre o Partido na clandestinidade e nos agentes secretos que tinha visto em filmes, gaguejei que não contaria nada para a minha família.

" 'Levante-se e jure ao presidente Mao que você guardará os segredos dos guardas vermelhos', ordenou ele.

" 'Eu juro!'

" 'Ótimo. Agora você vai ler sozinha as citações do presidente Mao. Depois que comermos, vamos ensiná-la a estudar.'

"Fiquei muito espantada ao ouvir que iam me dar comida. Não admira, pensei comigo, que minha irmã nunca dissesse nada sobre o grupo de estudos. Tinha jurado sigilo, mas também deve ter ficado com medo de que meu irmãozinho e eu sentíssemos inveja se ela mencionasse comida. Enquanto esses pensamentos me passavam pela cabeça, eu olhava para as páginas do meu *Livro vermelho*, sem entender uma palavra.

"Depois que terminei de comer, entraram mais dois guardas vermelhos. Eram ambos muito jovens, só um pouco mais velhos do que minha irmã. Perguntaram se eu tinha feito minha promessa ao presidente Mao. Respondi que sim com um gesto de cabeça, pensando em por que estavam perguntando.

" 'Está bem', disseram. 'Vamos estudar até bem tarde hoje, de modo que é bom você descansar um pouco primeiro.'

"Pegaram-me no colo e me levaram para uma cama, sorriram e me ajudaram a desdobrar o acolchoado e a tirar toda a roupa. Depois apagaram as luzes com um estalido do interruptor.

"Ninguém nunca tinha me contado sobre o que acontece entre homens e mulheres, nem mesmo a minha mãe. Tudo o que eu sabia sobre a diferença entre homens e mulheres era que a calça dos homens é presa na frente e a das mulheres, do lado. Assim, quando os três homens começaram a mexer no meu corpo no escuro, eu não tinha idéia do que aquilo significava nem do que ia acontecer em seguida.

"Sentia-me muito cansada. Por algum motivo não conseguia ficar de olhos abertos. Na confusão, ouvi os homens dizendo: 'Esta é a sua primeira aula. Temos que saber se há influências contra-revolucionárias no seu corpo'.

"Uma mão beliscou o meu mamilo incipiente e uma voz disse: 'É pequeno, mas deve haver um botão aí'.

"Outra mão me abriu as pernas e uma voz diferente disse: 'É sempre nos lugares mais secretos do corpo da pessoa que estão escondidas coisas contra-revolucionárias. Vamos dar uma olhada'.

"Fui invadida por uma onda de terror como jamais sentira antes. Comecei a tremer de medo, mas um pensamento me disparou pela mente, como um lampejo: só pessoas boas estavam no grupo de estudos, portanto eles não iam fazer nada de mau.

"Aí um homem disse: 'Jun'er, esta é para você. Nós, irmãos, cumprimos a nossa palavra'.

"Não compreendi o que estavam falando. A essa altura eu tinha perdido todo o controle sobre o corpo. Mais tarde, quando fiquei mais velha, entendi que eles deviam ter posto comprimidos para dormir na minha comida. Uma coisa grossa e grande entrou no meu corpo de criança como se fosse me atravessar inteira. Um sem-número de mãos me alisavam o peito e as nádegas, e uma língua imunda foi enfiada na minha boca. Havia arquejos em toda a minha volta e o meu corpo ardia de dor como se eu estivesse sendo açoitada.

"Não sei quanto tempo essa 'aula' infernal durou. Fiquei completamente entorpecida."

O rosto de Hua'er estava mortalmente branco. Tive que morder o lábio para impedir meus dentes de bater. Quando lhe estendi uma mão, ela a ignorou.

"Por fim, o barulho e o movimento pararam. Eu chorei e chorei.

"No escuro, várias vozes me diziam: 'Hua'er, um dia você vai gostar', 'Hua'er, você é uma boa menina, não há nenhuma maldade em você, seu pai será libertado dentro de muito pouco tempo'.

"Eu estava passiva como uma boneca de trapos enquanto eles curvavam e erguiam o meu corpo para me vestir.

"Um deles disse baixinho: 'Desculpe, Hua'er'. Sempre tive vontade de saber qual deles disse isso.

"Vários guardas vermelhos se revezaram para me carregar nas costas ao vento cortante de outono. Puseram-me no chão bem longe de casa, dizendo que eu não esquecesse que tinha feito um juramento ao presidente Mao.

"Tentei dar um passo, mas não conseguia me mexer. Minha sensação era que a metade inferior do meu corpo tinha sido toda retalhada. Um deles me pegou nos braços e me levou até a minha porta. Depois, ele e os companheiros se afastaram às pressas no escuro. Minha mãe abriu a porta quando ouviu as vozes, e pegou-me no colo.

"Perguntou o que tinha acontecido, por que eu estava voltando tão tarde.

"Eu tinha a cabeça vazia. Não pensava na minha promessa ao presidente Mao. Tudo o que conseguia fazer era chorar, e não parei quando minha mãe me levou para a cama. Ao me ver à luz das lâmpadas, ela entendeu tudo.

" 'Meu Deus!', arquejou.

"Minha irmã Shu me sacudiu e perguntou se eu tinha ido ao grupo de estudos, mas eu só continuei chorando. Sim, eu tinha ido ao 'grupo de estudos', ao grupo de estudos de anatomia feminina..."

Finalmente Hua'er se pôs a chorar. Seus ombros foram sacudidos por soluços fracos e exaustos. Envolvi-a com os braços e senti o seu corpo todo estremecer.

"Hua'er, não diga mais nada, você não vai conseguir suportar", disse. Eu tinha o rosto úrnido de lágrimas, e o choro das meninas do grupo de estudos da escola do meu irmão ecoava-me nos ouvidos.

Era meio-dia e um guarda nos trouxe comida. As duas refeições eram completamente diferentes. Troquei a minha bandeja com a de Hua'er, mas ela mal olhou para a comida. Ainda soluçando, continuou: "Eu era tão jovem. Apesar da dor, consegui dormir, ao som do choro da minha mãe e da minha irmã.

"Acordei com um sobressalto. Meu irmão Shan estava lá fora, diante da porta, gritando: 'Socorro, alguém ajude! A minha mãe se enforcou!'.

"Minha irmã Shu berrava: 'Mamãe, por que você nos abandonou?'.

"Shi, meu irmãozinho, estava agarrado a alguma coisa, chorando. Levantei da cama para ver o que é que ele estava segurando. Era a minha mãe, pendendo da verga da porta."

Hua'er ofegava. Embalei-a nos meus braços, repetindo inúmeras vezes o seu nome.

Alguns minutos depois, vi uma tira de papel aparecer na janela de observação. Havia uma mensagem: "Por favor, mantenha uma distância adequada da prisioneira".

Praguejei em silêncio e bati para que o guarda abrisse a porta. Deixando Hua'er na sala de entrevistas, fui ao escritório do diretor do presídio, com a carta do comandante Mei na mão, e insisti que Hua'er recebesse autorização para passar duas noites no meu quarto. Depois de muita hesitação ele concordou, com a condição de que eu lhe desse uma garantia por escrito, eximindo-o de qualquer responsabilidade caso ocorresse algum imprevisto enquanto Hua'er estivesse comigo.

De volta à sala de entrevistas, vi que Hua'er tinha chorado em cima da comida à sua frente. Levei-a para o meu quarto, mas ela praticamente não disse nem uma palavra nas vinte e quatro horas seguintes. Achei que estivesse lutando para sair das profundezas da sua angústia e não ousei me perguntar se ela teria mais recordações trágicas com as quais lidar.

Quando teve forças para falar de novo, contou que o pai foi libertado quatro dias depois de a mãe cometer suicídio, mas não reconheceu os filhos. Anos mais tarde alguém lhes contou que ele perdeu a razão ao ser informado da morte da esposa que tanto amava. Passou duas noites seguidas sentado na mesma posição, imóvel, perguntando o tempo todo: "Onde está Youmei?".

Nem Hua'er nem a irmã jamais se atreveram a descobrir se o pai ficara sabendo sobre o "grupo de estudos" ou se isso contribuíra para o colapso dele. Depois de libertado, foi morar com a família como se fosse para a casa de estranhos. Ao longo de vinte anos os filhos só conseguiram lhe ensinar que "papai" era a palavra que usavam para se referir a ele, e ele sempre reagia à palavra, em qualquer lugar, não importando quem a pronunciasse.

Shu, a irmã de Hua'er, nunca se casou. Fora levada para casa mais cedo naquela noite porque estava grávida, e os homens do grupo decretaram que ela não poderia continuar "estudando". Tinha quinze anos na época e a mãe não ousou levá-la ao hospital, porque os guardas vermelhos a condenariam como "capitalista" e "sapato usado" e a fariam desfilar pelas ruas. Resolveu procurar uma erva medicinal para provocar um aborto na filha, mas antes de poder fazer isso o estupro de Hua'er, no dia seguinte, levou-a a cometer suicídio.

Shu não sabia o que fazer nem a quem se voltar. Ingenuamente, amarrou a barriga e os seios que cresciam com faixas de pano, mas isso não serviu para nada. Não sabia onde encontrar a erva que a mãe mencionara, mas um dia lembrou que ela comentara que todo remédio é constituído de três partes de veneno. Shu, então, engoliu de uma vez todos os remédios que achou em casa e desmaiou na escola, sangrando muito. O hospital salvou-lhe a vida, mas o feto morreu e ela teve que ter o útero removido. A partir de então, foi rotulada de "mulher má" e "sapato usado". Com o passar dos anos, à medida que suas contemporâneas casavam e tinham filhos, Shu foi se tornando uma mulher fria e calada, completamente diferente da garota cordial e feliz que fora um dia.

Na véspera de deixar o presídio feminino de Hunan ocidental, entrevistei Hua'er uma última vez.

Alguns anos depois da sua experiência no grupo de estudos, Hua'er encontrou no depósito da escola um livro chamado *Quem é você?*, sobre biologia feminina e noções chinesas de castidade. Foi só depois de ler o livro que entendeu todas as implicações do que lhe acontecera.

Hua'er chegou à idade adulta com o amor-próprio e a noção de identidade bem abalados. Não tivera os sonhos de uma jovem ao começar a entender o amor; não tinha a esperança de uma noite de núpcias. As vozes e as mãos no escuro daquela sala do grupo de estudos a perseguiam. Apesar disso, acabou casando com um homem bom e afável, a quem amava. Quando se casaram, a virgindade na noite de núpcias era o parâmetro pelo qual as mulheres eram julgadas, e a sua ausência costumava conduzir a uma amarga separação. Ao contrário do que outros chineses teriam feito, o marido de Hua'er nunca teve nenhuma suspeita sobre a virgindade dela. Acreditou quando ela contou que o hímen se rompera enquanto praticava esportes.

Antes de 1990, ou por volta dessa data, era comum várias gerações da mesma família morarem num mesmo aposento, com as áreas para dormir separadas por cortinas finas ou beliches. O sexo tinha que ocorrer no escuro, em silêncio e com cautela; a atmosfera de contenção inibia os relacionamentos de marido e mulher e geralmente causava discórdia entre o casal.

Hua'er e o marido moravam num quarto com a família dele, portanto tinham que fazer amor com as luzes apagadas para que a sua sombra não fosse vista contra a cortina que separava a área onde dormiam. Ela ficava aterrorizada quando o marido a tocava no escuro. As mãos pareciam pertencer aos monstros da sua infância e, involuntariamente, ela gritava de medo. Quando o marido tentava consolá-la e perguntava o que havia de errado, ela não podia lhe contar a verdade. Ele a amava muito, mas era difícil lidar com a sua ansiedade quando faziam amor, e ele passou a suprimir o desejo sexual.

Mais tarde Hua'er descobriu que o marido se tornara impotente. Responsabilizou-se pelo estado dele e sofreu muito, porque o amava. Fez o melhor que pôde para ajudá-lo a se recuperar, mas não conseguia controlar os medos que a dominavam no escuro. Por fim, achou que devia lhe devolver a liberdade e lhe dar a oportunidade de ter um relacionamento sexual normal com outra mulher, e pediu divórcio. Quando o marido recusou e perguntou-lhe os motivos, ela deu desculpas frívolas. Disse que ele não era romântico, embora se lembrasse de todos os aniversários de nascimento e de casamento, e pusesse flores frescas na mesa dela todas as semanas. Todo mundo em torno deles via como ele a alegrava, mas ela lhe disse que ele era tacanho e não podia fazê-la feliz. Também disse que ele não ganhava o suficiente, embora todas as amigas invejassem as jóias que ele lhe dava.

Incapaz de encontrar um bom motivo para o divórcio, Hua'er finalmente disse ao marido que ele não lhe satisfazia as necessidades físicas, mesmo sabendo que era o único homem que seria capaz de fazer isso. Ele, ao ouvir isso, não pôde dizer mais nada. De coração partido, mudou-se para a remota Zhuhai, que na época ainda era uma região subdesenvolvida.

A voz de Hua'er ecoava nos meus ouvidos enquanto eu olhava a paisagem do jipe que me levava para casa depois de alguns dias no presídio feminino de Hunan ocidental.

"O meu querido marido foi embora. Tive a sensação de que me arrancavam o coração do peito... Pensei: aos onze anos, eu satisfazia os homens; aos vinte, deixava-os loucos; aos trinta, podia fazê-los perder a alma; e aos quarenta? Às vezes tinha vontade de usar o corpo para dar uma oportunidade aos homens que ainda podiam pedir desculpas, para ajudá-los a entender como o relacionamento sexual com uma mulher podia ser. Às vezes tinha vontade de procurar os guardas vermelhos que me torturaram e ver as casas deles sendo destruídas e suas famílias sendo separadas. Queria me vingar em todos os homens e fazê-los sofrer.

"A minha reputação como mulher não significava muito para mim. Vivi com vários homens e deixei que se divertissem comigo. Por isso fui mandada para dois campos de reeducação com trabalhos forçados e condenada à prisão duas vezes. O instrutor político no campo me chamava de delinqüente incorrigível, mas isso não me incomodava. Quando me xingam por não ter vergonha, não fico zangada. Os chineses só se preocupam com a imagem, com a cara, mas não entendem que a cara está ligada ao resto do corpo.

"Minha irmã Shu é quem me entende melhor. Ela sabe que vou fazer de tudo para me libertar das minhas recordações de terror sexual, que eu quero um relacionamento sexual maduro para cicatrizar as feridas nos meus órgãos sexuais. Às vezes sou exatamente como Shu acha que eu sou, e às vezes não sou.

"Meu pai não sabe quem eu sou, e eu também não sei."

Um dia depois de voltar à rádio, fiz dois telefonemas. O primeiro foi para um ginecologista. Contei-lhe sobre o comportamento sexual de Hua'er e perguntei se havia algum tratamento para os traumas físicos e mentais que ela sofrera. O médico deu a impressão de nunca haver pensado na questão. Na época, na China, não havia conceito de doença psicológica, somente física.

Em seguida liguei para o comandante Mei. Disse-lhe que Hua'er era japonesa e perguntei se não podia ser transferida para uma prisão para estrangeiros, onde as condições eram melhores.

Ele fez silêncio, e depois respondeu: "Xinran, no que diz respeito ao fato de Hua'er ser japonesa, é melhor não abrir a boca. No momento os crimes dela são delinqüência sexual e coabitação ilegal. Não deve faltar muito para ela ser solta. Se for divulgado que ela é estrangeira, pode ser acusada de ter cometido seus atos por motivação política e as coisas podem ficar bem piores para ela".

Todo mundo que viveu durante a Revolução Cultural se lembra de como as mulheres que cometeram o "crime" de ter roupas ou hábitos estrangeiros eram publicamente humilhadas. Para diversão dos guardas vermelhos, cortavam-lhes o cabelo das maneiras mais estranhas possíveis; lambuzavam-lhes o rosto com batom; amarravam sapatos de salto alto um no outro e penduravam-nos no corpo delas; prendiam-lhes na roupa pedaços quebrados de todo tipo de "artigos estrangeiros". Elas eram obrigadas a contar inúmeras vezes como se viram na posse de produtos estrangeiros. Eu tinha sete anos na primeira vez em que vi essas mulheres desfilando pelas ruas para serem vaiadas. Lembro de pensar que, se houvesse outra vida, eu não queria nascer mulher.

Muitas delas tinham retornado à pátria com o marido para dedicar a vida à Revolução e à construção da nova China. De volta ao país, não só tiveram que lidar com o trabalho doméstico usando os aparelhos mais básicos, como precisaram eliminar os hábitos confortáveis e as atitudes a que tinham se acostumado no exterior. Cada palavra e cada ato eram julgados num contexto político; elas tiveram que compartilhar da perseguição aos maridos como "agentes secretos" e passar por "revolução" após "revolução" por possuírem objetos femininos estrangeiros.

Entrevistei muitas mulheres que viveram essas experiências. Em 1989 uma camponesa, nas montanhas, me contou que freqüentara uma academia de música. Seu rosto era marcado de rugas e as mãos eram grosseiras e calejadas. Não vi sinal de habilidade musical. Foi somente quando ela falou com a ressonância peculiar de quem teve aulas de canto que comecei a achar que pudesse estar dizendo a verdade.

Mostrou-me fotos que provaram que as minhas dúvidas eram inteiramente infundadas. Ela e a família tinham morado nos Estados Unidos. Quando voltaram para a China, ela ainda não completara dez anos. Até a Revolução Cultural, pudera desenvolver seu talento musical num conservatório em Pequim. Mas a ligação de seus pais com os Estados Unidos lhes custara a vida e arruinara a da filha.

Aos dezenove anos, foi mandada para uma área montanhosa paupérrima e dada em casamento a um camponês pelos representantes do Partido. Vivia lá desde então, numa região tão pobre que os aldeães não tinham recursos nem para comprar óleo para cozinhar.

Antes de eu ir embora, ela me perguntou: "Os soldados americanos ainda estão no Vietnã?".

Meu pai conheceu uma mulher que voltou para a China depois de passar muitos anos na Índia. Tinha mais de cinqüenta anos, era professora e muito boa com os alunos — era comum usar dinheiro das suas economias para ajudar alunos em apertos financeiros. No início da Revolução Cultural, ninguém achou que ela seria afetada, mas foi "combatida" e "reformada" durante dois anos, por causa da sua roupa.

Essa professora afirmava que as mulheres devem usar cores vivas e que o uniforme de Mao era masculino demais. Assim, costumava usar um sári embaixo do blusão regulamentar. Os guardas vermelhos consideraram isso como deslealdade à pátria e condenaram-na por "idolatrar coisas estrangeiras e ter uma fé cega nelas". Entre os guardas vermelhos que a condenaram havia alunos a quem ela tinha dado dinheiro. Pediram-lhe desculpas pelo próprio comportamento mas disseram que, se não a "combatessem", eles é que se veriam em apuros, e as suas famílias também.

A professora nunca mais usou os seus amados sáris, mas no leito de morte murmurou inúmeras vezes: "Sáris são tão bonitos".

Outra professora me contou a sua experiência durante a Revolução Cultural. Uma parente distante, que morava na Indonésia, tinha lhe mandado um batom e um par de sapatos de salto alto ingleses, através de um membro de uma delegação governamental. Sabendo que presentes do exterior podiam gerar suspeitas de espionagem, ela foi correndo jogar tudo no lixo, sem abrir o pacote. Não notou uma menina de onze ou doze anos brincando perto da lata de lixo, que informou o "crime" às autoridades. Durante muitos meses a professora foi exibida pela cidade, na traseira de um caminhão, para ser "combatida" pelas multidões.

Entre 1966 e 1976, os anos negros da Revolução Cultural, havia pouco no corte ou na cor que distinguisse a roupa das mulheres da dos homens. Os objetos para uso especificamente feminino eram raros. Maquiagem, roupas bonitas e jóias só existiam em livros proibidos. Mas, por mais revolucionários que os chineses fossem na época, nem todos conseguiam resistir à natureza. Uma pessoa podia ser "revolucionária" em todos os sentidos, mas bastava sucumbir a desejos sexuais "capitalistas", e era arrastado para o palco para ser combatido ou colocado no banco dos réus. Algumas pessoas, desesperadas, deram cabo da própria vida. Outras colocavam-se como exemplos de moralidade, mas aproveitavam-se dos homens e mulheres que estavam sendo reformados, fazendo da submissão sexual deles "um teste de lealdade". A maioria das pessoas daquela época enfrentou um ambiente de esterilidade sexual, sobretudo as mulheres. No auge da vida, os maridos eram encarcerados ou enviados para escolas de reeducação por períodos de até vinte anos, enquanto as esposas levavam uma existência de viúvas de marido vivo.

Na avaliação que se faz agora dos danos causados à sociedade chinesa pela Revolução Cultural, deve-se incluir o dano aos instintos sexuais naturais. Os chineses dizem que "em toda família há um livro que é melhor não ler em voz alta". São inúmeras as famílias que não confrontaram o que lhes aconteceu durante a Revolução Cultural. As lágrimas colaram as folhas desses capítulos do livro e não se pode abri-las. As gerações futuras ou as pessoas de fora só enxergarão um título borrado. Ao verem a alegria de parentes ou amigos que se reencontram depois de anos de separação, poucos ousam se perguntar como foi que essas pessoas lidaram com seus desejos e sofrimento durante aqueles anos.

De modo geral foram as crianças, sobretudo as meninas, que arcaram com as conseqüências do desejo sexual frustrado. A menina que cresceu durante a Revolução Cultural viu-se cercada de ignorância, loucura e perversão. As escolas e as famílias eram incapazes e proibidas de lhes dar a mais elementar educação sexual. Muitas mães e professoras também eram ignorantes nesses assuntos. Quando o corpo amadurecia, a menina se tornava vítima de ataques indecentes ou estupro — meninas como Hongxue, cuja única experiência de prazer sensual veio de uma mosca; Hua'er, violentada pela Revolução; a mulher na secretária eletrônica, dada em casamento pelo Partido; ou Shilin, que jamais saberá que cresceu. Os perpetradores foram seus professores, amigos, até seus pais e irmãos, que perderam o controle dos instintos animais e agiram da maneira mais feia e egoísta de que um homem pode agir. As esperanças das meninas foram destruídas, e a sua capacidade de sentir o prazer de fazer amor foi danificada para sempre. Se pudéssemos ter acesso aos pesadelos delas, passaríamos dez ou vinte anos ouvindo o mesmo tipo de história.

É tarde demais para devolver a juventude e a felicidade a Hua'er e a outras mulheres que suportaram a Revolução Cultural. Elas arrastam consigo as grandes sombras negras de suas recordações.

Lembro de um dia, no escritório, quando Mengxing leu em voz alta o pedido de uma ouvinte que queria ouvir determinada música e disse: "Eu simplesmente não entendo. Por que é que as mulheres velhas gostam tanto dessas canções roídas de traças? Por que é que não olham ao redor para ver como é o mundo de hoje? Elas são lentas demais".

O Grande Li bateu na mesa com a caneta e repreendeu: "Lentas demais? Lembre-se de que essas mulheres nunca tiveram tempo para gozar a juventude!".

14. Uma mulher moderna

No outono de 1995, pedi demissão do cargo de diretora de Desenvolvimento e Planejamento de Programação, argumentando que estava lidando com muitas tarefas ao mesmo tempo e que a carga de trabalho criada pelo meu programa de rádio — reportagens, edição, responder as cartas etc. — não parava de aumentar. O que eu queria na verdade era espaço para mim mesma. Tinha cansado de analisar montanhas de documentos cheios de proibições e de comparecer a reuniões intermináveis. Precisava de mais tempo para conhecer as chinesas.

Meus superiores não ficaram nem um pouco contentes com a minha decisão, mas a essa altura me conheciam o suficiente para saber que, se me obrigassem a permanecer no cargo, eu poderia me demitir da rádio. Enquanto eu estivesse ali, eles ainda poderiam utilizar a minha projeção junto ao público e a minha ampla rede de contatos sociais.

Assim que minha decisão se tornou conhecida, meu futuro passou a ser assunto de conjecturas e discussões sem fim. Ninguém entendia por que eu ia abandonar a garantia de sucesso contínuo numa carreira oficial. Uns disseram que eu ia engrossar as fileiras dos novos empresários; outros presumiram que eu fosse assumir uma cátedra universitária muito bem remunerada; outros, ainda, acharam que eu fosse para os Estados Unidos. A maioria das pessoas simplesmente disse: "Qualquer coisa que Xinran faça vai estar na moda". Embora possa ser bom ser considerada moderna e criadora de tendências, eu sabia o quanto as pessoas tinham sofrido nas mãos da "moda".

Moda, na China, sempre fora política. Nos anos 50, as pessoas transformaram em moda o estilo de vida do comunismo soviético. Gritavam slogans políticos como "Alcançar os Estados Unidos e superar a Inglaterra em vinte anos!", e seguiam ao pé da letra as últimas diretrizes do presidente Mao. Durante a Revolução Cultural, a moda era ir para o interior para ser "reeducado". Humanidade e sabedoria foram banidas para lugares que não sabiam que há locais neste mundo onde as mulheres podem dizer "não" e os homens podem ler jornais.

Nos anos 80, depois de adotada a política de reforma e abertura, entrou na moda abrir empresas. Logo todos os cartões de visitas diziam "Diretor empresarial". Surgiu até um dito: "De um bilhão de pessoas, novecentos milhões são empresários e cem milhões esperam abrir um negócio".

Os chineses nunca seguiram uma tendência por escolha — foram sempre impelidos pela política. Nas minhas entrevistas com mulheres, descobri que inúmeras das chamadas "modernas" e "criadoras de tendências" foram forçadas a sê-lo e, depois, perseguidas pela moda que adotaram. Os homens dizem que, hoje em dia, a moda são mulheres fortes, mas as mulheres acreditam que "por trás de toda mulher de sucesso, há um homem que lhe causa sofrimento".

Certa vez entrevistei uma empresária famosa que vivia sua vida aos olhos do público. Fora sempre considerada uma líder da moda e eu tinha lido muito sobre ela nos jornais. Fiquei interessada em saber como se sentia com toda a publicidade à sua volta e como se tornara tão conhecida.

Zhou Ting reservou um apartamento de luxo num hotel quatro estrelas para a nossa entrevista. Segundo ela, foi para garantir que tivéssemos privacidade. Ao chegar, deu toda a impressão de gostar de ser uma mulher da moda. Usava roupas elegantes e caras, de seda e caxemira, e muitas jóias que cintilavam e retiniam quando ela se movia. Trazia os dedos cobertos de anéis. Tinham me dito que ela dava jantares extravagantes em todos os grandes hotéis e que trocava de carro com a mesma freqüência com que trocava de roupa. Era gerente-geral de vendas de alimentos naturais de várias empresas grandes da área. No entanto, depois de entrevistá-la, entendi que atrás daquela aparência de modernidade havia uma mulher muito diferente.

No começo da entrevista, Zhou Ting disse várias vezes que fazia muito tempo que não falava sobre seus sentimentos verdadeiros. Observei que sempre pedia às mulheres que contassem suas histórias verdadeiras porque a verdade é o princípio essencial de uma mulher. Ela me deu uma olhada penetrante e replicou que a verdade nunca esteve "na moda".

Durante a Revolução Cultural, a mãe de Zhou Ting, que era professora, foi forçada pelos guardas vermelhos a assistir a aulas de estudos políticos. O pai pôde ficar em casa: tinha um tumor numa glândula supra-renal e estava tão doente que mal conseguia levantar os pauzinhos para comer. Mais tarde um dos guardas vermelhos disse que eles não acharam que valesse a pena se incomodar com o homem. A mãe acabou sendo presa por vários anos.

Desde o primeiro ano na escola primária Zhou Ting foi molestada devido aos seus antecedentes familiares. Às vezes os colegas de classe a espancavam até fazer marcas pretas e roxas, às vezes faziam cortes nos braços dela, deixando feridas ensangüentadas. Mas a dor desses ataques não era nada em comparação com o terror de ser interrogada sobre a mãe pelos operários, equipes de propaganda e grupos políticos estacionados na escola, que a beliscavam ou lhe batiam na cabeça quando ela fazia silêncio. Era tamanho o medo de ser interrogada que, se aparecesse uma sombra na janela da sala de aula, ela se punha a tremer.

No final da Revolução Cultural, declarou-se que a mãe de Zhou Ting era inocente e que fora falsamente acusada de ser contra-revolucionária. Mãe e filha tinham sofrido sem necessidade durante dez anos. O pai também não escapou: os guardas vermelhos acabaram por ir ao hospital e o submeteram a inúmeros interrogatórios até que ele morresse.

"Ainda hoje eu costumo acordar assustada com pesadelos de estar sendo espancada na infância", disse ela.

"A sua experiência foi excepcional na sua escola?", perguntei.

O sol estava entrando no aposento e Zhou Ting fechou uma cortina para nos proteger do excesso de claridade.

"De certo modo, sim. Pelo menos sempre me lembro dos meus colegas falando muito animados de ir à universidade para ver a minha mãe ser combatida, ou ficarem ouvindo às escondidas enquanto eu era interrogada pela equipe política."

"E de lá para cá você se sobressai na vida por razões diferentes."

"Sim. Primeiro a minha mãe, depois os homens ao meu redor providenciaram para que as pessoas sempre se interessassem por mim."

"Na sua vida particular ou na profissional?"

"Principalmente na vida particular."

"Há quem diga que a mulher tradicional não pode ter sentimentos modernos e que a mulher moderna não pode ser casta nem fiel. Qual desses caminhos você diria que seguiu?"

Zhou Ting girou os anéis. Notei que não usava aliança de casamento.

"Sou muito tradicional por natureza mas, como você sabe, fui forçada a deixar o meu marido." Eu tinha sido convidada uma vez a uma palestra em que ela apresentou propostas para uma política de ruptura matrimonial mas, além do que tinha lido nos jornais, não sabia nada sobre as suas experiências pessoais.

"O meu primeiro casamento — na verdade só tive esse casamento — foi exatamente como muitos outros na China. Uns amigos me apresentaram ao homem que se tornou meu marido. Na época eu morava em Ma'anshan e ele, em Nanquim, de modo que só nos víamos uma vez por semana. Foi uma época idílica: minha mãe tinha sido libertada, eu arrumara um emprego e um relacionamento. Eu resistia quando insistiam para que eu passasse algum tempo vivendo e aprendendo com a experiência antes de tomar decisões, pois achava que as recomendações eram muito parecidas com as dos trabalhadores políticos que me interrogavam durante a Revolução Cultural. Estávamos nos preparando para casar quando meu namorado sofreu um acidente no trabalho e perdeu os dedos da mão direita. Amigos e parentes me disseram que pensasse duas vezes antes de casar: ele estava aleijado e nós teríamos muitos problemas. Eu, para me defender, citava histórias de amor famosas, antigas e modernas, da China e de outros países, e dizia a todo mundo: 'O amor é incondicional, é uma espécie de sacrifício. Quando se ama alguém, como se pode abandoná-lo porque ele está em dificuldade?'. Saí do emprego e mudei para Nanquim para casar."

Senti-me muito solidária com a decisão de Zhou Ting. "O seu comportamento foi considerado ingênuo pelas pessoas que a cercavam, mas você deve ter se sentido muito orgulhosa de si mesma, e muito feliz também", disse.

Ela assentiu. "Sim, você tem toda a razão, eu era realmente feliz naquela época. Não tinha medo algum de casar com um homem aleijado. Sentia-me como uma heroína num romance." Abriu ligeiramente a cortina e um raio de sol iluminou-lhe a nuca, fazendo o colar brilhar e criando um ponto cintilante na parede.

"Quando a nossa vida a dois começou, descobri que tudo tinha mudado. Os dirigentes da unidade de trabalho do meu marido na mina de ferro de Meishan, em Nanquim, tinham me prometido um bom emprego no hospital para nos ajudar depois que nos casássemos, mas quando cheguei só me deram um cargo como administradora de uma escola primária. E usaram o fato de eu não ter documentos de registro local como pretexto para me impedirem de me candidatar a uma promoção e a um aumento de salário naquele ano. Eu jamais imaginara que aqueles dirigentes dignos e respeitáveis pudessem voltar atrás na palavra dada.

"Mas o meu novo emprego não era o meu maior problema. Logo percebi que meu marido era um mulherengo incorrigível. Dormia com qualquer mulher que estivesse disposta a ir para a cama com ele — fosse uma garotinha ou uma mulher várias décadas mais velha. Não desprezava nem mesmo as mendigas desgrenhadas e de cara suja. Fiquei profundamente perturbada. Quando engravidei, ele passava a noite inteira na rua. Arrumava todo tipo de desculpa para se justificar, mas sempre se traía.

"Acabei por lhe dar uma advertência e ele concordou em mudar de jeito. Pouco tempo depois me disse que de vez em quando precisaria trabalhar até tarde. Uma noite um colega veio procurá-lo em casa, eu disse que ele estava fazendo hora extra, e o colega disse que isso não era verdade.

"Entendi na mesma hora que meu marido tinha voltado ao comportamento antigo. Fiquei furiosa. Pedi à vizinha que tomasse conta do meu filho e corri à casa da mulher com quem eu sabia que, antes da minha advertência, meu marido estava tendo um caso. A casa ficava a poucas ruas de distância. Ao me aproximar, vi a bicicleta do meu marido junto ao portão. Eu tremia de raiva quando bati na porta. Esperei um longo tempo e tornei a bater, até que uma mulher com a roupa desarrumada acabou abrindo a porta lateral e gritou: 'Quem é? Por que é que você está fazendo todo esse barulho a esta hora da noite?'. Mas logo me reconheceu e gaguejou: 'Você? O que é que você está fazendo aqui? Ele... ele não está aqui comigo'.

"'Eu não vim à procura dele, vim ver você!', respondi.

"'A mim? O que é que você quer comigo? Eu não fiz nada para ofendê-la.'

"'Posso entrar para conversarmos?'

"'Não, não é conveniente.'

"'Está bem, conversamos na porta, então. Eu só quero lhe pedir que, por favor, termine com o meu marido. Ele tem família.'

"A mulher exclamou: 'É o seu marido que vem correndo à minha casa todos os dias. Eu nunca estive na sua casa!'.

"'Você está tentando me dizer que não vai deixar de recebê-lo? Ele...' Eu parei de repente, suando frio. Não estava acostumada a confrontos.

"'Que piada', troçou a mulher. 'Você não consegue conservar o seu homem e me acusa de não trancar a minha porta?'

"'Sua... Sua...' Eu estava sem fala de raiva.

"'Sua o quê? Se você não tem o que é preciso ter, não me venha aqui miando como uma gata no cio. Você faria o que eu faço, se pudesse!' Ela falava como uma prostituta qualquer, mas era uma mulher instruída, uma médica.

"De repente meu marido apareceu, abotoando a braguilha. 'Que discussão é essa, suas cadelas ciumentas? Eu vou lhes mostrar o que é um homem!' E antes que eu pudesse reagir, pegou uma vara de bambu e começou a me bater.

"A amante se pôs a berrar: 'Você já devia ter lhe dado uma lição!'.

"Senti uma dor cortante no ombro esquerdo, onde ele tinha me atingido. Como ele tinha dificuldade em usar a mão direita aleijada, consegui evitar os outros golpes.

"Muitas pessoas do conjunto residencial tinham sido atraídas pelo barulho. Ficaram olhando passivamente enquanto eu era enxotada e espancada pelo meu marido e a amante dele gritava insultos. Quando a polícia finalmente apareceu, eu estava coberta de cortes e escoriações, mas ouvi uma velha dizer: 'Essa polícia é uma intrometida, enfiando o nariz em assunto de família'.

"No hospital o médico extraiu vinte e duas farpas de bambu do meu corpo. A enfermeira ficou tão indignada com o que me havia acontecido que escreveu uma carta ao jornal da cidade. Dois dias depois o jornal publicou uma foto minha, coberta de ataduras, e um artigo dizendo que as mulheres deviam ser tratadas com respeito. Muita gente foi me visitar no hospital, principalmente mulheres, é claro, levando comida de presente. Só vi o artigo várias semanas depois. Eu era falsamente descrita como uma esposa que era maltratada fazia muito tempo. Não soube se exageraram a minha situação porque alguém sentiu pena de mim ou porque alguém quis revidar em nome de todas as mulheres maltratadas, pondo o meu marido no banco dos réus."

"Você tentou fazer alguma reparação?"

"Não, eu estava muito desorientada, não sabia o que fazer. Era a primeira vez que aparecia num jornal. Além disso, no fundo eu me sentia grata pelo artigo. Se as pessoas tivessem simplesmente achado que o meu marido estava 'pondo a casa em ordem', como é que as coisas poderiam melhorar para as mulheres?"

Para muitos chineses, quando um homem espanca a esposa ou os filhos, está "pondo a casa em ordem". As camponesas mais velhas, em particular, aceitam a prática. Como viveram de acordo com o ditado de que "uma esposa ressentida tem que suportar até virar sogra", acreditam que todas as mulheres devem sofrer o mesmo destino. Daí o fato de as pessoas que viram Zhou Ting ser surrada não terem feito nada para ajudar.

Zhou Ting suspirou. "Às vezes acho que as coisas não foram tão más assim para mim. Teria sido muito pior ter nascido mulher em outras épocas. Nem pensar em freqüentar escola. Naqueles tempos eu teria tido só as sobras de arroz do meu marido para comer."

"Você é boa em se consolar", disse eu, pensando comigo que muitas chinesas se consolam com esse tipo de pensamento.

"Meu marido dizia que o estudo em excesso me estragou."

"Não foi ele que inventou isso. Confúcio disse que, numa mulher, a falta de talento é uma virtude." Fiz uma pausa e perguntei: "Você não apareceu nos jornais mais tarde, num caso de tentativa de homicídio?".

"Acho que sim. Os jornais me transformaram na vilã da história, e foi quando aprendi sobre o poder da mídia. Até hoje ninguém acredita quando conto o que realmente aconteceu. Todo mundo pensa que tudo o que sai impresso nos jornais é uma verdade incontestável."

"Então você acha que as notícias foram inexatas?"

Zhou Ting ficou agitada. "Eu acredito em punição divina. Que eu seja atingida por um raio se estiver mentindo!"

"Não precisa me dizer isso, por favor", disse eu, tentando acalmá-la. "Eu não estaria aqui se não quisesse ouvir o seu lado da história."

Mais calma, Zhou Ting prosseguiu.

"Entrei com um pedido de divórcio, mas o meu marido implorou uma última chance, dizendo que era aleijado e que não poderia sobreviver sem mim. Senti-me dividida: depois de ter me batido tanto, eu não acreditava que ele pudesse mudar, mas tive medo de que ele realmente não conseguisse viver sem mim. Era ótimo ter um caso aqui e outro ali, mas será que as amantes iam enfrentar as dificuldades com ele?

"Um dia, porém, voltei cedo do trabalho e encontrei meu marido com uma mulher, os dois seminus. O sangue me subiu à cabeça e me pus aos berros com ela: 'Você se considera uma mulher, prostituindo-se na minha casa? Fora daqui!'.

"Gritei e xinguei enfurecida. A mulher cambaleou até o meu quarto e pegou a roupa em cima da minha cama. Eu agarrei um cutelo na cozinha e disse ao meu marido: 'E você, que espécie de homem é você?'.

"O meu marido me deu um chute na virilha. Enfurecida, joguei o cutelo na direção dele, mas ele se abaixou e depois ficou me encarando, chocado de que eu tivesse me atrevido a atacá-lo. Eu tremia de fúria, mal conseguia falar. 'Vocês... vocês dois... o que é... que estão fazendo? Se vocês não se explicarem... um de nós vai morrer bem aqui!', acabei dizendo.

"Eu tinha agarrado um cinto de couro que estava pendurado na porta. Enquanto falava, ia açoitando como uma louca, mas eles se afastaram. Quando me virei para atingir o meu marido, a mulher se esgueirou. Saí correndo atrás dela até a delegacia de polícia, batendo com o cinto enquanto ela dizia que nunca mais dormiria com o meu marido. Assim que passou pelo portão da delegacia, ela foi correndo para a sala do plantão, berrando: 'Socorro, estou sendo atacada!'.

"Eu não sabia que ela era aparentada com um dos policiais daquela delegacia, nem que um dos seus amantes também trabalhava lá. Quando um policial me segurou e me torceu o braço atrás das costas, eu gritei: 'Você entendeu tudo errado!'.

"'Cale a boca!', disse ele, bruscamente.

"'Você entendeu tudo errado! Essa mulher cometeu adultério com o meu marido na minha casa, está ouvindo?'

"'O quê?', exclamou ele. Os outros policiais que tinham acorrido ficaram todos chocados. Como você sabe, atividade sexual fora do casamento era delito grave naquela época. Podia levar a uma pena de prisão de mais de três anos.

"O policial me soltou. 'Que prova você tem disso?', perguntou.

"'Se eu lhe der a prova, o que é que você vai fazer com ela?', perguntei, certa de que encontraria uma prova.

"Ele não respondeu à minha pergunta diretamente. O que disse foi: 'Se você não apresentar provas, vamos prendê-la por acusação falsa e agressão física'. Na época não havia procedimentos legais adequados. Eu hoje até me pergunto se aqueles policiais entendiam um parágrafo sequer da lei.

"'Eu preciso de três horas', disse eu. 'Se eu não apresentar provas, você pode me prender.'

"Um policial mais velho, talvez o chefe da delegacia, interveio: 'Está bem. Vamos mandar alguém com você para buscar as provas'.

"Quando cheguei em casa com um policial, meu marido estava sentado no sofá, fumando um cigarro. Ficou surpreso, mas eu o ignorei e fui direto ao quarto, depois ao banheiro. Não encontrei nada de suspeito. Por fim, abri a lata de lixo na cozinha e vi uma calcinha suja de sêmen.

"O policial olhou para mim e assentiu com um gesto de cabeça. Meu marido, que olhava preocupado enquanto eu procurava, empalideceu e gaguejou: 'Você... o que é que você está fazendo?'.

"'Eu vou mandar prender vocês dois', respondi, decidida.

"'Mas você vai me arruinar!'

"'Você é que já fez muito para me arruinar!', disse eu, pegando a prova e indo embora com o policial.

"Na delegacia, fui chamada de lado por um oficial, que disse que tinha um assunto a tratar comigo.

"'Assunto? Que assunto você tem a tratar comigo?', perguntei, surpresa.

"'Bom, a mulher que você está acusando de adultério é cunhada do chefe da delegacia. Se isto vier a público, vai ficar mal para ele. O marido da mulher também nos implorou que chegássemos a um entendimento com você. Ele alega que ela é ninfomaníaca e que a filha acabou de fazer catorze anos. Se a mulher for para a prisão, a família vai ficar numa posição difícil.'

"'E a minha família? O que é que eu vou fazer?', retruquei, começando a me irritar.

"'Você não está se divorciando? É muito difícil conseguir um divórcio, você vai ter que esperar no mínimo três anos. Nós podemos encontrar alguém para defender a sua causa e até podemos depor a seu favor, se você quiser, para acelerar o processo.'

"Eu entendi aonde ele queria chegar. 'Que tipo de depoimento vocês vão dar?'

"'Podemos dizer que o seu marido manteve relações extraconjugais.'

"'E que provas vocês vão apresentar?' Pensei na calcinha que eu estava segurando.

"'Bom, já correm muitos mexericos sobre o seu marido. Podemos simplesmente depor que o que se diz sobre ele é verdade.'

"'Você não precisa se dar ao trabalho de inventar uma história. Esta é a prova desta noite.' Ingenuamente entreguei-lhe a calcinha suja, sem pedir um recibo nem insistir que o nosso acordo fosse registrado por escrito e arquivado. Só queria acabar com aquilo o mais rápido possível.

"No tribunal de divórcio, duas semanas mais tarde, declarei que a delegacia de polícia deporia a meu favor. O juiz anunciou: 'Segundo o nosso inquérito, essa delegacia de polícia não tem registro de ter lidado com qualquer questão relacionada a você'. Como é que a Polícia Popular pode enganar as pessoas desse jeito?"

Não me admirei com a falta de escrúpulos da força policial, mas perguntei: "Você informou isso a algum departamento do governo?".

"Informar? A quem? Antes mesmo que eu pudesse voltar à delegacia para implorar que depusessem a meu favor, o jornal local já tinha publicado a notícia, com a manchete 'A vingança de uma esposa'. Fui retratada como uma mulher violenta, de quem o marido estava pedindo divórcio. A notícia pipocou em outros jornais e cada vez que era publicada ganhava uns retoques. No final eu era uma louca, às gargalhadas em meio a um lago de sangue!"

Senti vergonha pelos colegas jornalistas que tinham distorcido a história de Zhou Ting dessa maneira. "Como foi que você reagiu?"

"Foi só mais uma coisa com a qual tive que lidar. A minha família tinha se desintegrado e eu estava morando com a minha mãe."

"E o seu apartamento?" Assim que fiz a pergunta, dei-me conta de que sabia a resposta: em unidades de trabalho estatal, praticamente tudo o que é designado a uma família vai no nome do homem.

"A unidade de trabalho disse que o apartamento estava no nome do meu marido, portanto pertencia e ele."

"Onde é que a unidade de trabalho esperava que você morasse?" Mulheres divorciadas eram tratadas como folhas secas.

"Disseram que eu tinha que encontrar alguma acomodação temporária e esperar a próxima alocação de residências."

Eu sabia que, no linguajar oficial, podia levar anos até que a "próxima alocação" se materializasse. "E quanto tempo levou para lhe darem um apartamento?"

Zhou Ting deu uma risada desdenhosa. "Ainda não deram. E faz nove anos que isso aconteceu."

"Não fizeram absolutamente nada por você?"

"Praticamente nada. Fui falar com a presidente do sindicato, uma mulher de uns cinqüenta anos, para pedir ajuda. E ela, com toda a delicadeza, me disse que para uma mulher é fácil, que bastava eu encontrar outro homem com um apartamento e teria tudo de que precisasse."

Tive dificuldade em entender a visão de mundo da funcionária do Partido que podia ter dito uma coisa dessas. "A presidente do sindicato disse isso?"

"Palavra por palavra."

Achei que começava a entender Zhou Ting um pouco melhor. "Então você nunca pensou em tomar medidas contra o tratamento que a mídia lhe deu?", perguntei, sem esperar que ela tivesse feito isso.

"Não. Bem, acabei fazendo uma coisa. Telefonei para o jornal, mas fui ignorada. Então me queixei diretamente ao editor-chefe. Ele, meio de brincadeira, meio como ameaça, me disse que o caso estava encerrado e que se eu não tocasse no assunto ninguém mais se lembraria da história. E perguntou se eu queria aparecer nos noticiários de novo, se queria enfrentar o jornal daquela vez. Eu, não querendo passar por mais coisas desagradáveis, decidi deixar as coisas como estavam."

"No fundo você tem o coração mole."

"É, alguns dos meus amigos dizem que eu tenho facas na boca e tofu no coração. De que serve isso? Quantas são as pessoas que olham através das palavras para enxergar o coração?"

Fez uma pausa e continuou. "Eu realmente não sei por que foi que apareci nos noticiários na terceira vez. Acho que foi por causa do amor. Havia um professor jovem na minha unidade de trabalho chamado Wei Hai. Não era da cidade, por isso morava no dormitório da escola. Na época o meu divórcio estava passando pelos tribunais. Eu não suportava nem ver o meu marido, e tinha medo de que ele me batesse, então ficava no escritório depois do trabalho, lendo revistas. Wei Hai costumava sentar na sala dos professores para ler os jornais. Um dia ele de repente me segurou a mão e disse: 'Zhou Ting, não sofra assim. Deixe que eu a faça feliz!'. Os olhos dele brilhavam de lágrimas. Jamais esquecerei a cena.

"Eu ainda não estava divorciada, e tinha outras dúvidas acerca de iniciar um relacionamento com Wei Hai. Ele era quase nove anos mais novo do que eu. As mulheres envelhecem tão depressa... Íamos causar tantos comentários. Fiquei com medo. Você conhece o ditado: 'Devem-se temer as palavras do homem'. Pois eu lhe digo que elas podem matar", disse Zhou Ting, com fúria.

"Quando o meu divórcio foi finalmente concedido, eu já estava rotulada como 'mulher má'. Por sorte foi no começo do período de reforma econômica. Estava todo mundo ocupado, correndo atrás de dinheiro, de modo que havia menos tempo para meterem o nariz na vida alheia. Fui morar com Wei Hai. Ele era muitíssimo bom para mim, em todos os sentidos possíveis. Eu era muito feliz com ele, que se tornou até mais importante para mim do que o meu filho."

Não foi pouca coisa, pensei comigo, em vista da mentalidade chinesa tradicional de colocar os filhos acima de tudo.

"Estávamos morando juntos fazia um ano quando um representante sindical e um administrador da minha unidade de trabalho foram à nossa casa para nos dizer que arranjássemos uma certidão de casamento o mais rápido possível. Embora a China estivesse se abrindo, algumas pessoas, especialmente mulheres, consideravam a coabitação 'um delito contra a decência pública'. Mas a felicidade e a força que a nossa vida a dois me havia dado ultrapassavam de longe o meu medo da opinião dos outros. Para nós, o casamento era só uma questão de tempo. Depois da visita dos funcionários, decidimos pedir às nossas respectivas unidades de trabalho que nos dessem uma certidão na semana seguinte, para podermos registrar o nosso casamento. Como já vivíamos juntos havia mais de um ano, não celebramos nem ficamos particularmente entusiasmados com o evento.

"Na segunda-feira seguinte, à noite, perguntei a Wei Hai se ele já tinha tirado a certidão. Ele disse que não. Eu também não tinha tirado a minha, porque tinha estado ocupada. Então combinamos que faríamos isso, definitivamente, antes da quarta-feira. Na quarta-feira de manhã telefonei para ele para contar que já estava com a minha certidão e saber se ele tinha conseguido a dele. A resposta foi que não havia problema. Por volta das três horas ele me telefonou e disse que minha mãe queria que eu fosse a Ma'anshan para vê-la. Não disse por quê. Na mesma hora pensei que devia ter acontecido alguma coisa com ela, pedi permissão para sair mais cedo e corri para a estação rodoviária às quatro e meia. Quando cheguei à casa da minha mãe, uma hora depois, sem fôlego de preocupação, ela perguntou surpresa: 'O que foi que aconteceu? Wei Hai telefonou dizendo que vinha a Ma'anshan e me pediu que ficasse em casa. O que é que está havendo com vocês dois?'.

"'Não tenho certeza', respondi, confusa. Sem hesitar, deixei minha mãe e corri para a rodoviária para esperar o ônibus em que Wei Hai devia chegar de Nanquim. Mais de um ano juntos não tinha arrefecido as primeiras emoções do amor. Eu mal conseguia suportar estar longe dele, era doloroso deixá-lo para ir trabalhar, e não via a hora de voltar para casa todos os dias. Eu estava apaixonada, em transe.

"Eram oito e meia daquela noite, e Wei Hai ainda não tinha chegado à rodoviária. Eu estava agitadíssima. Perguntava ao motorista de cada ônibus que chegava se tinha havido algum acidente, se algum ônibus tinha quebrado na estrada, se todos os ônibus estavam circulando no horário. As respostas eram tranqüilizadoras: não tinha acontecido nada de extraordinário. Às nove horas não agüentei mais e tomei um ônibus para voltar para Nanquim e ver se Wei Hai estava em casa, doente. Não ousava pensar que pudesse ter acontecido qualquer outra coisa. Achando que ele pudesse estar num ônibus para Ma'anshan enquanto eu viajava na direção oposta na mesma estrada, acendi uma lanterna que levava comigo e, pela janela, tentava ver as pessoas nos veículos que passavam. Não conseguia discernir nada, mas me sentia reconfortada com a tentativa. Depois de algum tempo o meu ônibus foi parado pela polícia rodoviária. O policial que subiu a bordo disse que um dos passageiros parecia estar fazendo sinais com uma lanterna, por isso todos os passageiros deviam desembarcar para ser inspecionados. Corri para a frente e expliquei que era eu que estava usando a lanterna porque estava com medo de que meu marido tivesse tomado o ônibus errado. O policial, furioso, mandou que seguíssemos em frente e todos os passageiros me xingaram por provocar um atraso. Não me incomodei. Pedi desculpas e continuei olhando pela janela.

"Nós morávamos perto da rodoviária. Ao me aproximar do nosso apartamento, vi luz pelas janelas e me animei. Mas as duas portas estavam trancadas, o que era estranho: geralmente a porta de dentro ficava destrancada quando alguém estava em casa. Fui invadida por uma onda de terror quando vi que o apartamento estava vazio. O instinto me levou a abrir o guarda-roupa. Fiquei gelada: as roupas de Wei Hai tinham sumido. Ele tinha ido embora."

"Wei Hai tinha ido embora? Saído de casa e ido embora?"

O lábio inferior de Zhou Ting tremia. "Sim, tinha ido embora. Tinha levado todas as suas coisas. Bem quando decidimos casar, ele foi embora."

Senti profundamente por ela. "Deixou um bilhete, uma carta, uma explicação, alguma coisa?"

"Nem uma palavra", respondeu ela, erguendo o queixo para impedir que uma lágrima lhe corresse pelo rosto.

"Ah, Zhou Ting!", exclamei, sem saber o que dizer.

A lágrima correu. "Eu caí. Não sei quanto tempo passei deitada no chão, com o corpo todo tremendo. Quando ouvi passos do lado de fora, um fiapo de esperança me fez levantar. Era o primo de Wei Hai que estava à porta. Disse que Wei Hai tinha lhe pedido que me levasse as chaves. Com a porta ainda fechada, eu disse que era tarde, que o momento não era oportuno e que conversaríamos no dia seguinte. Ele não teve escolha senão ir embora.

"Tranquei todas as janelas e portas, abri o gás, sentei e comecei a gravar uma fita. Queria pedir desculpas à minha mãe por não pagar a dívida que tinha com ela por me haver criado; queria pedir desculpas ao meu filho por não cumprir o meu dever natural para com ele; não tinha ânimo nem forças para continuar vivendo. Não pretendia deixar nenhuma mensagem para Wei Hai, pensando que a minha alma expressaria o meu amor e sofrimento por ele no além. A sensação que eu tinha era que a minha cabeça e o meu corpo iam explodir, e mal consegui me levantar quando ouvi vozes diante da janela.

"'Ting, abra a porta, a sua mãe está esperando aqui fora!'

"'Não faça uma tolice! Você é adulta. Que importância tem um homem? O mundo está cheio de homens bons!'

"'Não acenda um fósforo em hipótese alguma!'

"'Depressa! Essa janela é grande... Quebre a vidraça... Rápido...'

"Não sei o que aconteceu depois. O que lembro é que, quando acordei, minha mãe me segurava a mão e chorava. Ao me ver abrir os olhos, soluçou tanto que não conseguiu falar. Mais tarde me contou que eu passei mais de dois dias inconsciente.

"Só eu sabia que não tinha realmente voltado a mim: o meu coração permanecia inconsciente. Estive dezoito dias no hospital. Quando tive alta, pesava menos de quarenta quilos."

"Quanto tempo você levou para esquecer essa dor?" Na mesma hora percebi que tinha feito uma pergunta tola, pois era impossível para Zhou Ting esquecer a sua dor.

Ela enxugou os olhos. "Durante quase dois anos, dormi muito mal. Adquiri uma doença estranha: se visse um homem, qualquer homem, ficava nauseada. Se um homem esbarrasse em mim no ônibus, eu me esfregava inteira com sabonete assim que chegava em casa. Isso durou quase três anos. Depois que Wei Hai foi embora, não consegui continuar na minha unidade de trabalho e pedi demissão. Era muito difícil deixar um emprego na época, mas eu não tinha grandes exigências e nada a temer. Aceitei uma oferta de emprego numa companhia de vendas. Com o meu conhecimento e certo jeito para negócios, logo me tornei uma vendedora popular e bem-sucedida na indústria de alimentos. Fui contratada por várias grandes empresas e fui ganhando experiência em lugares diferentes.

"Dinheiro deixou de ser problema. Até comecei a ser extravagante. Mas ainda não tinha esquecido Wei Hai." Ela olhou longo tempo para o teto, como se procurasse alguma coisa.

Finalmente, virou o rosto e me encarou. "Devido ao meu sucesso nos negócios, a imprensa começou a prestar atenção em mim novamente. Passou a me chamar de 'imperatriz das vendas'. As minhas atividades empresariais eram noticiadas e os jornalistas encontravam tudo quanto era pretexto para me entrevistar. Mas agora eu sabia como me proteger e mantê-los à distância quando necessário. Assim, a minha vida particular jamais foi mencionada nos artigos.

"Vim a conhecer o diretor de uma grande empresa comercial de Xangai, que começou a andar atrás de mim por dois motivos. Primeiro, ele precisava de mim para ajudar a abrir o mercado para a sua empresa. Segundo, ele nunca tinha casado, porque era impotente. Tinha ouvido falar que eu odiava ser tocada por homens e achou que faríamos um bom par. Foi bastante persistente e me ofereceu um sétimo da sua carteira de ações como presente de noivado. Fiquei feliz com o arranjo: eu não precisaria mais trabalhar para os outros e teria um namorado que não ia pôr as mãos em mim. Um jornal de Xangai brigou para dar com exclusividade a notícia, que saiu com a manchete 'Imperatriz das vendas noiva de tubarão de

Xangai. Aguarda-se agitação no mercado'. A notícia logo saiu em vários outros jornais também."

"O casamento será em breve?", perguntei, esperando sinceramente que Zhou Ting encontrasse seu lugar.

"Não, o noivado foi rompido", respondeu, suavemente, tocando o anular.

"Por quê? A imprensa atrapalhou de novo?" Tive medo de que, mais uma vez, os jornalistas tivessem tornado difícil a vida de Zhou Ting.

"Não, não desta vez. Foi porque Wei Hai reapareceu."

"Wei Hai veio procurar você?" Senti uma contração no estômago.

"Não. Ele apareceu numa das minhas sessões de treinamento de vendedores. O meu coração estava vazio havia muito tempo. Assim que dei com os olhos nele, todos os meus sentimentos voltaram", disse, balançando a cabeça.

Não pude disfarçar a incredulidade ao perguntar: "Você ainda o ama?".

Zhou Ting ignorou o meu tom. "Sim. Assim que o vi, percebi que ainda o amava tanto quanto antes."

"E ele? Ainda a ama? Tanto quanto...?"

"Não sei, e não quero perguntar. Tenho medo de abrir velhas feridas. Wei Hai parece muito fraco agora. Perdeu o espírito que tinha quando me segurou a mão e pediu que eu fosse morar com ele, tantos anos atrás, mas ainda tem nos olhos um certo quê que me enternece", disse ela, contente.

Incapaz de ocultar a minha desaprovação, exclamei: "Você o aceitou de volta?!". Eu tinha conhecido muitas mulheres que sempre desculpavam o homem da sua vida pelo sofrimento que lhes causara.

"Isso mesmo. Devolvi as ações ao empresário de Xangai, rompi o noivado e aluguei outro apartamento com Wei Hai. Ainda estamos juntos."

Notei a brevidade do relato de Zhou Ting. Preocupada, insisti: "Você é feliz?".

"Não sei. Nenhum de nós dois menciona o dia em que ele me deixou. Há coisas entre nós que nunca seremos capazes de mencionar."

"Você acha que se você ainda fosse pobre ele teria voltado?"

A resposta foi categórica: "Não, não teria".

Fiquei perplexa. "E se um dia ele abrisse um negócio próprio ou se tornasse financeiramente independente, você acha que ele a deixaria?"

"Acho. Se ele tivesse uma carreira própria ou se conhecesse outra mulher bem-sucedida, iria embora, definitivamente."

Eu estava mais do que perplexa. "E você, então?"

"Você quer dizer: por que é que continuo com ele?", perguntou, em tom de desafio e olhos cheios de lágrimas. Assenti com a cabeça. "Por causa daquela primeira declaração que ele me fez e da felicidade que tive com ele. São as minhas lembranças mais felizes."

Para mim, Zhou Ting falava como qualquer mulher apaixonada que ficava com um homem indigno dela. Novamente dei a entender a minha desaprovação, perguntando: "Você agora alimenta seus sentimentos por Wei Hai com base em recordações?".

"Sim, pode-se dizer que sim. As mulheres são realmente patéticas."

"Wei Hai sabe que você pensa isso tudo?"

"Ele tem mais de quarenta anos. O tempo deve ter-lhe ensinado." O ar de cansaço com que Zhou Ting respondeu fez a minha pergunta parecer ingênua. "Emocionalmente os homens nunca podem ser como as mulheres. Jamais serão capazes de nos compreender. Eles são como as montanhas: só conhecem o chão sob seus pés e as árvores nas suas encostas. Mas as mulheres são como a água."

Lembrei que Jingyi, a mulher que tinha esperado quarenta e cinco anos pelo amado, fizera a mesma analogia. "Por que as mulheres são como a água?", perguntei.

"Todo mundo diz que as mulheres são como a água. Penso que é porque a água é a fonte da vida e se adapta ao ambiente. Assim como as mulheres, a água dá de si mesma em todo lugar aonde vai para nutrir a vida", respondeu Zhou Ting em tom ponderado. "Se Wei Hai tiver a oportunidade, não é por minha causa que ele vai ficar numa casa onde não possui muito poder."

"Sim, se um homem não tem ocupação ou se vive às custas da mulher, a inversão de papéis é uma receita para o insucesso."

Zhou Ting fez silêncio por alguns momentos. "Você viu a manchete 'Empresária poderosa rejeita casamento estratégico por um velho amor', ou coisa assim? Deus sabe o que as pessoas devem ter pensado a meu respeito, depois que essa notícia foi reescrita algumas vezes. A mídia me transformou num monstro de mulher: tentativa de homicídio, adultério. Fiz de tudo. Isso me isolou de outras mulheres, e meus amigos e parentes também mantêm distância. Mas a má reputação me trouxe alguns benefícios inesperados." Zhou Ting riu com amargura.

"Você quer dizer que os seus negócios se beneficiaram?"

"Exatamente. Todos os mexericos fazem as pessoas prestarem atenção aos meus discursos de promoção de vendas porque sentem curiosidade a meu respeito." Ela abriu as mãos, exibindo os anéis que lhe adornavam os dedos.

"Então a sua vida particular contribuiu para as suas realizações profissionais", refleti eu, infeliz com a idéia de que era assim que as mulheres se tornavam bem-sucedidas.

"Pode-se dizer que sim. Mas as pessoas não se dão conta do preço que tive que pagar."

"Há quem diga que as mulheres têm sempre que sacrificar a emoção em nome do sucesso", concordei.

"Na China é quase sempre assim", disse Zhou Ting, escolhendo as palavras com cuidado.

"Se uma mulher lhe perguntasse qual é o segredo do seu sucesso, o que você responderia?"

"Primeiro, ponha de lado as emoções delicadas femininas e deixe que a mídia se espante com a diferença entre você e as outras mulheres. Segundo, deixe que o seu coração se parta e crie uma boa história com isso. Depois, use as suas cicatrizes como oportunidade para negócios: exiba-as ao público; conte-lhe sobre a sua dor. Enquanto as pessoas estiverem soltando exclamações sobre o quanto você deve ter sofrido, exponha os seus produtos no balcão e embolse o dinheiro delas."

"Ah, Zhou Ting, não pode ser realmente assim!"

"Pode, sim. Da maneira como eu entendo, pode", disse ela, convicta.

"Como é que você enfrenta a vida, então?", perguntei, novamente admirada com a coragem das mulheres.

"Você tem um calo na mão? Ou cicatrizes no corpo? Toque-os. Você sente alguma coisa?" Zhou Ting falou com suavidade, mas as suas palavras me deram desespero.

Levantou-se para ir embora. "Infelizmente são seis horas e tenho que ir a várias grandes lojas para conferir os níveis de estoques. Obrigada por este encontro."

"Eu é que agradeço. Espero que o amor suavize os calos no seu coração", disse eu.

Zhou Ting havia recuperado totalmente o autocontrole. "Obrigada", disse, dura, "mas é muito melhor estar amortecida do que sentir dor."

Quando deixei o hotel, o sol estava se pondo. Pensei em como devia se sentir disposto ao amanhecer e como devia estar cansado após um dia de trabalho. O sol dá; as mulheres amam. A experiência é a mesma. Muita gente acredita que as chinesas bem-sucedidas só se interessam por dinheiro. Poucos se dão conta do quanto elas sofreram para chegar onde se encontram hoje.

15. As mulheres da colina dos Gritos

Em 1995, uma pesquisa na China apurou que, nas áreas mais prósperas do país, os profissionais que tinham a expectativa de vida mais curta eram o operário de fábrica de produtos químicos, o motorista de caminhão de longas distâncias, o policial e o jornalista. Os operários e os caminhoneiros sofriam da falta de regulamentos de segurança adequados. O fardo dos policiais era um dos mais pesados do mundo: num sistema judicial imperfeito e numa sociedade onde o poder político era tudo, os criminosos com contatos influentes costumavam se safar impunes e alguns mais tarde se vingavam dos policiais envolvidos no seu caso. A polícia se debatia entre o que sabia que era certo e as ordens que recebia. A frustração, a incerteza e a autocensura causavam morte precoce. Mas por que é que os jornalistas, que de certa maneira levavam uma vida privilegiada, compartilhavam da mesma sorte?

Na China, os jornalistas presenciaram muitos eventos chocantes e perturbadores. No entanto, numa sociedade onde os princípios do Partido governavam as notícias, era muito difícil informarem a verdade do que viam. Era freqüente terem que dizer e escrever coisas de que discordavam.

Quando entrevistava mulheres que viviam um casamento político sem sentimentos, quando via mulheres lutando contra a miséria e as provações e que não tinham nem mesmo uma tigela de sopa ou um ovo para comer depois de dar à luz, ou quando ouvia os relato registrados na secretária eletrônica de mulheres que não ousavam contar a ninguém sobre as surras que levavam dos maridos, eu freqüentemente não podia ajudá-las por causa dos regulamentos internos. Só me restava chorar por elas às escondidas.

Quando começou a abertura, o país portou-se como uma criança faminta, que devora tudo o que encontra pela frente, indiscriminadamente. Depois, enquanto o mundo via uma China feliz e corada, de roupa nova e já sem chorar de fome, a comunidade jornalística deparou-se com um corpo atormentado pela dor da indigestão. E um corpo que não podia usar o cérebro, pois o cérebro da China ainda não tinha desenvolvido as células para absorver verdade e liberdade. O conflito entre o que os jornalistas sabiam e o que tinham permissão para dizer criou um ambiente que lhes prejudicava a saúde física e mental.

Foi esse conflito que me fez abandonar a carreira jornalística.

No outono de 1996, ao voltar do congresso do Partido, o Velho Chen me disse que vários grupos seriam enviados para o Noroeste, Sudoeste e outras áreas economicamente atrasadas da China, com a missão de colher dados para mitigar a pobreza. O governo não dispunha de pessoal qualificado em número suficiente para fazer essas viagens de pesquisa e costumava utilizar jornalistas qualificados para coletar informações. O Velho Chen disse que pretendia participar de um grupo que ia para a área da antiga base militar de Yan'an, para ver como era a vida das pessoas comuns agora. Segundo ele, a Revolução tinha esquecido aquele canto do país.

Vislumbrei uma excelente oportunidade de ampliar o meu conhecimento sobre a vida das chinesas e imediatamente pedi para participar. Fui designada para o grupo do Noroeste, mas na verdade viajaríamos para uma região a oeste de Xi'an, no centro da China. A maioria dos chineses, quando fala do Noroeste, na verdade se refere à região Central, pois os desertos no Oeste do país não aparecem no mapa que as pessoas têm na cabeça.

Ao me preparar para a viagem, resolvi abrir mão de muitas das coisas úteis que costumava levar em viagens a trabalho. Havia dois motivos para isso. Primeiro, haveria um longo percurso a pé pelas montanhas em que teríamos que carregar a bagagem, e eu não quis sobrecarregar com a minha carga os colegas homens, que já estariam exaustos com as deles. O segundo motivo era mais importante: dizia-se que o planalto de loesse que íamos visitar era um lugar muito pobre e achei que me sentiria constrangida com todos os meus confortos materiais diante das pessoas de lá. Elas nunca tinham visto nada do mundo, e talvez nunca tivessem tido o luxo de se sentirem aquecidas e bem-alimentadas.

Viajamos primeiro para Xi'an, onde o grupo se dividiu em três. No meu, havia mais três pessoas: dois jornalistas, um médico e um guia do governo local. Partimos com grande entusiasmo para o nosso destino final. Embora o itinerário talvez não fosse o mais árduo, a área que vimos devia ser a mais pobre. Existem inúmeros graus de riqueza e pobreza, que se manifestam de muitas maneiras. Durante nossa jornada, a vista à nossa frente foi se tornando cada vez mais simples: as construções altas, o clamor de vozes humanas e as cores vibrantes da cidade foram gradualmente substituídos por casas baixas de tijolos e cabanas de barro, nuvens de poeira e camponeses de roupas cinzentas padronizadas. À medida que avançávamos, as pessoas e os sinais de atividade humana iam se tornando mais raros. O planalto contínuo de terra amarela era varrido por tempestades de areia, só conseguíamos enxergar com grande dificuldade. O lema da nossa missão era "ajudar os mais pobres nos lugares mais pobres". É difícil definir os extremos indicados pelo superlativo. Uma pessoa que se vê diante de uma situação extrema nunca tem certeza se se trata da *mais* extrema. No entanto, até hoje nunca vi pobreza que se comparasse com a que presenciei naquela viagem.

Quando, depois de passar dois dias e meio aos solavancos num jipe do exército, o guia finalmente anunciou que tínhamos chegado, todos nós achamos que tinha havido um engano. Não víamos nem sequer a sombra de um ser humano, que dirá um povoado, na paisagem que nos cercava. O jipe tinha subido por encostas nuas e havia parado ao lado de uma colina relativamente grande. Olhando melhor, vimos que na vertente da colina havia cavernas que serviam de moradia. Segundo o guia, aquele era o lugar aonde queríamos ir — a colina dos Gritos, uma aldeia minúscula que não aparecia no mapa —, e também era a primeira visita dele à localidade. Fiquei pensando no nome estranho do povoado.

Alguns moradores curiosos tinham sido atraídos pelo barulho do jipe. Rodearam o veículo e começaram a fazer todo tipo de comentário, chamando o jipe de "cavalo que bebia óleo". Quiseram saber onde o "rabo" preto tinha desaparecido, agora que o jipe tinha parado, e as crianças se puseram a conjecturar. Tive vontade de explicar que o rabo era formado pelos gases do escapamento, mas os representantes do Partido na aldeia tinham aparecido para nos receber e nos fizeram entrar numa casa-caverna que lhes servia de sede.

Nessa primeira reunião não houve mais do que a troca de saudações convencionais. Tivemos que nos concentrar muito para entender uns aos outros, devido às diferenças regionais de vocabulário e sotaque, portanto não pude prestar muita atenção nas cercanias. Ofereceram-nos um banquete de boas-vindas: alguns pedaços de pão chato de farinha branca, uma tigela de um mingau muito fino de farinha de trigo e um pequeno pires de ovos fritos com pimenta-malagueta. Só mais tarde fiquei sabendo que o governo regional tinha pedido ao guia que levasse os ovos especialmente para nós.

Depois de comer, fomos conduzidos às nossas acomodações, à luz de três velas. Os dois jornalistas homens ficariam sozinhos numa casa-caverna, o médico ia se hospedar com um velho, e eu dividiria do ambiente com uma garota. À luz da vela, não consegui ver muito o ambiente, mas o acolchoado tinha um cheiro agradável de roupa exposta ao sol. Recusei polidamente a ajuda dos aldeães que tinham me acompanhado até ali e abri a minha mala. Estava prestes a perguntar à garota como poderia me lavar quando notei que ela já tinha subido para o *kang*. Lembrei do que o guia dissera no trajeto: a água era tão preciosa no local que nem mesmo um imperador poderia lavar o rosto e escovar os dentes todos os dias.

Tirei a roupa e me enfiei na parte do *kang* que fora obviamente deixada para mim. Quis conversar alguns minutos com a garota, mas ela já roncava levemente. Não parecia achar que ter uma hóspede fosse novidade e pegou no sono imediatamente. Eu estava exausta e também tinha tomado uns comprimidos para não enjoar na viagem, de modo que também adormeci logo. A minha capacidade de dormir em lugares pouco familiares causava uma inveja enorme entre os meus colegas; eles diziam que só por isso eu já era uma jornalista nata. Eles, assim que se aclimatavam a um lugar, tinham que se deslocar para outro, onde tornavam a sofrer de insônia. Para eles, uma viagem de longa distância a trabalho era uma tortura.

Fui despertada por uma leve claridade entrando na caverna. Vesti-me e saí. Encontrei a garota já preparando uma refeição.

O céu e a terra pareciam haver se fundido. O sol ainda não nascera, mas a sua luz já se derramava de uma grande distância por sobre aquela tela imensa, tocando as pedras nas colinas e dourando a terra amarelo-acinzentada. Eu nunca tinha visto um amanhecer tão bonito. Pensei na possibilidade de turismo para ajudar a região a sair da miséria. O magnífico nascer do sol naquele planalto de loesse comparava-se ao que as pessoas corriam para ver do alto do monte Tai ou à beira-mar. Quando, mais tarde, mencionei que as pessoas deviam visitar a colina dos Gritos, um adolescente descartou a minha idéia dizendo que eu não sabia o que estava dizendo: a colina dos Gritos não tinha água suficiente nem mesmo para suprir as necessidades mais básicas dos moradores; como poderia atender a um afluxo de visitantes?

A fumaça asfixiante do fogo que a garota tinha acendido para cozinhar me despertou do devaneio. O esterco seco que ela usava como combustível soltava um cheiro pungente. O fogo fora aceso entre duas pedras grandes, sobre as quais a garota havia colocado uma panela e uma pedra chata. Preparou um mingau ralo de farinha na panela e torrou um pão chato de grão grosso na pedra. Seu nome era Niu'er (menina). Contou que o único combustível que tinham no inverno era esterco. Ocasionalmente, quando havia um casamento ou morria alguém, ou quando parentes ou amigos iam visitar, eles usavam o esterco para acender uma fogueira, como expressão solene de amizade. O combustível que utilizavam normalmente para cozinhar eram as raízes de um tipo de sapé — encontrado em terreno extremamente árido, com um grande sistema de raízes e um punhado de folhas de vida curta —, com que aqueciam um pouco de água para fazer mingau. Assavam o pão grosseiro, chamado *mo*, somente uma vez por ano, no verão, nas pedras escaldantes da colina. Depois guardavam-no nas cavernas. Ficava tão seco e duro que durava quase um ano. O fato de ela me servir *mo* era uma homenagem. Só os homens que trabalhavam na lavoura tinham o direito de comê-lo. As mulheres e as crianças sobreviviam à base do ralo mingau de trigo — anos e anos de dificuldades as tinham acostumado à fome. Niu'er contou que a maior honra e prazer da vida de uma mulher era a tigela de ovos misturados com água que comia depois de ter um filho. No decorrer da visita, lembrei disso ao ouvir mulheres brigando e uma dizendo à outra: "E quantas tigelas de ovos com água *você* comeu?".

Depois da refeição especial de mingau e *mo* no primeiro dia, o nosso grupo foi trabalhar. Expliquei aos representantes do Partido da aldeia que queria coletar informações sobre as mulheres da colina dos Gritos. Eles, que nem sequer sabiam escrever o próprio nome, mas que se consideravam cultos, balançaram a cabeça desconcertados: "O que é que há para dizer sobre mulheres?".

Insisti, e acabaram cedendo. Para eles, eu era só mais uma mulher que não entendia nada e simplesmente seguia os passos dos homens, tentando causar impressão com novidades. Essa atitude não me perturbou. A experiência de muitos anos como jornalista me ensinara que o acesso às minhas fontes era mais importante do que as opiniões que os outros faziam a meu respeito.

Na primeira vez em que ouvi o nome "colina dos Gritos" senti um entusiasmo indefinível e tive a sensação de que minha visita estava predestinada. O nome invoca um lugar ruidoso, cheio de vida — exatamente o oposto da realidade. A colina de terra amarela ergue-se numa paisagem de terra nua, areia e pedras. Não há sinal de água correndo nem de vida vegetal. O raro besouro que se vê parece estar fugindo da terra estéril.

A colina dos Gritos fica na faixa de terra onde o deserto já avança sobre o planalto. Faz milhares de anos que o vento sopra incansavelmente, o ano inteiro. Geralmente só se enxerga à distância de alguns passos nas tempestades de areia, e os aldeães, trabalhando na colina, têm que gritar para se comunicar uns com os outros. Por essa razão, as pessoas do lugar são famosas pela voz alta e ressonante. Ninguém soube confirmar se foi esse o motivo de a colina dos Gritos ter ganhado o nome, mas achei que fosse provável. O lugar é completamente isolado do mundo moderno. Nas moradias pequenas e baixas, dentro das cavernas, vivem de dez a vinte famílias, que têm só quatro sobrenomes diferentes. As mulheres são valorizadas apenas pela sua utilidade: na qualidade de instrumentos de reprodução, são o artigo de comércio mais precioso na vida dos moradores. Os homens não hesitam em trocar duas ou três filhas pequenas por uma esposa de outra aldeia. A prática mais comum é casar uma mulher da família e arrumar uma esposa em outra aldeia, por isso a maioria das mulheres da colina dos Gritos vem de fora. Depois de se tornarem mães, são forçadas a ceder as filhas. Na colina dos Gritos, a mulher não tem direitos de propriedade nem de herança.

Ali também ocorre a prática social incomum de uma esposa ser dividida entre vários maridos. Na maioria desses casos, são irmãos extremamente pobres, sem mulheres para trocar, que compram uma esposa e a compartilham entre si para dar continuidade à família. De dia beneficiam-se da comida e dos trabalhos domésticos que ela faz, e à noite desfrutam do seu corpo. Se tem um filho, nem ela mesma é capaz de dizer quem é o pai. A criança se refere a Papai Grande, Segundo Papai, Terceiro Papai, e assim por diante. Os aldeães não consideram a prática ilegal, porque se trata de um costume estabelecido há muitas gerações, o que o torna mais poderoso do que a lei. Também não zombam das crianças que têm muitos pais, pois elas gozam da proteção e da propriedade de vários homens. Ninguém sente compaixão alguma pelas esposas compartilhadas; para eles, a existência das mulheres é justificada pela sua utilidade.

Seja qual for a aldeia de onde sejam originárias, as mulheres logo adotam os costumes que foram transmitidos geração após geração na colina dos Gritos. Levam uma vida duríssima. Nas casas-cavernas, com só um cômodo, cuja metade é ocupada pelo *kang*, seus aparelhos domésticos consistem em algumas placas de pedra, esteiras de capim e tigelas de argila grosseira; um jarro de cerâmica é considerado um luxo que só se encontra em "famílias abastadas". Nessa sociedade, brinquedos para as crianças ou artigos para uso especificamente feminino são considerados impensáveis. Como as mulheres da família são a moeda que compra esposas, estas têm que suportar o ressentimento dos parentes que sentem saudade das filhas ou irmãs que foram trocadas, e trabalhar dia e noite para atender às necessidades diárias da família inteira.

São elas que saúdam o amanhecer na colina dos Gritos: têm que alimentar os animais, varrer o pátio, polir e consertar as ferramentas enferrujadas e embotadas dos maridos. Depois que os homens seguem para a lavoura, elas têm que buscar água num riacho intermitente, carregando dois baldes pesados nos ombros até o outro lado da montanha, durante duas horas de caminhada. Na época de colher sapé, também têm que subir a colina para arrancar as raízes, que vão usar como combustível para cozinhar. À tarde, levam comida para os homens. Quando voltam, elas fiam, tecem e fazem roupas, sapatos e chapéus para a família. O dia inteiro carregam, quase que para todo lugar, crianças pequenas nos braços ou às costas.

Na colina dos Gritos, "usar" é o termo empregado pelos homens quando querem dormir com uma mulher. Quando voltam, ao pôr-do-sol, e querem "usar" as esposas, costumam gritar impacientes: "Por que é que você está molengando aí? Vem para o *kang* ou não?". Depois de serem "usadas", elas vão cuidar das crianças, enquanto os homens roncam. Só quando anoitece é que podem descansar, pois não há luz para trabalharem. Quando tentei experimentar uma parte muito pequena da vida dessas mulheres, participando brevemente das suas tarefas domésticas de todos os dias, a minha fé no valor da vida ficou profundamente abalada.

O único dia em que uma mulher da colina dos Gritos pode erguer a cabeça é aquele em que dá à luz um filho. Encharcada de suor depois do tormento do parto, ouve as palavras que a enchem de orgulho e satisfação: "Peguei-o!". Esse é o maior reconhecimento que obtém do marido, e a recompensa material é uma tigela de ovo com açúcar e água quente. Não há preconceito contra a mulher que tem uma menina, mas ela não desfruta desse privilégio. A colina dos Gritos tem uma estrutura social única, mas não difere do resto da China no que diz respeito a dar mais valor a filhos do que a filhas.

Nos primeiros dias, fiquei intrigada com o fato de que a maioria das crianças que brincavam perto das mulheres ou as ajudavam nas cavernas eram meninos, e pensei se este seria outro vilarejo onde se praticava o infanticídio de meninas. Mais tarde apurei que a causa era a escassez de roupas. Quando uma família ganhava roupa nova, a cada três ou cinco anos, vestia primeiro os meninos. As meninas, geralmente várias delas, compartilhavam um único vestuário para usar fora de casa, que tinha que servir em todas. As irmãs ficavam sentadas no *kang*, cobertas com um grande lençol, e faziam rodízio da roupa para sair e ajudar a mãe.

Havia uma família com oito filhas e só uma calça, tão remendada que mal se via o tecido original. A mãe estava grávida pela nona vez, mas o *kang* da família não era maior do que o de famílias com três ou quatro filhos. As oito meninas ficavam sentadas no *kang*, costurando sapatos numa divisão rigorosa de tarefas, como uma linha de montagem numa pequena oficina. Riam e tagarelavam enquanto trabalhavam. Toda vez que conversávamos, elas falavam do que tinham visto e ouvido no dia em que tinham "vestido roupa". Cada uma delas contava os dias para chegar a sua vez de "vestir roupa". Falavam todas contentes sobre famílias em que ia haver um casamento ou funeral, as que tinham tido um menino ou menina, que homem batia na mulher, ou quem tinha xingado a quem. Falavam principalmente dos homens da aldeia. Até as marcas no chão, no lugar onde um garotinho tivesse feito suas necessidades, era assunto de conversa e risadas. Nas mais de duas semanas que passei com elas, quase nunca as ouvi falar sobre mulheres. Quando eu deliberadamente conduzia a conversa para temas como estilos de cabelo, roupas, maquiagem ou outros assuntos de interesse feminino no mundo lá fora, as meninas geralmente não tinham idéia do que eu estava falando. Para elas, o modo como as mulheres viviam na colina dos Gritos era a única maneira concebível de viver. Não ousei lhes contar sobre o mundo nem sobre a vida das mulheres fora do povoado, pois viver com o conhecimento do que elas jamais teriam seria muito mais trágico do que apenas viver como viviam.

Notei um fenômeno curioso entre as moradoras da colina dos Gritos: quando atingiam a adolescência, ou perto disso, o seu andar de repente se tornava muito estranho. Passavam a caminhar com as pernas bem abertas, oscilando num grande arco a cada passo. Nas garotas mais novas não havia sinal dessa característica. Nos primeiros dias fiquei intrigada, mas não quis fazer muitas perguntas na esperança de encontrar a resposta sozinha.

Eu tinha o hábito de desenhar trechos da paisagem que, na minha opinião, fossem típicos do lugar sobre o qual estava fazendo reportagens. Para pintar a colina dos Gritos, não havia necessidade de usar cor alguma: umas poucas linhas bastavam para registrar suas qualidades essenciais. Um dia, enquanto desenhava, notei umas pequenas pilhas de pedras que não lembrava de ter visto antes. A maioria estava em pontos meio escondidos. Fui olhar de perto e vi folhas de um vermelho quase preto embaixo das pretas. Na colina dos Gritos só crescia sapé. De onde é que aquelas folhas tinham vindo?

Examinei-as com cuidado: quase todas tinham uns dez centímetros de comprimento por cinco de largura. Era visível que tinham sido cortadas do mesmo tamanho, e pareciam ter sido batidas e esfregadas com as mãos. Umas eram levemente mais grossas do que outras, estavam úmidas e tinham cheiro de peixe. Outras estavam sequíssimas devido à pressão das pedras e ao calor ardente do sol; não eram quebradiças, mas muito duras, e tinham o mesmo cheiro salgado e forte. Eu nunca tinha visto folhas como aquelas. Pensando na sua possível utilidade, resolvi perguntar aos aldeães.

Os homens disseram: "Isso são coisas de mulheres!", e se recusaram a dizer qualquer outra coisa.

As crianças balançaram a cabeça, confusas. Não sabiam o que eram e "a mamãe e o papai disseram que a gente não deve tocar nelas".

As mulheres simplesmente baixavam a cabeça, em silêncio.

Quando percebeu que eu estava intrigada com as folhas, Niu'er me disse: "É melhor perguntar à minha avó. Ela lhe dirá". A avó não era muito idosa, mas como casara e tivera filhos muito cedo passara a fazer parte da geração mais velha da aldeia.

Lentamente ela me explicou que as folhas eram usadas pelas mulheres durante a menstruação. Quando uma garota da colina dos Gritos tinha o primeiro período mestrual ou uma mulher de fora se casava com um homem do povoado, a mãe ou outra mulher da geração mais velha lhe dava dez dessas folhas, que eram colhidas de árvores muito distantes. As mulheres mais velhas ensinavam as garotas o que fazer com as folhas. Primeiro era preciso cortar cada folha do tamanho correto, de modo a poder usá-la dentro da calça. Depois faziam-se pequenos furos nas folhas, para que ficassem mais absorventes. As folhas eram relativamente elásticas e tinham fibras grossas, portanto engrossavam e se dilatavam ao absorver o sangue. Numa região onde a água era tão preciosa, não havia alternativa senão prensar as folhas e pô-las para secar depois do uso. Uma mulher usava suas dez folhas a cada menstruação, mês após mês, mesmo depois do parto. Suas folhas eram os únicos pertences com que era enterrada.

Troquei uns absorventes que tinha comigo por uma folha da avó de Niu'er. Meus olhos encheram-se de lágrimas ao tocá-la: como é que aquela folha grosseira, dura até ao toque da mão, podia ser acomodada no ponto mais delicado do corpo de uma mulher? Foi só então que entendi por que as mulheres da colina dos Gritos andavam de pernas abertas: tinham as coxas em carne viva devido ao roçar das folhas.

Havia outra razão para o andar estranho das mulheres da colina dos Gritos, que me deixou ainda mais chocada.

Em chinês escrito, a palavra "útero" é composta dos ideogramas de "palácio" e de "crianças". Quase toda mulher sabe que o útero é um dos seus órgãos principais. Mas as mulheres da colina dos Gritos nem sabem o que é um útero.

O médico que fora no nosso grupo me contou que um dos aldeães lhe pediu que examinasse a esposa, que engravidara várias vezes, mas sempre abortava. Devidamente autorizado pelo marido, o médico examinou a mulher, e ficou estarrecido ao ver que ela tinha o útero caído. A fricção e a infecção de muitos anos haviam endurecido a parte do útero que pendia para fora, deixando-a dura como um calo. O médico simplesmente não conseguia imaginar o que poderia ter causado aquilo. Surpresa com a reação dele, a mulher lhe disse, em tom de reprovação, que todas as mulheres da colina dos Gritos eram assim. O médico me pediu que ajudasse a confirmar isso. Vários dias mais tarde, depois de observar disfarçadamente as aldeãs enquanto faziam suas necessidades, confirmei que a mulher tinha dito a verdade. Útero caído era outra razão de as mulheres andarem com as pernas tão abertas.

Na colina dos Gritos não se opõe resistência ao curso da natureza, e planejamento familiar é conceito desconhecido. As mulheres são tratadas como máquinas reprodutoras e produzem um filho por ano, ou até dois filhos a cada três anos. Não há garantia de que as crianças sobrevivam. Pelo que me consta, a única maneira de conter a expansão constante das famílias é a mortalidade infantil ou o aborto causado por exaustão.

Vi muitas mulheres grávidas na colina dos Gritos mas não notei — nem entre elas, nem entre os homens — a sensação de expectativa por um filho que está para nascer. Mesmo as mulheres em final de gestação tinham que continuar trabalhando e eram "usadas" pelos maridos, cujo raciocínio era de que "só as crianças que resistem a ser esmagadas são fortes o suficiente". Fiquei pasmada com isso, principalmente com a idéia de esposas compartilhadas serem "usadas" por vários homens durante a gravidez. As crianças que essas mulheres davam à luz eram realmente muito fortes: a noção de "sobrevivência dos mais fortes" certamente se aplicava à colina dos Gritos. Esse pragmatismo brutal causara o severo prolapso de útero entre as destemidas e abnegadas aldeãs.

No dia em que apurei que útero caído era um fenômeno cotidiano na colina dos Gritos, passei muito tempo sem conseguir dormir à noite. Deitada no *kang* de terra, chorei por aquelas mulheres da minha geração e da minha época. O fato de não terem noção da sociedade moderna, muito menos consciência dos direitos das mulheres, era um pequeno consolo; a felicidade delas estava na própria ignorância, em seus costumes e na satisfação de acreditar que todas as mulheres do mundo viviam como elas. Falar-lhes sobre o mundo lá fora seria como arrancar os calos de uma mão desgastada pelo trabalho e enfiar espinhos na carne tenra.

No dia em que parti da colina dos Gritos, notei que os absorventes que eu tinha dado à avó de Niu'er estavam enfiados no cinto dos filhos: eles estavam usando os absorventes para limpar o suor e proteger as mãos.

Antes da visita à colina dos Gritos, eu pensava que as chinesas de todos os grupos étnicos estivessem unidas, cada uma se desenvolvendo de um jeito único mas, essencialmente, caminhando par a par com os tempos. Nas minhas duas semanas na colina dos Gritos, porém, vi mães, filhas e esposas que pareciam ter sido deixadas para trás, no começo da história, levando uma vida primitiva num mundo moderno. Fiquei preocupada com elas. Seriam capazes de se pôr em dia com o mundo? Não se pode caminhar até o fim da história com um único passo, e a história não iria esperar por elas. No entanto, quando voltei para o escritório e constatei que viagens como a nossa estavam trazendo comunidades escondidas à atenção do resto do país, tive a sensação de estar no começo de alguma coisa. Esse começo continha a minha esperança. Talvez houvesse um meio de ajudar as mulheres da colina dos Gritos a se moverem um pouco mais depressa...

O Grande Li ouviu o meu relato e depois perguntou: "Elas são felizes?".

Mengxing exclamou: "Não seja ridículo! Como é que elas podem ser felizes?".

Mas eu disse a Mengxing que, entre as centenas de chinesas com quem eu havia conversado ao longo de quase dez anos de transmissões de rádio e jornalismo, as mulheres da colina dos Gritos foram as únicas a me dizer que eram felizes.

Epílogo

Em agosto de 1997, mudei-me da China para a Inglaterra. Minha experiência na colina dos Gritos tinha me deixado abalada. Sentia que precisava respirar novos ares — saber como era a vida numa sociedade livre. No avião para Londres, sentei ao lado de um homem que contou que estava retornando da sétima visita à China. Tinha estado em todos os locais históricos importantes. Falou com conhecimento sobre o chá, a seda e a Revolução Cultural. Curiosa, perguntei o que ele sabia sobre a posição das mulheres na sociedade. Respondeu que a China lhe parecia uma sociedade muito igualitária: em todo lugar onde esteve, viu homens e mulheres fazendo o mesmo tipo de trabalho.

Eu tinha embarcado com a idéia de que talvez encontrasse um meio de descrever a vida das chinesas para as pessoas no Ocidente. De repente, confrontada com o conhecimento muito limitado daquele homem, a tarefa pareceu muito mais assustadora. Eu ia precisar retroceder muito longe na minha memória para recuperar todas as histórias que havia coletado ao longo dos anos. Teria que reviver as emoções que sentira ao ouvi-las pela primeira vez e tentar encontrar as melhores palavras para descrever todo o sofrimento, a amargura e o amor que as mulheres haviam expressado. E mesmo assim não tinha certeza de como os leitores ocidentais interpretariam essas histórias. Como nunca tinha estado no Ocidente, não tinha muita idéia do quanto as pessoas sabiam sobre a China.

Quatro dias depois de eu ter chegado a Londres, a princesa Diana morreu. Lembro de estar na plataforma da estação de metrô de Ealing Broadway, rodeada de pessoas com ramos de flores para levar até os portões do palácio de Buckingham. Não consegui resistir ao impulso de jornalista e perguntei a uma mulher ao meu lado na multidão o que a princesa Diana significara para ela. Começamos a conversar sobre a posição da mulher na sociedade britânica. Depois de algum tempo, ela me perguntou como era a vida das mulheres na China. Para os ocidentais, disse, a chinesa moderna ainda parecia usar um véu. Ela achava importante tentar enxergar por trás desse véu. As suas palavras me inspiraram. No final das contas, talvez houvesse no Ocidente um público interessado nas minhas histórias. Mais tarde, quando fui trabalhar na *School of Oriental and African Studies* (SOAS) da Universidade de Londres, outras pessoas me incentivaram. Falei com uma professora sobre algumas das minhas entrevistas e ela foi categórica ao dizer que eu devia escrevê-las. Segundo ela, a maioria dos livros publicados até então tinham sido sobre famílias específicas. As minhas histórias dariam uma perspectiva mais ampla.

No entanto, o momento decisivo ocorreu quando uma chinesa de vinte e dois anos me pediu ajuda. Ela estudava na SOAS e veio sentar ao meu lado na cantina. Estava muito deprimida. Sua mãe, sem nenhuma preocupação com o custo das ligações internacionais, telefonava todos os dias para alertá-la contra os homens ocidentais, que eram "vândalos sexuais", dos quais ela não poderia se aproximar em hipótese alguma. Como não tinha ninguém a quem pedir orientação, a garota estava desesperada em busca de respostas às perguntas mais básicas sobre o relacionamento entre homens e mulheres. A mulher que beijasse um homem ainda era considerada virgem? Por que é que os ocidentais tocavam tanto as mulheres e com tanta facilidade?

Sentados perto de nós havia outros alunos, que estudavam chinês e entenderam o que ela dizia. Riram, sem acreditar que alguém pudesse ser tão inocente. Mas fiquei muito emocionada com a infelicidade dela. Dez anos depois de Xiao Yu ter me escrito para perguntar se o amor era um crime contra a decência pública e de haver cometido suicídio quando não lhe respondi, ali estava outra jovem cuja mãe era responsável por mantê-la numa situação de completa ignorância sexual. Os ocidentais com quem ela estudava, que se abraçavam sem pensar duas vezes no assunto, não tinham noção do que ela estava sofrendo. Na China existem, de fato, muitas jovens sexualmente experientes — em geral morando nas cidades — que teriam rido dela. Mas eu tinha conversado com inúmeras mulheres em posição semelhante à dela. Depois daquele pedido de ajuda, pareceu-me ainda mais urgente usar as lágrimas delas todas, e também as minhas, para criar um caminho rumo à compreensão.

Lembrei do que o Velho Chen me disse um dia: "Xinran, você devia escrever isso. Escrever cria uma espécie de repositório e pode ajudar a abrir um espaço para conciliar pensamentos e sentimentos novos. Se você não as escrever, essas histórias vão encher o seu coração e parti-lo". Naquela época, na China, eu poderia ter sido presa por escrever um livro como este. Não podia correr o risco de abandonar o meu filho nem as mulheres que recebiam ajuda e encorajamento através do meu programa de rádio. Na Inglaterra, o livro tornou-se possível. E foi como se eu o tivesse escrito com o coração.

Agradecimentos

Eu gostaria de agradecer:

a Panpan, por me dar tempo para escrever

a meus pais, por me ajudarem a compreender melhor os chineses

a Toby Eady, por me dar seu coração e uma mão para escrever este livro

a Esther Tyldesley, por uma tradução para o inglês imbuída da sua experiência e sentimentos pela China

a Christine Slenczka, por contribuir com o seu conhecimento da China para o primeiro rascunho

a Rebecca Carter, pelo interesse em compreender a China e pela edição com sensibilidade

a MinWi Deng, por me contar o que os mais jovens pensam sobre a China

às chinesas, por me fazerem sentir orgulho do que fiz

e a você, por ler este livro e se sensibilizar com ele

1ª EDIÇÃO [2003] 9 reimpressões

ESTA OBRA FOI COMPOSTA EM MINION PELA SPRESS E IMPRESSA
PELA PROL EDITORA GRÁFICA EM OFSETE SOBRE PAPEL PÓLEN SOFT
DA COMPANHIA SUZANO PARA A EDITORA SCHWARCZ EM ABRIL DE 2004